講談社文庫

亡国のイージス(上)

福井晴敏

講談社

亡国のイージス(上)・目次

亡国のイージス(上)

〈主な登場人物〉

宮津弘隆　海上自衛隊ミサイル護衛艦《いそかぜ》艦長。二等海佐。49歳。
仙石恒史　同艦先任警衛海曹（先任伍長）。48歳。
如月　行　同艦第一分隊砲雷科一等海士。21歳。
竹中　勇　同艦副長兼船務長。三等海佐。42歳。
杉浦丈司　同艦砲雷長。一等海尉。35歳。
横田利一　同艦航海長。一等海尉。51歳。
酒井宏之　同艦機関長。一等海尉。51歳。
風間雄大　同艦砲雷科水雷士。三等海尉。24歳。
若狭祥司　同艦掌帆長。海曹長。47歳。
田所祐作　同艦第一分隊砲雷科海士長。24歳。
菊政克美　同艦同科二等海士。20歳。
溝口哲也　海上訓練指導隊（FTG）所属三等海佐。40歳。
衣笠秀明　第65護衛隊司令。一等海佐。52歳。
阿久津徹男　ミサイル護衛艦《うらかぜ》艦長。二等海佐。46歳。
吉井真人　第一護衛隊群司令。海将補。52歳。
安藤亮二　百里基地第七航空団・第204飛行隊所属三等空佐。36歳。
宗像良昭　同隊所属一等空尉。27歳。

野田輝夫　防衛庁情報局（ダイス）局長。60歳。
渥美大輔　同局内事本部長。44歳。
梶　良巳　同局対テロ特殊要撃部隊隊長。一等陸尉。38歳。
宮下　武　同隊員。三等陸尉。30歳。
真壁義成　同隊員。三等陸曹。22歳。
武石　誠　潜水艦《せとしお》艦長。二等海佐。45歳。
沢口　博　海上幕僚監部人事課長。52歳。
菅原裕二　警察庁警備局長。58歳。
汀　陽介　国家公安委員長兼自治大臣。59歳。
明石智司　警察庁長官。60歳。
鍋島秀一　防衛庁長官。58歳。
曾根岳士　内閣安全保障室長。62歳。
木島祐孝　総合幕僚会議議長。58歳。
湊本仁志　海上幕僚長。56歳。
瀬戸和馬　内閣情報調査室長。52歳。
梶本幸一郎　内閣総理大臣。68歳。
リン・ミンギ　北朝鮮人民武力省偵察局局長。60歳。
ホ・ヨンファ　北朝鮮工作員。40歳前後。
チェ・ジョンヒ　ヨンファの部下。20歳前後。

序章

一・行

如月行(きさらぎこう)は、千葉県の南端、館山(たてやま)にほど近い山間の小さな町で生まれた。ロッキードに続いて浮上したダグラス・グラマン疑惑が永田町の金権体質を浮き彫りにする一方で、スペース・インベーダーがテレビゲーム時代の到来を宣言。ゴダイゴが「銀河鉄道999」のテーマソングを大ヒットさせている頃だった。

半径五キロ以内に電車は走っておらず、夏の観光シーズンを除けば訪れる人も車もほとんどない。山を下った先にある漁村は寂(さび)れつつあり、それは周囲でわずかばかりの土地を耕している農家にしても同じだった。太平洋に熟れた葡萄(ぶどう)の房のような形を突き出している房総半島の突端は、都会から海水浴にやってくる車と、ブラウン管に投影される映像だけが時代の変化を伝える忘れられた僻地(へきち)で、物心がついてからしばらくの間、行は他の世界をまったく知らずにそこで育った。
最初の十年間、行は田上という母親から受け継いだ姓を名乗っていた。父親はいなかった。近在の地主が採算の取れなくなった畑を潰して建てたアパートの一室で、ひっそりと生活する母子を訪ねる者もなかった。それを不思議に思ったり、不満に感じたりすることがなかったのは、他の家庭の様子を知る機会が皆無だった——閉ざされた過疎地の住人たちは、自分の子供が父親の知れない、夜の商売をしている母親の子供と遊ぶのを歓迎しなかった——からだし、母が自分を育てるためにどれだけ苦労しているか、知っていたからでもあった。

山ひとつ越えた先にある町の店に通うのに、母は自転車を使っていた。一時間に一本だけ走る路線バスがあったが、九時過ぎにはそれもなくなってしまうので、帰りのタクシー代を節約するためにはそうするしかないのだった。毎夕六時ごろ出かけていっては、明け方の四時近くに疲れきった様子で帰ってくる。ペダルを漕ぎ続けてぱんぱんになった足に湿布を貼り、倒れ込むように隣の布団に横になると、すぐに寝息をたて始める。夢うつつの中、微かに漂ってくるアルコールと香水、湿布の匂いを嗅ぐのが、行は好きだった。さまざまなものが渾然一体となった母の匂い——それは独りぼっちの夜に終わりを告げ、行の住む世界の輪郭を形成して、外部の嫌なものや怖いものから守ってくれる温もりの源だったからだ。それさえあれば、行にはなにも必要なかった。貧困にも、孤独にも、同じ学校に通う子供たちの辛辣な悪口にも、耐えることができた。

実際、行には母親との生活だけがすべてだったので、周囲が自分をどう見ているかなどまったく気にならなかった。子供たちが親の陰口を引き写してなにを言っても、取り合おうとはしなかった。顔を上げ、じっと相手の目を見つめて、向こうが気まずくなって捨てゼリフとともに退散するまで、黙ってそうしていた。

一度だけひどく怒り、教師が慌てて止めに入るまでめちゃくちゃに相手を殴りつけてしまったのは、ちょっと目を離した隙に体操着を破かれてしまった時だ。ひとりで山の中を遊び回っているうちに鍛えられたのか、人いちばいの駿足を見込まれて陸上競技の地区代表候補に選ばれた直後のことだったが、つまらない妬みから体操着を破いた相手が鼻の骨を折ろうが、そのために地区代表の件がお流れになってしまおうが、行にはどうでもいい話だった。問題は、母に余計な心配をかけ、新しい体操着を買うために経済的な負担までかけてしまったということ。行にはそれが悔しく、どうしようもなく情けなかったのだ。

母さんはもう十分に大変なのだから、自分のことでこれ以上苦労や心配はさせない。そのためにはなんにだって耐えてみせる。それが行の決めた「掟」だった。そうして自分で設定した掟に従い、人生を「生きる」のではなく「耐える」。誰から教わったわけでもないのに、それは物心がついた時には既に備わっていた行の倫理であり、また処世術だった。

いつもぎりぎりの生活を強いられていた母だったが、遠足にはちゃんと弁当も作ってくれたし、休みの日には近くの海岸まで遊びに連れていってくれた。昼過ぎまで寝ている母が出かけられるのは夕刻が近づいてからで、どっさり買い込んだ花火を自転車の荷台に積むと、行を後ろに乗せて一息に坂道を滑り下りてゆく。その時は日ごろ刻まれた疲労の色も失(う)せ、母はからからとよく笑い、行も心の底から笑うことができた。

ちゃんと遊びに連れていってあげられなくて、ごめんね。でも母さん、花火大好きなんだ。そう言って、母は冬でももこもこに着ぶくれさせた行を自転車に乗せて、日の暮れた海岸に向かった。無論、行にはなんの文句もなかった。潮と火薬の入り混じった匂いは、やはり自分の住む世界を形成する大事な要素だったし、線香花火の火種を見つめる母の穏やかな横顔は、他の場所では決して見ることのできない貴重なものだった。

海を見るのが好きだったせいもあるのだろう。遊ぶ材料に事欠かないのは山の方だったが、嫌なことや辛いことがあった時、見たくなるのは決まって海の方だった。うるさいほど賑(にぎ)やかに生命を実らせた山と違って、海には物静かな、茫漠(ぼうばく)とした海面の下に秘めた底深い生命のたぎりがある。本当の気持ちを隠したまま、平穏を維持していなければならなかった行にとって、その姿はどこか自分に重なって見えていたのかもしれない。

なにを取り繕(つくろ)う必要もなく、あるがままの自分を無条件で受け入れてくれる海。水平線上にはタンカーや貨物船が行き交うのが見え、それより手前を、たまに訓練航海中の護衛艦が横切ることもあった。細長い船体にごつごつした艦橋(かんきょう)と煙突を載せ、レーダーをたわわに実らせた高いマストが、夕日を背に幾何学的な陰影を浮かび上がらせる。目を凝らせば艦橋構造の上に立つ、針の先ほどの大きさの人の形を窺うこともでき、母と二人で大声で呼びかけ、気づくはずがないとわかりながら、暗灰色の船体が見えなくなるまで手を振り続けた。閉塞した過疎の土地で、それは行と母が遠慮なく声をかけられる唯一の他人だった。気づかれない代わりに、無視されることも疎まれることもない。腹に溜め込んだ不安や不満を吐き散らすように大声でわめき、少しだけすっきりした気分になって、母と顔を見合わせて笑った。

そうして休日の夕暮れ時を過ごし終えると、自転車を押して帰る道すがら、夏にはアイスキャンデーを、冬には中華饅を頬ばりつつ、その週に起こったいろいろな出来事や、仕事の都合上一緒には観られないテレビ番組のあらすじを、母に話して聞かせる。そうした瞬間が、行に次の一週間を「耐える」力を与えてくれるのだった。

そんなある日、母が死んだ。自殺だった。アパートの裏の山林で、枝から首を吊ってぶら下がっていた母を発見したのは近所の住民で、行は最後まで死に顔を見せてはもらえなかった。

葬儀の手配のために派遣されてきた市の福祉員は、見せられる状態じゃないと言っていたが、行には納得できなかった。自分以外のいったい誰に、母を見る権利があるのかと思った。だが柩は閉ざされたまま火葬場に運び込まれ、母の体は小さな骨壺に収まって、幸福とは言い難かった人生の領収書のように、行に手渡された。

兆候はあった。海岸に向かう坂道を滑り下りる時、抱きついた母の背中が次第に骨ばってゆくのは以前から感じていたし、どんなに疲れていてもなかなか寝つかれず、青白い顔に焦点の定まらない目で窓の外を見ている時間が長くなった母からは、香水や湿布の匂いに混じって、なにかの腐敗臭のようなものが漂うようになっていた。おまえの母ちゃん、シャブ中なんだろ。親たちの噂話を立ち聞きして、そんなことを言う者もいたが、それがなにを意味する言葉なのかはわからなかった。ただ母と二人の世界に立ち込め、内から破壊してゆく腐敗臭に脅えていた行が、その終焉をどこかで予期していたことは間違いなかった。

許せないのは、母がなにも言わずに自ら命を絶ったという事実だった。苦労をかけないように、心配させないように、それだけを考えて頑張ってきたのに、母さんは自分を置き去りにして行ってしまった。どうして一緒に連れて行ってくれなかったのか。どうしてなにも言わずに行ってしまったのか。自分のことなんかなんとも思っていなかったのか——。

裏切られた。泣くこともできず、独り無縁な世界に取り残された身をぼんやりと傍観する頭に、そんな言葉が浮かび上がった。母は自分を裏切った。自分を捨てて、ひとりだけ楽な世界に逃げて行ってしまったのだ。なら、後を追うような真似はしない。自分は耐えて、耐え抜いてみせる。逃げずに最後まで戦ってやる。そうわかり、決めた瞬間から、胸の奥でじんじんと鳴っていた痛みが消えた。行は母を憎み、世界を嫌った。すると怖いものも悲しいものもなくなり、独りぼっちでいるのが全然苦痛でなくなると知った。しばらくして、行は突然名乗り出た父親のもとに引き取られていったが、もう誰かを必要と感じたり、好きになったりすることはなかった。

どだい、その価値のない父親だった。貧相な体に不相応な高級ジャケットを羽織り、ネズミを連想させる顔に猜疑の目を光らせた父は、この付近一帯の土地を所有している大地主のひとり息子で、行がその放埒の結果生まれた子であることを、近所の住民たちは薄々感づいていたらしい。

「おれは、父親なんてやれる柄じゃないから。なにも期待すんな」

家の援助で始めたいくつかの事業をことごとく失敗させた末、今は地代を食い潰して四六時中酒と女に溺れている男。気が弱く、自堕落で、短い正気の時間は馬券選びに費やすしか能のない父が、それは唯一正直に行に語りかけた言葉だった。堕胎の要請を無視して母が行を産んでからは、認知も援助もせずに放っていた父が、施設に預けられる寸前の行を引き取る羽目になったのは、世捨て人同然の暮らしをしている頑固者の祖父の鶴のひと声があったからだということも、それからおいおい知っていった。

「おれの子かどうか、わかったもんじゃねえって言ったんだけどよ。世間体がどうとかぬかしやがって。跡取りの心配なんかしねえでも、こんなチンケな土地、おれが一代で飲み尽くしてやんのによ」

所有している二つの山の狭間（はざま）に広がる敷地には、母屋（おもや）と離れ、それにいくつかのプレハブ倉庫があり、祖父が住んでいる離れに近づくことは禁じられていた。母屋の一室を居室にあてがわれた行は、毎晩父がベンツでさらってくる飲み屋の女たちとの乱痴気騒ぎを嫌でも見聞きすることになり、そうしたセリフは宴の中頃になると必ず父の口をついて出るものだった。

騒ぎは夜中から明け方まで続き、嬌声とカラオケの音が渦巻く中、頭から布団を被ってどうにか寝つくと、いきなり枕を蹴飛ばされ、酔った父に酒の買い出しを命じられることもたびたびだった。仕方なく国道沿いにある終夜営業のコンビニエンス・ストアまで自転車を走らせ、汗だくで酒瓶を買って帰って来ると、連れてこられた女たちは大概いぎたなく眠りこけてしまっている。下着姿のまま、足を広げて畳の上に雑魚寝（ざこね）している女たちからは、やはりアルコールと香水と体臭が入り混じった匂いが発していたが、行の鼻はそれよりずっと強い、饐（す）えた腐敗臭を嗅ぎ取っていた。

死ぬ間際に母が漂わせていた臭い。薬物中毒の臭いなんかじゃない。これは人が人であることをやめた時の臭いだ。考えることを放棄し、困難から逃げ、場当たりの快楽にたかる蠅（はえ）に成り下がった人の臭いだ。生ゴミを詰めた袋のように転がる女たちの中にはたいてい父も混じっていたが、たまに奥の座敷で女のひとりと行為にいそしんでいる時もあり、いちど知らずに襖を開けてしまって、ひどい目にあったことがある。烈火のごとく怒った父が、近くに転がっていたワンカップの瓶を投げつけてきて、額を三針縫う羽目になったのだ。

そうして宴が終わり、女たちが三々五々帰り始めると、父はひどく不機嫌になる。眠くてふらふらの行を小突き、酌をさせながら罵詈雑言を浴びせている間はいい方で、言葉の暴力だけで足らなくなってくると、本気で横面を張ったり、火のついたタバコを投げつけてきたりする。貧しい体格から繰り出される張り手は、身構えれば耐えられる程度のものだったが、その辺は父も心得たもので、にやにやと薄笑いを浮かべ、こちらが油断した隙を狙って、いきなり手を出してくるのだった。

世間はバブル景気に浮かれている頃だったが、せめて中学ぐらいは卒業しておかないと就職もままならないという知識はあったので、どんなに眠くても学校には通い続けた。楽な道を選んで、父と同じレベルの人間になってたまるかという意地も働いていた。学校で変わったことといえば如月の名字で出席を取られるようになったことぐらいで、「如月行電車、ドアが閉まります」などと茶化す者もいたが、相手にしないでいるとその冗談もすぐに廃れ、行に声をかける者はいなくなった。

友達と呼べる存在はひとりもなかったし、欲しいと思ったこともなかった。決して笑わず、誰とも話さず、成績だけはそこそこ上のレベルを維持して、体育の授業では類い希なスプリンターの資質を発揮した行に勝手に憧れる女生徒たちもいたが、送られてくるラブレターの束は読まずに捨てていた。

ひとりだけ親身になってくれる教師がいた。寝不足顔にたびたび生傷をこしらえてくる行の様子を気にした彼は、父と直談判しに家にやってきたのだが、すぐに酒が運び込まれ、女たちの車が庭に集まり出すのを見て、行はほんの少しでも事態が改善されるのではないかと期待した自分を恥じた。誰も当てにはできないし、信用もできない。なにかを期待すれば、そこには必ず手ひどい裏切りと痛みが待っているものだ。案の定、教師はそれから二度と行の家庭事情を顧みることはなく、代わりに即金で新車を買った。余計な金を払わされた父は、その怒りを当然のこととして行にぶつけた。そして同等かそれ以上の体格に育ちつつあった息子を殴るのに、竹刀を使うのをためらわなかった。

このクソガキが、拾ってやった恩を仇で返すような真似しやがって。謝れ、謝れ、謝れ。

絶叫とともに何度も竹刀は振り下ろされ、いちど殴られたところに竹刀が食い込むと、体が震えるほどの痛みが走ったが、行は決して声を出さなかった。これまでそうしてきたように、ひたすら耐え続けることに努めた。憎悪すら感じなかった。そんなものは人が人に対して感じる感情で、こうしてなにかに取り憑かれたように竹刀を振い続ける父も、すべての感覚を遮断してそれを傍観している自分も、すでに人ではない、人であることをやめたなにものかだった。

行にあるのは、おれは逃げない、逃げずに戦い抜いてみせるという意思だけだった。父と呼ばれているこの男は、いつもなにかから逃げている。母もそうだった。母はその最後の手段として自らを殺してしまったが、この男にはそれさえもできない。生きる苦痛を酒でごまかしているだけだ。自分を正当化するために、逃げようとしないおれを屈伏させずにはいられないだけだ。それに耐えなければならないというのなら、耐え抜いてみせる。媚びず、ひれ伏さず、ここを出て行くだけの力を手に入れるまで、絶対に耐え抜いてみせる——。そう決めると、泡を吹きそうな顔で竹刀を振り回している父が滑稽で哀れなものに見え、行は感覚の薄れかけた唇の端に小さな笑みを浮かべた。父はますます狂ったようになり、手が持ち上がらなくなるまで行を殴った後、「おまえはおれの子なんかじゃない。あの女がどっかの化け物との間に作ったガキだ」と言い残して、その場に仰臥(ぎょうが)すると意識を失ってしまった。

　中学三年になり、祖父の方針で進学が許された行は、人並みに受験勉強を始めた。あれ以来、父の暴力は多少鳴りをひそめていたが、夜ごとの乱痴気騒ぎは相変わらずだったので、静かに勉強できる環境を求めて、ある晩離れにこっそり忍び込んでみた。

　母と暮らしていたアパートより大きい離れは、土蔵を改築して少しばかりの居住性を持たせたといった感じで、近所のおばさんが手伝いで日参する以外は、人の出入りが禁じられている場所だった。中に住んでいるらしい祖父も、四年の間に数えるほどしか見たことがない。まだ頑健さをうかがわせる体軀に作務衣(さむえ)をまとい、まれに離れの裏で雑草を取ったりしているさまは、自他ともに認める世捨て人そのものの姿だったが、かくしゃくとした所作の端々には、脆弱な父とは別次元の重さが内包されているようにも見えた。気がつくとじっとこちらを注視しており、視線を合わそうとするとプイといなくなってしまう。そんな繰り返しで、これまで話す機会はなく、裏切るか、暴力をふるう大人しか知らない行は、見つかればただでは済まないという警戒だけを抱いて、そっと離れの扉を開けた。

黴臭い暗闇に目が馴れてくると、天井の梁が見え、その一角に設けられた四角い穴に梯子が掛けられているのが見えた。周囲には堆く積まれた板がいくつもの山を作っており、その合間に、骨董品らしい仏像や壺の数々が無造作に置かれていたが、なにより印象的なのは、壁に飾られた二枚の大きな絵だった。

質素に、端正に描かれた椅子に座る西洋の老婦人と、暗い情念のうねりを具象化させたような嵐の海。それが、明かり取りから差し込む月の光に照らされて、闇の中に浮かび上がっていた。絵といえば美術の教科書に載っている小さな写真しか見たことのない行に、その二枚の油彩画は新鮮な畏怖を感じさせた。

誰かに大声で呼び止められたような、目の前の幕がひょいと取り払われて、世界がその正体を一瞬だけ見せたような、そんな感覚。なにをしに来たのかも忘れ、二つの荘厳に吸い込まれていると、どっちの絵が好きだ？　と尋ねる声が、不意に頭から降りかけられた。

祖父だった。梯子の途中に足をかけたまま、じっとこちらを見下ろす目に、咎める色はなかった。ただなにかを確かめる鋭い眼が闇の中で瞬き、しばらくそれを見つめた後、絵に目を戻した行は、海の絵の方を指さした。

どうして。重ねられた問いに、ざらざらしているからと答えると、祖父は目をぱちぱちしばたかせた。意外に愛敬のある顔だった。こっちの婆さんの絵の方がしっくりくるような気がするけど、なにかのっぺりしている。この海の絵みたいに、迫ってくる感じがない——。その顔になにかしら身近な空気を感じ、珍しく自分から喋ると、祖父は愉快そうに笑った。後で知ったことだが、海の絵はクールベの波を題材にした一連の作品のひとつで、老婦人の絵はホイッスラーの母の像。絵の価値としてはホイッスラーの方が高いが、こちらは贋作なのだという。つまり行は無意識に本物と贋作の価値の違いを見分けたわけで、ひとしきり笑い、梯子を降りてきた祖父は、おまえには絵の才能があるらしいなと言って行の隣に立った。

そんなふうに人に褒められた経験などない。戸惑い、なにを言っていいのかわからずに並んで絵を見上げると、祖父は、他のも見てみるか？　と笑いかけてきた。こわ張った筋肉をほぐし、忘れていたなにかを思い出させる笑顔だった。行もぎこちなく口もとを弛めた。その時から祖父との交流が始まった。

かつては県議会のスポンサーとして、陰のご意見番も務めていた地元有力者。その頃の祖父にとって、ここにある美術品の数々は現金化される前の政治献金でしかなかったという。献金したい相手にこの絵をプレゼントする。あくまでも贈り物であるから規制には引っかからない。で、贈られた方は、その後すぐにやって来る美術商に絵を売ってしまう。美術商は絵を贈った側が差し向けているわけで、あらかじめ決められた値段で絵を買い取れば、お咎めなしで献金が成立する、という筋書き。価値を完全に無視されたまま、カードのようにやりとりされる名画を見るに忍びなく、祖父はいっさいの手を引いて隠遁する際に、自腹でここにある美術品を引き取ったのだった。

本来は美術館に飾られるべきものだが、放っておけば、どこぞの企業の倉庫で不渡り手形になっていたものたちだ。死ぬまでの少しの間、世捨て人の慰みものになるのもよかろう。そう言った祖父は、隠遁の理由についてはなかなか語ろうとしなかったが、ある時、病に伏せった妻のためだったことをそっと告白した。

「心の病でな……。政(まつりごと)の世界に身を浸すうちに、その毒がすっかり頭に回ってしまった。今となっては言い訳にしかならんが、倅(せがれ)がダメになったのもそこに原因がある。もともと臆病な男だ、痴呆になった母親を目の当(ま)たりにして、いつかは自分も狂うという恐怖が心に根づいてしまったんだろう。だからなにをやっても成功しない。ぎりぎりのところで踏んばれずに、安易な道に逃げてしまう。いろいろ意地汚いことをやってきたわしの因果が、子に報いたのかもしれんが……」

そう語った祖父は、その時初めてすまんと行に頭を下げた。おまえがどんな思いでこの数年を過ごしてきたかはわかっている。だがわしも臆病者だった。この穴蔵から出て、また世の汚濁にまみれるのが怖かった、と。

「だがおまえには強さがある。わしら父子にはない強さ、つまらん因果を断ち切って前に進めるだけの強さだ。今さら言えることではないかもしらんが、行、勉強をしろ。才能を磨いて、世界に飛び出していけ。こんな辺鄙な田舎にいることはない。おまえにはその力が、健やかな感性がある」

両肩をつかみ、まっすぐ目を見て語った祖父に、なにも感じるものがなかったと言えば嘘になる。だが共鳴するには、行の心はあまりにも堅く閉ざされていた。自分に特別な才能や強さがあるとは信じられなかったし、祖父という他人に対する不信も捨てきれるものではなかった。離れに通い続けたのは、母屋で父の腐臭を嗅いでいるよりは、勉強したり、絵を見たりしている方がマシだからでしかなかった。

そんな行に、祖父は新しい画材道具一式を買い与えた。この家に引き取られてから、初めてもらったプレゼントだった。祖父の言う才能とやらを磨くつもりは毛頭なかったが、それからは勉強の合間になんとなく絵を描くようになった。

コンテを使ったデッサンから始め、水彩絵の具を使った静物画へ。新鮮な驚きだった。筆先を動かすと、そこには新しい世界、別の宇宙が誕生するのだ。これはおまえ、本物だぞ。

描き散らかした数点の習作を見た祖父はそう言い、行自身、それまで無自覚だった衝動に火がついた感触を味わっていた。内奥から発した熱が、凍りついた血を溶かし、全身をほんのり暖めてゆく感覚。スケッチブックに向かっていると、張り詰めていた神経が和らぎ、自分がどこまでも拡がってゆくような気がする。足しげく離れに通う姿を、疑心暗鬼の面持ちで見つめる父をよそに、走り出した衝動は暇さえあれば筆を握るようになっていった。

風景画に手を出すと、家の近所はあっという間に描き尽くしてしまい、自然と足が海岸に向いた。昔、母と何度も通った海岸。そこだけ脆くなっている感情の蓋が弛むのを恐れて、故意に行くのを避けていた場所だった。秋も中頃の海岸に人の姿はなく、母と花火をした海岸に腰を下ろした行は、朱と紺の色がせめぎあう夕暮れの海面を、画用紙に引き写すことに専念した。

なかなかイメージした色が出せず、パレットを相手に苦戦している時、ふとなにかが動く気配が伝わった。海に目を戻すと、岬の陰から一隻の護衛艦が姿を現し、目前を通り過ぎるのが見えた。

ごつごつした艦橋と煙突のシルエット、マストの複雑な形。いつか見たのとそっくり同じ光景を見た瞬間、封印していた記憶が爆発して、花火の火薬と潮の混じった匂い、香水と湿布、アルコールの入り混じった懐かしい匂いが、脳の奥から染み出してきた。気がついた時には、行は立ち上がり、いつかそうしたように大声で呼びかけて、ゆったりと行き過ぎる護衛艦に手を振っていた。

　母が死んでから、初めて出した大声だった。そうすることで溢れる感情を発散させようと、一心に手を振り続けるうち、艦橋上にいる米粒大の人の形が、双眼鏡でこちらを見たような気がした。

　どきりとした。まさかと思いながら目を凝らすと、低い警笛の音が海の向こうから発した。岬にはね返り、背中にぶつかって体に染み渡っていった警笛の音を噛み締めて、行はもう一度、前より大きく手を振った。

　艦橋の上で、向こうも手を振り返すのがはっきり伝わった。応えてくれた。通じたよ、母さん。ただ目の前を通りすぎるだけだったものが、こっちを見て、返事をしてくれたんだ。わかる？　こんなこともあるんだ、世界には。耐えるだけじゃなくて、生きていればこんな瞬間に出くわすことだってあるんだ――。母が死んだ時にも出なかった涙が溢れてきて、それを拭ううち、行は母を許している自分に気づいた。母の匂いではなく、絵の具の匂いや、離れの黴臭い匂いが形成する新しい世界の輪郭が自分を包んでいることに気づいた。憎む必要も、嫌う必要もない。人を人と捉えることのできる自分が、そこにいることに気づいた。

　船はゆっくり遠ざかってゆく。島陰に入って見えなくなるまで、行はそれを見送った。

　そうして開けた新しい世界だったが、長くは続かなかった。母の体から腐敗臭が漂い始めたように、終わりの気配は徐々に、だが確実に近づいてきた。

最初の兆候は、父と祖父の口論だった。珍しく庭で顔を突き合わせ、怒鳴りあっている二人を見た行は、門柱の陰からそっと聞き耳をたてた。

要約すれば、こういうことになる。父が競馬で大量の借金をこしらえた。土地の一部を手放せば簡単に返済できるが、所有権は祖父にあるので勝手に売ることはできない。もう二度と迷惑はかけないから、今度だけ助けてほしい。

これで何度目だ、もう売れる土地はないと祖父。貴様も一人前になったのなら、自分の尻ぐらい自分で拭けるようになれ。父は立ち去ろうとする祖父の行く手を阻(はば)んで、この機に土地をきれいさっぱり売って、都心にマンションでも建ててのんびり暮らそうと持ちかける。競馬仲間で不動産やってる奴がいるんだ。そいつの知り合いが商社の役員で、リゾートマンションを建てるのにこの辺の土地をまとめて買ってくれるっていうんだ。信用できるいい奴なんだ。

競馬、不動産、商社。導き出される結論はひとつしかないと判断したのか、祖父は嘆息まじりに、くだらん連中に持ちかけられたな、と父を睨(にら)みつける。連中に任せればおまえなどあっという間に身ぐるみはがされるぞ。父は紅潮した顔で、そんな連中じゃないと反論する。いい奴らなんだ、おれのために骨を折ってくれるって言ってくれてるんだ。そろそろ景気も傾いてきたけど、まだ捨てたもんじゃない。ここで一発逆転したいって考えてる連中なんだ。そういう気概のある連中とつきあえって、あんた、前におれに言ってたじゃないか。
誰がおまえなんかのために骨を折るか、おまえは騙されてるんだ、と祖父。延々続く押し問答。やがてあきれ果てた様子で祖父は言う。だいたい財産はおまえに渡すつもりはない、すべて行に託す。近日中にその手続きを取る。

本気なのか、その場の勢いで言ってしまったことか。あるいは父を諫めるために吐いた言葉なのかもしれなかったが、いずれにしろ父は逆上した。やっぱりそういうことか、それであのガキ、離れに入り浸りなんだな。兄弟をえこひいきする親に不満を垂れるかのような父を、祖父は侮蔑と悲しみの混じった顔で見つめる。その沈黙に耐えられなくなった父は、吐き捨てる。言っとくけどあいつの中にもお袋の血は流れてるんだからな。いつ狂うかわかったもんじゃないぞ。

祖父の目が音を立てて見開かれる。恥を知れ、と怒鳴った声が響き渡り、同時に張り倒された父が庭に転がる。尻餅をついたきり、顔を上げようとしない父をしばらく見下ろしていた祖父は、荒い息が整うのを待ってからその場を立ち去る。のろのろと立ち上がった父は、離れに消えてゆく祖父の背中をじっと見つめる。その昏い目の奥には、底深い闇が広がっている——。

人相の悪い男たちがたびたび家に出入りするようになったのは、それからしばらくしてのことだった。父の競馬仲間、言うところの「信用できるいい奴ら」だろう。彼らの乗ってきたベンツやＢＭＷが、父の車を隅に追いやって庭に並び、女たちも呼ばずに遅くまでなにごとか話し込んでいる。低い声で交わされる会話の内容はわからなかったが、一度だけ、五十代半ばと見える太った男が、診断書がどうこうと言うのが聞き取れた。

吸い殼の山を残して彼らが帰った後、父は座敷でぽつんと虚脱した顔を俯けており、水を飲みに下りてきた行に気づくと、びくりとして目を逸らした。それまでの傍若無人ぶりとは百八十度違う態度で、日々濃くなってゆく不穏な気配に気づきながらも、どうにもできないいら立ちに悶々としていた時、それは起こった。

師走の近いある日、行が学校から帰ると、家の前に救急車が止まっていた。近所から集まってきた野次馬たちを押し退け、つんのめるようにして門の中に入った途端、血の気を失った顔を曇天に向け、担架で運ばれてゆく祖父の姿が見えてしまった。

野次馬から離れ、石垣の側に青い顔で立ち尽くしていた手伝いのおばさんは、本当、急だったのよと誰にともなく口を開いた。急に胸を押さえて苦しみ出したかと思うと、それっきり。昨日まであんなに元気だったのに……。そう言って、石垣に手をついてしゃがみ込みそうな体を支えた。祖父を収容した救急車は、父だけを付添いに乗せて走り出した。行は自転車でその後を追った。なにもわからず、考えられず、ただ祖父をひとりにしたくないという思いで、市内の病院までペダルを漕ぎ続けた。

三十分後に病院についた時、祖父はすでに死んでいた。実際は集中治療室に運び込まれる前に息を引き取っていたのだが、生死の判定を下せる医師がそう診断したことで、祖父の死は確実なものになったのだった。集中治療室の前の廊下で、父と話をしている医師は、あの太った五十半ばの男だった。人相の悪い男たちとともに家にやってきて、診断書が……と口にしていた時と同じ顔がこちらを見、突っ立っている行に気づくと、すぐに顔を背けた。

その瞬間、頭の中でなにかが弾け、体の奥底から未知の物質が湧き出してくるのが感じられたが、行は平静を装ってその場を離れた。祖父の死に顔を見ようともせず、病院の前に倒した自転車を起こして、ペダルを漕ぎ始めた。父が、医者と共謀して祖父を殺した。その事実だけを胸に刻んで、来た道をたどって帰った。

父の意思によるものなのか、人相の悪い男たちに脅(おど)されてやったことなのかはわからないし、わかる必要もなかった。行にとって、事実はひとつ。父が祖父を殺したということ、それだけだった。二つ目の世界も消滅し、行には再びなにもなくなった。が、母の死の時と決定的に違うのは、奥底から湧き出してきた未知の物質が、その頭と体を完全に支配していたことだ。

それがすべきことを教え、行はその実行に異論を持たなかった。葬式が済んでから数日たった夜、行は門の前で父が帰ってくるのを待った。

相続の手続きに役所に日参している父は、このところシラフでいることの方が多かった。その日も昼過ぎに出かけ、九時を少し回った頃にベンツを運転して帰ってきた。開いた門の真ん中に立って、行はブレーキを踏んだ父の不審顔を、フロントガラスの向こうに見つめた。

アップビームにされたヘッドライトが目を射り、クラクションの音が正面から浴びせかけられる。行は動かなかった。窓から首を突き出した父が、なにしてんだ、邪魔だ、どけよと怒鳴ったが、無視してその場に立ち続けた。祖父の死後、意外に平静な行の様子に、気づかれているという懸念を捨て去っていたらしい父は、なんの警戒もなく車を降りて近づいてきた。

なんだ、おまえ。そんなとこ立ってたら邪魔だろうが。父はそう言って、行の一メートル手前で足を止めた。行は答えなかった。代わりにちょっとだけ腰を屈め、足の陰に置いておいたブロック材を右手でつかんだ。そして持ち上げる勢いを借りて、父の頭を横から殴りつけた。

グェッ。昔、山の中でうっかりヤモリを踏みつけてしまった時に聞いたのと、そっくり同じ声だった。血の黒い粒がヘッドライトの光に浮かび上がり、父は直立したまま、棒切れのようにばたりと横に倒れた。角に抉られた血と肉がこびりついたブロック材を振り上げて、行はもう一度その血まみれの頭を殴った。

電気を受けたように四肢がぴんと伸びきり、その後、弛緩した。片足がぴくぴく動いていたが、割れた頭を血溜まりに浸けている父は、もう起き上がることはなかった。母の時も、祖父の時も見られなかった、肉親の死に顔だった。その脇にブロック材を放り、顔に張りついた血の粒を拭った行は、かけっ放しだったベンツのエンジンを切ってから門の中に入った。

出し抜けに静寂が戻った感じだった。微かな虫の声を聞きながら、行は庭の隅で地下水を汲（く）み上げているポンプの前にひざまずき、顔と手を洗った。なにも考えられず、ただ排水溝に薄まった赤が流れるのを見て、しまったと思った。じいさんの庭を血で汚したくないから、外でやったのに。これじゃ意味がないじゃないか……。

いくら洗っても、脂のぬめぬめは取れそうにもなかった。衣服にこすりつけてそれをごまかした行は、主（あるじ）を失った離れに向かった。そして騒ぎが始まるまで、描きかけの静物画を仕上げることに専念した。

不安も、迷いも、後悔もない。ただ仕方がないという思いだけがあった。自分にできることはこれしかなかった。この先、永遠に不自由な生活を強いられることになっても、耐えるしかない。それが掟だ。これまでもやってきたことだ。どうってことはない。

また世界を嫌えばいい。しょせん、人生は耐えることの連続でしかないのだから……。

すぐに聞こえ始めると思ったパトカーのサイレンは明け方まで聞こえず、花瓶の静物画を完璧に仕上げることができた。それは幸運だと行は思った。

これからどういう生活が始まるのかは想像するよりなかったが、好きに絵を描ける時間が用意されていないことだけは、わかっていたからだ。

二・宮津

宮津弘隆（みやつひろたか）は、三浦半島の西側の付け根、鎌倉と逗子（ずし）の間にある閑静な住宅地で生まれた。吉田茂が総裁になり、朝鮮戦争が勃発し、マッカーサーの鶴の一声で自衛隊の前身である警察予備隊が発足。翌年ベニス映画祭でグランプリを獲得し、ブームを巻き起こすことになる黒澤監督の「羅生門」がひっそりと公開される中、ソニーの前身である東京通信工業が、テープレコーダーの開発に成功した年でもあった。

父は旧海軍の技術士官で、内地で終戦を迎えた後、連合国軍の公職追放令を免除されて、日本沿岸の機雷掃海作業に従事した。海軍省軍務局から復員省、運輸省海運総局を経て、やがてその外局として発足した海上保安庁へ。朝鮮戦争が始まった年には、生まれたばかりの長男の顔を見る暇もなく、国連軍の上陸作戦と連動した掃海業務のために元山（ウォンサン）へ出向き、翌年、日米安保条約の調印とともにＧＨＱから多数の艦艇が貸与されると、その運用を実務レベルで取りしきる海軍ＯＢのひとりとして、受領艦艇の保管や整備、募集した要員の錬成（れんせい）を務めるようになった。

軍国主義の復活を警戒され、旧軍関係者の徹底的な放逐（ほうちく）が行われた陸上と異なり、海上では艦艇の運用技術が不可欠となるため、必然的に旧軍経験者が求められたのだった。旧海軍の施設で、旧海軍軍人によって要員の教育が行われる中、貸与艦を呼び水にした国産艦の建造も始まり、日米相互防衛援助協定──早い話が、日本を反共の防波堤にしようという取り決め──が調印されるに至って、保安庁から分派した海上警備隊は解体。新たに発足した防衛庁のもと、空陸自衛隊と並んで、海上自衛隊に再編された。

一方が日本は永久に軍事力を放棄したはずではないかと言えば、一方はこれは軍隊ではない、自衛隊だと言う。そもそも在日米軍とのリンクを前提に買い揃えた装備のどこまでが自衛力で、どこからが戦力なのか誰にも定義できないまま、アメリカの意向に右にならえで開設された自衛隊だったが、当時盛んに戦わされたその手の議論は、宮津の父にはあまり関係のある話ではなかった。彼は依然、海軍の技術士官であり、彼らが立ち上げた海上自衛隊は、その技術と伝統を引き継いだ後継者だった。

続々とアメリカから供与される最新技術を修得し、入隊間もない後進の育成に励む傍ら、新造艦の公試運転や現役艦の年次修理にも立ち会わなければならない。ほとんど家に帰る暇もなく、横須賀基地に入り浸りの日々を送っていた父だったが、たまに帰ってくると、宮津を肩にのせて鎌倉の山寺をぶらぶら散策したものだった。

「日本は昔、悪い戦争を始めて、負けた。これは陸軍が仕掛けたもので、海軍はそれに巻き込まれたんだ。山本五十六元帥は最後まで戦争に反対していたし、東郷元帥も世界中の海軍から優れた指揮官として尊敬されている。父さんはもう二度と戦争はご免だが、昔の日本海軍の美風は、今の海上自衛隊にも残すべきだと思っている。それはな、アメちゃんの言葉で言うなら、シーマンシップっていうものだ。海で生きる男の模範、規律みたいなもんだ。それを身につけた者だけが、海で生きてゆくことができる。なにしろ、人間はもともと陸(オカ)で生きてるもんだからな。海には、この緑も地面もない。とても厳しい世界なんだ。そんなとこで生きてゆくためには、いつも注意して、助け合っていかないとダメだろう?」

肩車されながら見下ろした父の首は、潮で赤銅色(しゃくどういろ)に焼けており、足を支える手のひらは、ロープ結索(けっさく)に鍛えられて分厚く堅くなっていた。近くの小原台(おばらだい)には開設間もない防衛大学があり、休日には白の詰襟(つめえり)を着た学生たちが同じように散策する姿があったが、彼らは技術指導でたびたび校舎に赴(おもむ)いていた父の顔に気づくと、必ず立ち止まって敬礼をした。答礼する父の肩の上で、宮津も形ばかりの敬礼をして見せた。そうして前よりもっと大きくなったように感じられる父とともに、寺の石段を下ってゆくのだった。

そんな宮津が海上自衛官を志し、防衛大学に入学したのはごく自然の成り行きだった。決してずば抜けた成績ではなかったが、父の教えで早くから集団生活の心得のようなものを会得(えとく)していた宮津には、プライバシーのない大部屋での寝起きも、四六時中身だしなみや所作(しょさ)振舞(ふるまい)を指導される生活もさして苦にならず、同期や後輩たちから頼られ、四年進級時には寮の部屋長を任されるようになった。

世間では学生運動が隆盛し、自衛官が税金泥棒と唾を吐かれる時代だったが、それが学生生活に影を落とすことはなかった。どだい、理工系の技術修得に主眼が置かれている防大では、安全保障や憲法問題に関する教育はあくまで傍流でしかなく、論文の研究課題にはなっても、全学生が積極的に取り組むべき分野ではなかったのだ。

防大の海上要員課程を修了し、任官と同時に江田島の幹部候補生学校一課程へ進んだ宮津は、ここでも優れた適応能力を見せた。一般大学から上がってきた二課程の連中は、分刻みで動く生活に当惑し、ベッドメークの仕方が悪い、制服のアイロンがけがなっていないと怒鳴られては、点検に回ってくる教官にベッドをひっくり返されていたが、防大できっちり仕込まれている宮津には問題ではなかった。日課の作業も訓練も人並み以上にこなし、卒業すれば士官として歴戦の海曹たちを指揮する、その重圧に耐えられるだけの基礎を身に付けるため、ありとあらゆる勉強に取り組んだ。

運用、航海、機関、通信などの術科。国際関係、防衛論、英語。父親ほどの年齢の部下を持つことに備えて、人事論やリーダー論の類いもきっちり読んでおかなければならない。十時の消灯後も延灯願を出し、零時過ぎまで勉強して、週に二度は各種の試験を受ける毎日。防大あがりの同期たちも音を上げる中、宮津も何度かくじけそうになったが、そんな時、必ず思い出すのは、敬礼する防大生たちに鷹揚に応えていた父の背中であり、体験航海で乗せてもらった護衛艦で感じた、他のなにものも比較にならない解放感だった。

沿岸を離れると、それまでのねっとり湿った空気も潮の匂いも後方に流れ去り、海と空の二つの青だけが隣接する世界で、余分なものは消失する。感覚を妨げるものはなにもなく、あるのは自分の体と、護衛艦という巨大な質量を持った物体のみ。それは海という、本来人が住むべきではない世界で、生きようとする意志が造り出した強固な殻だった。生物の体内で幾多の細胞がひしめいているように、そこに乗り組む人々が同じ目的に向かって進むことで、護衛艦はスクリュー・プロペラを回し、波をかき分けて、中に在る人の生存を約束する。その一体感と、巨大な意志のひとつになって味わう意識の拡散、解放感。子供心にも、父が海に居残り続けた理由を理解させるに十分なものだった。

いつかはその巨大な意志を統べる者――艦長になりたい。誰からも尊敬される男になり、技術士官だった父も越えて、遠い水平線の向こうまで自分の艦を走らせてみたい。それが宮津の気概であり、目標だった。そのために乗り越えろというなら、なんでも乗り越えてみせる。そう自分に言い聞かせて、訓練と試験の日々に耐えた。

唯一の問題は船酔いだった。短い体験航海や内海を回る乗艦実習ではどうということはなかったが、幹候卒業の恒例行事、遠洋航海に出た時、宮津は初めて自分が船酔いに弱いことを知った。

ゆったり上下をくり返す艦内にいると、次第に頭が熱を持ったようにぼんやりしてきて、口腔に唾が溜まってくる。額のあたりにじわりと冷汗が染みだし、胃の中がぐるぐる回転し始めると、もうダメだった。船も護衛艦ほどの大きさになれば揺れないなどという話は大嘘で、細い船体に低い上構（艦橋や煙突など露天甲板にある構造物）を持つ護衛艦は、波浪に対する復原力が強い分、小刻みに揺れるのだ。先輩の士官たちはそのうち慣れるよと励ましてくれたが、太平洋を横断してアメリカ大陸諸国を歴訪する航海の間中、ほとんど吐き通しの毎日を送った宮津には信じられる話ではなかった。これればかりは先天的な資質のようで、その後、実際に護衛艦に乗り組んでからは多少楽になったが、海が荒れたりすると必ずポケットのビニール袋に手がのびたものだった。

一度、戦闘訓練の激しい運転の後にもかかわらず、涼しい顔で戦闘配食の握り飯をむしゃむしゃ食っている同年代の士長に、どうしたら船酔いしないで済むか尋ねたことがある。肉厚の頬に飯粒をつけて、大柄な士長は平然と答えたものだ。そりゃ簡単です、船に乗んなきゃいいんスよ……。

が、車も運転すれば酔わないのと同じで、座を温める間もなく駆けずり回らされる初任幹部には、船酔いになっている暇などなかった。宮津が初めて乗り組んだのは呉地方隊に所属するディーゼル艦で、当初は艦内雑務のあまりの多さに呆然とさせられた。

艦内は四つの分隊に分かれ、それぞれ砲雷及び運用、航海、機関、補給及び衛生に色分けされている。宮津は分隊士として所属分隊員たちの把握や勤務評定の補佐をする一方、砲術士として砲雷長の指導を受け、さらに兼務する甲板士官として、艦内の風紀係のようなこともやらされる羽目になった。合間に当番で回ってくる副直士官の仕事をこなし、救難や戦闘などの部署が発動した時にどこでなにをすべきかを憶え、旗艦から送られてくる信号を素早く伝達するために信号書の暗記に努め、深夜の見張りに立つのだ。

勤務は通常四直制で、それぞれの分隊で四つの班を作り、当番を回してゆくのがやり方だったが、非番時にもやることは山ほどある。曹士たちと違い、艦のあらゆる部署への精通を要求される幹部は、ひとつ専門分野を把握していればそれでいいというものではなかった。一年単位で艦を移るたびに、今度は機関、今度は航海と、次々新しい部署に回され、日進月歩で進化する技術の勉強をしなければならない。かといって部屋にこもりきりでは乗組員との信頼関係を築けないので、積極的に艦内を回って先任海曹たちと話したり、上陸時には艦長たちに付き従って、夜の街に繰り出したり。特に艦内では、旧海軍に倣って先任伍長と呼ばれる最先任の古株海曹、その艦の主とでも呼ぶべき存在が目を光らせている。幹部の質を見抜くのにかけては一流の先任伍長にダメの烙印を押されれば、その艦では事実上やっていけなくなるので、迂闊な真似はできないのだった。

誰よりも歩き回り、気を配って、毅然と、それでいて親しまれる笑顔も忘れてはならない。計算してやれることではなく、宮津はとにかく与えられた仕事を誠心誠意こなすよう努めた。そして驚くべきことに、その苛酷さにもかかわらず、宮津はいまだに海を愛し、護衛艦勤務を愛し続けていたのだ。

時には数日、日の光を浴びずに艦内にこもることもある生活に、解放感などは望むべくもなかったが、そこには間違いなく連帯感があった。他の艦より早く、正確に。全員がひとつの目的に向かって邁進する一体感と、昂揚感。微妙な色の違いこそあれ、それは乗務した艦すべてに共通して流れている血のようなものだ。

休暇で官舎にいる時も、天気予報が台風の到来を告げるとそわそわ落ち着かなくなる。台風が上陸すれば、港に停泊中の艦が被害を受けないよう、沖合に避泊させなければならないからだ。NHKの天気図に気圧配置を確かめ、逸れてくれればいいと思いながらも、どこかで緊急呼集の電話が鳴るのを期待している。宮津はそんな生活を望み、また愛していた。

他の人間がなにを考え、なにを言おうと関係ない。宮津にとっては海上自衛官であることがすべてであり、艦と、それを擁する海上自衛隊という組織がすべての価値の中心だった。そのことになんの疑いもなく、少なくともそれから二十数年の間、多少の波はあっても、彼の想いが裏切られることはなかった。

地方隊から護衛隊群に移り、ひと通りの部署を回り終えると、先任と呼ばれる機会が増えてきた。ある階級に先に昇進した者を指すのが先任という言葉だから、先任士官と呼ばれれば、その艦でもっとも古い士官、同じ一尉の間でも古株ということになる。責任が増す一方、融通のきかない艦長にさえ当たらなければ、どの艦でもある程度自分の考えを通せるようになった宮津は、曹士たちを相手に私的な勉強会を催すようになった。

彼らを選抜試験に受からせ、部内幹部候補学校にあげる。一地方、一部署に終始する曹士に留まらず、積極的に幹部を目指すよう説いたのは、ともすれば辞めがち、腐りがちな彼らに広い視野で海上自衛隊の仕事を捉え、その価値を知ってもらいたかったからだが、もうひとつ、そうすることで自衛官を一生の仕事にするよう仕向けて、恒常的な定員割れに歯止めをかけようという思いもあった。

実際、護衛艦の人手不足は深刻だった。主力の機動部隊である護衛隊群はまだしも、沿岸警備を任務とする後方の地方隊には、規定の四分の一にも満たない乗員が休みなしで働かされている艦もある。苛酷な勤務から逃げ出す者が多いせいもあるが、根源的な問題は、自衛隊と日本国民との間に生じた決定的な温度差にこそあった。

技術革新に対応するため増員をかけたくても、防衛費が国家予算の一パーセントを超えただけで大騒ぎになる日本の現状が、海上自衛隊にそれをさせないという現実。宮津に言わせれば、国の主権と安全の維持に金を惜しんで、経済大国もあったものではないというところだったが、それを声高に叫ぶ発想はなく、ただ与えられた環境の中でなにができるかを考えて、始めたのが勉強会だった。何人かが呼びかけに応じ、休暇を返上しての集中講義が実って、部内幹候の狭き門をくぐっていった。「宮津学校」出身の幹部は年々増え、彼らの人脈は宮津にとっても大きな財産になった。

だが、最大の財産はなんといっても子供ができたことだ。自分の字を一字とって、隆史。妻の芳恵は初任幹部時代に世話になった艦長の娘で、耐性ができているのか、一年の半分は海の上で音信不通の亭主に文句のひとつも言ったためしがなく、この時もにっこり微笑んで宮津の命名に賛成してくれた。

人としての大任をひとつ果たせた安堵感と、これからが正念場だと思う使命感。二つの思いを抱いて、開いたばかりの息子の目を覗き込む時、宮津の頭の中をよぎるのは父と二人で歩いた鎌倉の山寺の光景だった。そう、いつかもういちど行こう。今度は自分が隆史を肩にのせて。その目に、自分の姿はどう映るだろう……？　そんなふうに息子の成長を指折り数えるのが、宮津の喜びになった。そして父がそうだったように、ただそこにいるだけで子に範を垂れる父親でありたいと、新しい気概を抱くようにもなった。

父が危篤との報せを受けたのは、それから十三年後、念願の艦長職を拝任したばかりの頃だ。上級指揮官向けの幹部学校、指揮幕僚課程に受かり、三等海佐に昇進してからは、六本木の防衛庁で書類に埋もれる陸上配置と、護衛艦副長を務める海上配置を交互にこなしていた宮津が、ようやく授かった海上部隊指揮官勤務。だがそこに至るまでに自衛隊の裏表を否応なく目の当たりにしてきた身には、艦長の肩書きも解放感を与えるものにはなり得ず、むしろ昇進するたびにきつくなる首輪が、ここに来ていよいよ気管を圧迫し始めたという思いしかなかった。

明確なタカ派路線でレーガン政権との間に親密なリレーションシップを築き、「日米は太平洋を挟んだ運命共同体」「日本列島は不沈空母」と発言した時の首相は、海上自衛隊に破竹の建造艦ラッシュをもたらした。シーレーン防衛の共同研究、護衛艦八隻・ヘリコプター八機を一個護衛隊群の標準編制とする「八八艦隊」構想。それまでの対潜戦にのみ重きを置いた海上戦力のあり方を見直し、洋上防空能力を拡充するためのミサイル護衛艦導入……。

バブルの狂乱を迎え、右肩上がりを続ける経済成長に支えられて始まった「軍拡」は、しかし、その後の冷戦終結、それと歩調を合わせるように失墜していった日本経済のために、哀れな尻切れトンボの幕を迎えた。その間、無残なまでに右往左往させられたというのが、海上自衛隊の偽らざる歴史だった。

なにが必要で、なにが不必要か。在日米軍とのリンクというが、どこまでが日本の役割で、どこからがアメリカの領分なのか。その議論がちぐはぐに飛び交っている間に、取れる予算なら取っておきましょうと役所根性を発揮した防衛庁が、常人には理解不能の技術用語でとりあえずのコンセンサスを取りつけ、出来上がった装備品は現場に押しつけて、そのうち増員をかけるからとにかく使ってみせろと言う。そうこうしているうちに財政が苦しくなり、増員の話はパー。あとには使いきれずに半分は倉庫で眠っている装備と、定員割れの護衛艦だけが残る、というお粗末。

そこに国防の文字はなく、あるのは、アメリカから装備品を買いつけるのも経済政策の一環と割り切る政治家と、庁益に固執し、下請け企業と懇ろの関係を維持したい防衛官僚との、最大公約数的利益でしかない。そもそもここには守るべき国の形さえないのではないかと疑わせるのが、宮津にとっての六本木勤務だったのだ。

海上勤務に戻れば気も晴れると思ったが、こうして艦長になっても——いや、艦長になったからこそ、その行動は著しく制約される。所属護衛隊群が作成した年度業務計画に従い、隊司令の意向を伺いつつ、決められた訓練をきちきちとこなしてゆく。まるでチェーン店の店長だった。それが軍人の宿命とわかっていても、国防意識皆無のシビリアン・コントロールの実態を目の当たりにしてきた身には、割り切れない思いが残る。これが父が望んだ海上自衛隊の姿か。自分が憧れ、一生を託すに足ると信じた世界か。この国は、我々は、どこで曲がり角を間違えてしまったのか——。

そんな時に受け取った、父危篤の報せだった。出港直前のことで、艦長はいつでも二時間以内に艦に戻れる場所にいなければならないという決まりがある以上、どのみち最期は看とれないとあきらめた宮津は、副長にもそれを告げずに予定通り艦を出港させた。

勝浦沖で隊訓練を行った後、陣形を解いて個艦訓練を実施。洲崎沖で再度編隊を組み、横須賀に帰港する。予定通りスケジュールを消化し、原速で会合地点に向かう艦には、夕飯前のつかの間の安息が訪れていた。部下たちに沈んだ顔を見られまいと思った宮津は、詰めっぱなしだった戦闘情報指揮所（CIC）を出て、艦橋構造の屋上にあたる上部指揮所に向かった。波の音、エンジンの音、マスト上で回転するレーダー板の音。馴れ親しんだ音が全身を包む。不意に現れた艦長にガチガチの敬礼をした見張りの海士を退がらせ、潮の匂いを肺いっぱいに吸い込んだ宮津は、首にかけた双眼鏡（メガネ）で右舷（うげん）を流れる野島崎を眺めた。夕陽に染まった房総半島の突端、朱色に映える砂浜の上に、手を振る人の姿を見つけたのはその時だった。

三十倍率の双眼鏡でも豆粒ほどの大きさにしか見えなかったが、一心に手を振る姿は少年のように見えた。隆史と同じ年頃だろう。足もとにあるのは画用紙か？　備え付けのマイクを手に取って、宮津は警笛をひとつ鳴らすよう足もとの艦橋に令していた。

ちょっとした遊び心だった。艦長にも、これぐらいの自由は許されるはずだ。腹を揺する低い警笛が背後から海全体に広がってゆき、野島崎にぶつかって微かなこだまを返す。もう一度双眼鏡を覗くと、手を止め、半ば呆然の様子でこちらを見ていた少年が、前より強く手を振り出すのがはっきりと見えた。

宮津も手を振り返し、笑った。その瞬間、肩にのしかかっていたものがすっと離れ、体が軽くなったような気がした。眼下にある魚雷連装発射機（アスロック・ランチャー）の四角い発射台、五インチ単装砲の砲台を見、その先で白い飛沫（しぶき）を立てている艦首を見て、自分はなにを不満に思っていたのだろうと可笑（おか）しくなった。

沈む夕陽が水平線を朱色に染め、手前には、藍色と黒とがせめぎあい、刻々と表情を変化させる海がある。余分なものはなにもない、自分と、護衛艦という巨大な質量が存在するだけの世界。鉄の腹の中には同じ目的を持った者たちが集い、巨体を動かしている。それを統べるのは、他の誰でもない、自分なのだ。かつて望んだすべてのものが、自分の手の中にある。これ以上なにを欲する必要があるというのか。

任官から二十余年。それは宮津が初めて手にした解放感だった。たとえ一時の思い込みに過ぎなくても、その感触は海上自衛官を志した自分を報い、端緒を開いた父を報いた。

父の死を知ったのは、その直後のことだった。

ソビエトの名前は風化し、北朝鮮の核武装は朝鮮半島エネルギー開発機構（KEDO）の設置によって蓋をされ、冷戦終結と沖縄問題から始まった日米安保見直し論争は、新ガイドラインの制定という退屈、難解な専門用語のやりとりに切り換わって、ほどなく国民の興味の対象から外されていった。この間、防大の入試を無事突破した隆史は、三代続くことになる海上自衛官への道を歩み出していた。

その成長の半分を海の上で見過ごしてきた宮津にとっては、望外の喜びだった。なにを勧めたわけでもないのに、息子は自ら進むべき道を選びとって、自分がそうしたように父の背中に続くことを決めたのだ。頑固なまでにまっすぐな性分は、自衛官になった時にどうかな……という危惧がないではなかったが、それこそ老婆心だと思って、宮津はなにも言わずに隆史を送り出した。自分だって、自衛官である限り宿命的につき当たる矛盾を自己処理して、ここまで来た。息子にできないはずはない、と信じて。

海上自衛隊は軍拡時代の遺産であるイージス艦四隻の配備も完了して、着実に艦の大型化、装備の近代化を進めていた。不況の風が吹き下ろす中、国民がすんなりそれを見過ごしたのは、北朝鮮から漂う不穏な空気に、有事という言葉を身近に感じるようになっていたからか、あるいは無関心も極まったからか。いずれ、従来のミサイル護衛艦をはるかに凌(しの)ぐ探知・追撃能力を誇るイージス艦が四個護衛隊群に一隻ずつ配備されたからといって、海上自衛隊の質が変容したわけではなかった。

防空能力が向上したとはいえ、頭越しに撃ち込まれる弾道ミサイルを迎撃することはできない。そうした攻撃に対する唯一効果的な対策は、先制で相手のミサイル基地を潰すか、こちらも撃ち返す準備があると相手に知らしめることなのだが、イージス艦には発射台はあっても、肝心の長距離ミサイルが備わっていない。現有ミサイルの最長射程は、百キロと少し。専守防衛の自衛隊に長距離ミサイルなどは不要、反撃と威嚇(いかく)は安保条約に基づいてアメリカに期待するというわけで、そこがクリアできない以上、自衛隊装備中もっとも高価なイージス艦は、艦隊防御用のハエ叩きか、敵弾道弾の発射を知らせる出張レーダーの役にしか立たない代物(しろもの)なのだった。

アメリカがしきりに持ちかけている戦域ミサイル防衛構想(TMD)も、大規模な予算供出が見込まれるとあっては実現の可能性も少なく、例によって術科学校と艦を往復してシステム習熟に努め、苦しいローテーションを強いられているイージス艦のクルーたちを半ばあきらめの境地で宮津が眺めていた頃、意外な事件が起こった。

後に「辺野古(へのこ)ディストラクション」と呼ばれるようになる事件は、沖縄に駐留する在日米軍最大の火薬庫、辺野古弾薬基地がまるごと崩壊(ディストラクション)するという大事故で、七十人以上の米兵を死に至らしめた上、隣接する町の住民にも避難勧告が出され、一時は護衛艦隊にも出動がかかる騒動になった。

新型高性能火薬の爆発が原因とされたが、二重三重の防護が施(ほどこ)してあるはずの半地下覆土式弾薬庫(イグルー)が一斉に誘爆し、直径五百メートルに及ぶ基地が瓦礫(がれき)の山と化した理由については、軍事機密の壁に遮(さえぎ)られてはっきりしない。事故現場は米軍によって完全に封鎖されていたが、爆発時の飛散物を入手したテレビ局が専門家に見せ、それが六千度の熱——核でなければ発生し得ない熱で焼かれたものだという談話がまことしやかに伝わるようになると、一度は沈静化しかけた騒ぎが再燃した。制限下に置かれた現場上空に、特攻精神で飛び込んでいった報道ヘリが米軍に威嚇発砲されるという事件まで起こって、日米安保は完全に暗礁(あんしょう)に乗り上げた。

たび重なる米軍の不祥事で臨界に達した沖縄県民の感情を収めるには、もはや基地の縮小以外ありえない。安保死守を屋台骨にしてきた自民党までがそのような趣旨の声明を出し、先から俎上にのぼっていた海兵隊撤退と合わせて、移転ではない、縮小のための話合いが日米安保理事会でもたれるようになった。

憲法問題や集団的自衛権など、入口での論議に終始してきた日本に、アメリカ抜きの安全保障を語る頭があるのか。各国注視の中で審議が進められたが、そこに再び事態を逆転させる事件が勃発する。朝鮮半島の北端から放たれた弾道ロケットが、日本列島上空を飛び越えて太平洋に突き刺さったのだ。

建国の父を失って以来、水害、飢餓、果ては大物書記の亡命と御難続きだったあの国が、ついに発狂したか――。衝撃は「辺野古ディストラクション」を押し退ける勢いで国内を走り抜け、結局、弾道ロケットのテストを兼ねた小型衛星の打ち上げだったというオチがついたのだが、それでロケットが通過するのを指をくわえて見ているしかなかった日本の無防備ぶりが許されたわけではなく、弾道ロケットを完成させた北朝鮮が、次はミサイルを撃ち込んでくる可能性が消えたわけでもなかった。「辺野古ディストラクション」によって推進ムードにあった在日米軍縮小は事実上白紙撤回になり、なかば決まりかけていた沖縄海兵隊撤退も無期限延期。実現不可能と思われていたＴＭＤも日米共同で研究開発が始まり、偵察衛星の保有までが取りざたされるようになった。

あまりにもできすぎの事態に、これを日米朝の出来レースだと噂する者もいたが、現実的な仕事に忙殺されている宮津に、眉唾話を気に留める余裕はなかった。本格的に始動したTMDを視野に入れて、海上自衛隊は現有する全護衛艦のイージス化を計画。その一番艦にミサイル護衛艦《いそかぜ》が選ばれ、宮津はその艦長に指名されたのだ。イージス艦の就航以来、旧式の感が強くなった第三世代のDDG《いそかぜ》に大規模近代化改修を施し、開発されたばかりのミニ・イージス・システムを搭載。行く行くは全護衛艦に装備し、国内を完全にカバーするミサイル探知・迎撃網――すなわちTMDを構成するシステム艦の雛形とする。宮津にとっては四隻目にあたる艦の拝領だったが、内示をもらった時にはさすがに緊張した。

それまで海上幕僚監部防衛課に籍を置いていた身に、《いそかぜ》の重要性がわからないはずはなかった。今後の海上戦力の行方を占う、その試金石となる艦の指揮が、自分に任されたのだ。実直、勤勉しか取るところのなかった二十数年の奉公三昧が報われたように感じ、これが艦長として預かる最後の艦になる――順当にいけば、次は確実に隊司令になる――という思いも抱きしめた宮津は、《いそかぜ》の操艦に持てるすべての力を注ぎ込もうと決めた。

艦長交代行事を済ませた後、乾ドックで九ヵ月にわたって改装工事が行われる《いそかぜ》を追って、呉の官舎に単身赴任。一刻も早い新システムの習熟に明け暮れる一方、先任伍長ら古参の乗員を酒席に招いて、《いそかぜ》の癖を知ることにも努めた。幹部の中には

「宮津学校」の卒業生もおり、彼らが口をきいてくれたお陰で、宮津は好意的に《いそかぜ》のクルーに迎え入れられた。これまでの苦労がすべて実ってくれたようで、宮津はかつてなく充実した日々を送っていた。

そんな最中、隆史の訃報が届いた。

横須賀の自宅に着いたのは、妻の芳恵が遺体の確認と引き取りを済ませた後だった。まだその事実を受け止められないまま、宮津はお棺に納められた息子と半年ぶりに対面した。綿の詰められた鼻の上には生々しい縫合の跡が残っており、それは眼窩を通って耳の方にまで続いていた。救急車が到着した時、隆史の頭は追突したトラックのヘッドライトにめり込んでいたのだという。即死だった。とにかくも繋ぎ合わされ、死に化粧を施されたひとり息子の冷たい頰に触れて、宮津が感じることができたのは、痛かっただろうな……という子供じみた感想だけだった。涙は出なかった。身体の半分をもぎ取られ、引きちぎられた傷口からどくどく血が流れているのを、どうしようもなくただ見つめる。そんな感じだった。

時速百五十キロで高速を飛ばし、カーブを曲がりきれずに防音壁に激突。スピンして車道を塞いでしまったところに、直進してきたトラックが運転席に追突した。遺体からアルコールは検出されず、ブレーキを踏んだ形跡もないとなれば、結論は自ずと限られたが、宮津には信じられる話ではなかった。隆史がどうして自殺なんかする。防大で優秀な成績を修めて、あと半年で卒業。自衛官として、自分なんかよりずっと恵まれた将来が約束されていた息子が、どうして。そう質(ただ)した宮津に、芳恵はごめんなさい、と言った。隆史、中退していたの。ひと月ほど前に……。

それこそ信じられなかった。中退？　なぜ。どうして今まで黙っていた？　そう頼まれていたの、と芳恵は答えた。いつか自分からちゃんと話す。それまで黙っていてほしい。親父は、いま大事な仕事に関わっている時だから、余計な心配はさせたくない、と。宮津は言葉を失い、物言わぬ息子の顔を見た。防大入学以来、日を追って男らしく削り出されていった頬や顎には、自分のうしろをよちよち歩いていた頃の面影はほとんど残っていないように見えた。取り残された所在なさに、宮津は途方に暮れた。

通夜は、雨の中しめやかに行われた。海上幕僚長の名前で花輪が届き、その前を防大の教授や同期生、後輩たちが次々に弔問(ちょうもん)に訪れた。中には遠方の赴任地からわざわざ駆けつけてくれた者もいて、宮津は、自分の知らないところで間違いなく進行していた息子の人生の側面を、ぼんやりと眺めた。

彼らは中退の件についてはなにも語らず、宮津も尋ねる気力はなかった。海の上にいて気づかなかった――あるいは無意識に逃げてきた人生のさまざまな雑事、日々生きてゆくために費やされる妥協や諦念といったものがまとめてのしかかってきて、ツケを支払えと言われていたのだった。

無理もない、当然の報いだと宮津は思った。自分はなにも知らない。知っているのは操艦要領や海図(チャート)の見方、そんなことばかりで、息子がなにを考えていたのか知らない。なにを愛し、なにを誇りにしていたのかも。いつ初恋の歓びを知り、いつ失恋の痛みを味わったのかも。なぜ父親と同じ道を歩もうとして、途中で断念したのかも。

無骨者の父親を気づかい、それを隠し続けてきた。そんなやさしい人間に成長してくれていたことさえ、知らなかったのだから……。

これまで順調に回っていた歯車が、ひとつ外れたためにまったく動かなくなってしまったようだった。こんな状態で大事な艦とクルーをお預かりするわけにはいかないというのが、その時に残っていた唯一の理性で、葬儀が終わるのを待ってから、宮津は艦長職を辞退する旨の手紙を海上幕僚監部宛てにしたためた。

いったん呉に戻って新艦長への引継ぎを済ませた後、許されるなら自宅近くの勤務地で陸上配置に就きたい。そう書き記した手紙に封をした時、ひとりの男が訪ねてきた。

背の高い、四十前後と見える男だった。夜分申しわけありませんが、ぜひ線香を上げさせていただきたい。夜の闇から染み出してきたかのような黒のコート姿が、機械的に頭を下げた。どこか険のある目の色に不快感を覚えた宮津は、午前一時近くという非常識な時間だったことも手伝って、今日はもう遅い、明日にしてくださいとそれを断った。申しわけないが、わたしも少々疲れぎみなので。そう言って玄関の戸を閉めかけた時、素早く動いた男の手がそれを止め、暗い、冷たい目がまっすぐに宮津を見た。

「息子さんは殺されたんです」

否定を許さない、闇の世界に通じる目と声だった。頭が空白になった一瞬の後、宮津は男を家に招き入れていた。

そうせずにはいられなかった。この男が何者だろうとかまわない。隆史に関することなら何でも知りたい。いや、知らなければならない。たとえどんなにおぞましい話であっても――。そんな思いを察しているのかいないのか、男は彼の知るすべての事情を話し始めた。

ひどく長い話になった。「辺野古ディストラクション」の真相と、そこから生まれ出たという「魔物」。ミサイル騒動の背後に蠢く複数の思惑。指導者の大半が売国奴と化し、滅亡の淵に立たされている男の「祖国」。阻止するために「魔物」を手に入れた経緯と、闇の世界で繰り広げられたその争奪戦。潔癖であったがゆえに巻き込まれていった隆史。己の良心と信念に従った、ただそれだけのためにすべてを失い、国家の「保険定理」に従って抹殺された無惨……。

どれもが信じ難く、また理解の範疇を越えた話だった。だが、嘘でないことだけは宮津にもわかった。男は必要であるならどんな嘘でもつき、辻褄を合わせるために人を殺しさえする。それは属する国家や仕事の種類こそ違え、彼が自分と同じ「兵士」であるからで――危険を顧みずにここにやってきたのは、彼もまた自分の信念に従っているからに他ならなかった。自分や父、そして隆史にも通底する愚直さを確かめて、宮津は本能的に男の話を真実と了解したのだった。兵士は、決して兵士を騙さない。

すべてを語った後、男は宮津にある計画を持ちかけた。それは息子を殺し、男の祖国を売った罪人たちに贖罪を強いる狂気としか言いようのない計画だったが、男と宮津が協力しあえば実現可能な計画だった。

蒼白になった宮津に、男はコートの懐から取り出した書類の束を渡した。

「息子さんがお書きになった、『亡国の楯』という論文です。ご一読ください。返事はその後にいただきたい」

そして、帰っていった。不意に夢から醒めた思いで、宮津はしばらくは何も考えられずにその余韻の中を彷徨った。しかし自分には窺い知れない世界の界面で、隆史が理不尽に命を奪われたのだということだけは、事実として胸の奥深くに刻まれていた。

宮津は論文の束を片手に隆史の部屋に向かった。三佐昇進と同時にローンを組んだ自宅の中で、ほとんど足を踏み入れた覚えのない部屋だったが、息子の遺した文章を読むのに他の場所は考えられなかった。きちんと整えられたベッドの横に腰を下ろして、宮津はワープロで『亡国の楯』のタイトルが打たれたA４紙の束を一枚一枚めくっていった。

《……未曾有の発展を遂げた日本は、理想も責任能力もないまま世界進出を果たしたさまを指して「エコノミック・アニマル」と誹謗されるようになった。冷戦後も安保の枠組み維持

に汲々とし、いまだに有事法制も整わないまま、歪な装備の更新を継続する自衛隊も、同様の危機を孕んでいるとは言えまいか》

《バブル崩壊が経済システムを袋小路に追い込み、辺野古ディストラクションが安全保障の存立を揺るがせた今こそ、日本は独自の姿勢を表明すべきだった。だが結局もとの鞘に収まってしまうのも、誰一人として「日本とは何か」「何を優先して、何を誇るのか」について、世界に通用する明確なロジックを持っていなかったからだ》

《重要なのは、国民一人一人が自分で考え、行動し、その結果については責任を持つこと。それを「潔い」とする価値観を、社会全体に敷衍させ、集団のカラーとして打ち出していった時、日本人は初めて己のありようを世界に示し得るのではないだろうか》

《保身にばかり長けた政治家ではなく、一人の人間として自らを誇れる人物にこの国の舵を取ってもらいたいと願うのは、過分な望みなのだろうか。そうした人たちがその存在をもって範を垂れ、すべての人に美徳を示すことは夢なのだろうか》

《ギリシャ神話に登場する、どんな攻撃もはね返す楯。それがイージスの語源だ。しかし現状では、イージス艦を始めとする自衛隊装備は防御する国家を失ってしまっている。亡国の楯だ。それは国民も、我々自身も望むものではない。必要なのは国防の楯であり、守るべき国の形そのものであるはずだ》

破滅的なまでに純粋で、一途。若者らしい性急な理想を封じ込めた文章を読み終えて、最初に感じたのは、難しいことを考えていたのだな……という感慨だった。息子が。あの隆史が。休暇を終えて艦に帰ろうとすると、必ずすねて部屋にこもり、見送りに来なかったあいつが。母親にせっつかれ、泣き腫らした目で玄関に出てきて、ぼく泣いてないよと言いながら洟をするのを恒例行事にしていた息子が、こんなことを考えられる青年に育ってくれていた。その喜び、誇らしさが、もう二度と息子の声を聞けない現実を突きつけて、宮津は初めて泣いた。床についた手を震わせ、血が出るほど唇を嚙み締めて、論文の上に落ちた涙がぽたぽた音を立てるのを聞いた。

あの男は、隆史がインターネットのホームページに掲載していたこの論文を読んで、接触する気になったのだと言っていた。最初は利用するだけのつもりだったが、隆史のまっすぐな性分は事態への深入りを招き、男もそんな隆史を同志として捉えるようになっていった。憂える祖国こそ違え、二人の思いは同じだったのだろう。生まれた国に、責任ある自由と誇りを取り戻したい、と。

その結果、隆史は死んだ。彼が再生を夢見た国家の手にかかって。高速道路に脳みそをまき散らして、死んだ。

そう、夢なんだよ、隆史。誇り高い優れた政治家、自立心と責任感に溢れた国民。そんなものは存在しないんだ。存在するのは利害となれ合いだけで、おまえは正義感が強すぎたばかりに、彼らに不利益と判断されてしまったんだ。

あるいは父さんも、その中のひとりだったのかもしれない。すまなかったな、隆史。さぞ苦しかったろう。恐ろしかったろう。でももう辛い思いはしなくてもいいんだ。

こんど恐怖を味わうのは、おまえを苦しめた連中だ。この世に残すべきたったひとつのものを奪われて、父さんはもうなにもなくなった。だからやる。命に替えても必ずやってみせる。

隆史。仇をとってやるぞ……。

その言葉が頭の中で爆発し、宮津はふと我に返った。そして自身の体深くに生じた憎悪の凄まじさに、恐怖した。

そんなことはできない。自分が信じ、愛してきたものへの裏切りになる。そう思いながらも、宮津は止まった歯車が再び動き始めたことに気づいていた。

それは今までとは逆に回転していた。この時を境に、宮津はまったく別の人生を歩き出すことになった。

三・仙石

仙石恒史は、東京・葛飾区で小さな店を営む酒屋の次男として生まれた。講和条約発効で日本は七年にわたる占領時代から脱却。朝鮮戦争による特需が、後の高度成長を約束する基礎体力を日本経済に与える一方、各地で左翼陣営による火炎瓶闘争が激化し、白井義男が日本人初のボクシング世界タイトルを獲得した頃だった。葛飾を世界的に有名にする「男はつらいよ」の第一作が公開されるには、まだ十六年ほど早かった。

二つ上の兄はいわゆる秀才と呼ばれる人種で、都の作文コンクールで優秀賞をとったかと思えば、水泳でも学校代表に選ばれるという多才ぶりを早くから発揮して、両親はあまりぱっとしなかった人生に突然授かった神童を愛し、誰はばかることなく褒め讃えた。他方、仙石はなにをやっても人並み前後を行き来する程度で、小学校では教師からも生徒からも「あの仙石の弟」と呼ばれ続けた。中学に入ってもそれは続き、高校でようやく兄と別の学校になったが、たまに女生徒から声をかけられると、第一声は必ず「あなた、仙石さんの弟さんなんだって？」だった。どんなお兄さん？　つきあってる人、いるみたい？　この手紙、渡しといてくれない……？

少女マンガのヒーローさながらの容姿の兄に較べ、仙石はよく言えば野球マンガに出てくる朴訥(ぼくとつ)な捕手のような、悪く言えば最後に必ず主人公にコテンパンにされる悪役不良番長のような見てくれで、ここまで差をつけられると、もう性悪な神様のイタズラにつきあわされたとしか思えなかった。唯一、人より優れている点といえば絵がうまいことぐらいだったが、クラスの友人の似顔絵を描いて人気者になる類いの才覚ではなかった。

じっくり腰を落ち着け、何時間もかけて一枚の風景画を仕上げてゆくタイプで、必然、年に一度だけ時間を区切って行われる写生大会では、その才能が開花するはずもなかった。素養を見出してくれた美術教師がいないではなかったが、兄と張り合っていると思われるのが癪(しゃく)で、まともに相手にしたこともなかった。

実際、その頃の仙石はいつもなにかにイライラしていて、穏やかに絵の勉強をしていられる心境ではなかったのだ。秀才をまったく鼻にかけず、いつも凡才の弟を気づかい、折りあれば立てようとさえしてくれる兄の全人ぶりも、イライラの原因のひとつだった。

「親父もお袋もわかってないよ。おれ、よく褒められたり代表になったりするけど、どれも一番じゃないんだ。なんでも人よりちょっとだけ上手にこなす、それだけなんだよな。本当にすごいのはさ、他が全然ダメでも、何かひとつずば抜けてる奴だよ。いろんな大会に出て、おれ、それがよくわかった。そういう奴らが、王や長島みたいに世の中を動かす大物になるんだ。おまえ、絵がうまいんだから、ちゃんと勉強してみろよ。きっと大物になるぜ」

自分よりよほど息苦しい思いをしていたに違いない兄の、それは本音といたわりが入り混じった真実の声だったが、劣等感の塊になっていた思春期の子供に汲み取る余裕はなかった。どうせおれは少しばかり絵がうまい他は全然ダメな人間だと、絵の勉強はもちろん、他の勉強もしなくなり、同じ劣等意識を引きずる連中とつるむようになって、凡人の域を漂う成績は下降の一途をたどっていった。

店から酒を持ち出して大宴会を開いた挙句、ひとりが急性アルコール中毒になって救急車を呼ぶ騒ぎを起こしたり、隣の高校とケンカするのに武器を用意しておこうと、公園の植樹の添え木を片っ端から引っこ抜いて、警察に補導されたり。問題を起こすたび、兄貴の顔に泥を塗りおって、を常套句にしていた父も、警察からの呼び出しが五回を数えるに至って、ため息しか漏らさなくなった。兄は国立大学に進んでおり、父には仙石に店を継がせるという密かな希望もあったらしいのだが、従うつもりは毛頭なかった。出来のいい兄は社会にはばたき、悪たれの弟は仕方なく家業を継いで、小さな店の主人として一生を終える。近所中の人間に、死ぬまでそう思われ続けるなどまっぴらだった。

仙石は家を出ることを切望したが、コネも金もない高卒の少年の生活をまるごと面倒見てくれる場所は、どだい限られていた。高校卒業の春、海上自衛隊に入隊した仙石は、故郷を離れて呉にある教育隊に送られた。

陸上で泥まみれになるのは嫌だし、航空で他人の乗る飛行機の整備に明け暮れるのもあまり気がのらない。その点、海上なら楽そうだし、もしかしたら船で外国に行く機会もあるかもしれないと、それだけの理由で選んだ海上自衛官の道だったが、すぐにそれがとんでもない思い違いだったことに気づいた。護衛艦勤務は自衛隊全職種の中でもっとも苛酷なものであり——そこに新兵を送り込む教育隊の訓練も、どこにもひけを取らない厳しさで有名だったのだ。

午前六時半起床、午後十時就寝。この間、夜の二時間を除いて日課がびっちり。体育、基本教練、短艇(カッター)漕ぎで汗を流した後は、自衛隊組織や艦船種類についての勉強、救急措置やロープワークの練習で脂汗を流す。朝夕の甲板掃除——海上自衛隊では掃除全般をそう呼ぶ——では古びた隊舎を隅々までぴかぴかに磨き上げ、起きぬけにやらされる海上自衛隊体操、日々行われる巡検や報告では、常にきびきびはきはきを心がけていないと、容赦なく拳骨で指導される。ぼんやり歩いてもいられなかった。上官と出くわした時には先に敬礼するのが決まりなので、うっかり気づかずにすれ違おうものなら、やはり拳骨で注意されることになるからだ。

もたもたしていると他の者がとばっちりを食う羽目になるから、嫌でも迅速な行動が身につくし、どうしてもついてこられない者に対しては、引き上げるなり追い出すなり、みんな一致団結せざるを得ないので、気がついた時には連帯感のようなものが生まれている。その上、徹底した個人指導で各種技術を教え込まれるとなれば、ほとんど宗教団体の修行の様相を呈してきて、うひゃあ、こりゃエラいところに来ちまったと仙石は後悔しきりだったが、逃げ出したところでどこに行く当てがあるわけでもなかった。

　近所中そろって共産党を支持している父は、仙石が自衛官になると言うと、事実上の勘当を言い渡した。上等だ、と大見得をきって飛び出してきた以上、今さら家の敷居をまたぐことはできなかったし、慣れてくればここの生活もそれほど悪いものではなかった。兄と比較されることもなく、ただ自分の行動と、その結果だけが評価の対象になる。お互い助け合って前進しようとする同期の仲間たちは、だらだらつるんでいた不良仲間より魅力的だったし、体力には自信があった仙石にとって、教育隊での日々は怒られるよりも褒められることの方が多かったのだ。

　おまえには根性がある、きっといい艦乗り（クルー）になるぞ。初めて自分を正面から認めてくれた教官の言葉が、仙石に居場所を与えた。それまで馴染（なじ）みのなかった潮の匂いと波の音は、新しい人生と不可分なものになり、それから三ヵ月後、仙石は護衛艦という家と、乗員という家族に迎え入れられた。

　最初に乗務した艦は《あまつかぜ》で、これは対潜水艦戦に重きを置いてきた海上自衛隊が、初めて洋上防空に目を向けて建造したミサイル護衛艦の一番艦だった。進水間もない最新艦で、第一分隊砲術科に配属された仙石二等海士は、艦対空ミサイル（SAM）を扱う海自初のミサイル班員のひとりになった。

米軍から買いつけたばかりのSAM単装発射機（ターター・システム）は、運用はおろか、修理点検のノウハウさえ確立されていないありさまで、仙石たちの肩には否応なくパイオニアの期待と苦労が背負わされることになった。目標の方位、高度、距離を一基で観測する三次元レーダー。探知した敵機を照準し、ミサイルの進路を定める射撃指揮装置。ミサイル本体の電装部品と、ターターの駆動装置。手探りで一からシステムを学んでゆく一方、運用やその他の当番の仕事も次々に回ってきて、最初の一年間は瞬く間に過ぎていった。

もたつくと拳骨が飛んでくるのは教育隊と同じで、ひとりのミスが全体のミスに繫がり、場合によっては事故を引き起こしかねないだけに、怒鳴る方も怒鳴られる方も必死になる。出港作業でもやいのロープさばきに手間どれば拳骨、皿洗いで食器の水が拭き取れていなければ拳骨。なぜという言葉はなかった。そうするのが決まりで、決まりは守るものという単純至極な理屈が、上は艦長から下は水兵に至るまで、徹底されているのだった。

狭い艦内にプライバシーはありえず、どこにも逃げ場がない強迫感から、神経性胃炎を患（わずら）う者も多かった。曹士に与えられる専用空間は居住区の三段式ベッドの一段で、六十センチしかない高さでは上半身を起こすこともできず、新兵に割り当てられる最下段に至っては、一日離れていると床の埃（ほこり）が吹き溜まっている始末。電子機器を搭載している都合上、《あまつかぜ》には護衛艦初の空調設備が整っていたのがせめてもの救いだったが、芋洗いの居住区ではしょせん焼け石に水でしかなかった。

が、そんな不便は慣れればいいもので、護衛艦のクルーが真に恐れるのはCPO（Chief Petty Officer（先任海曹））の猛者（もさ）たちだ。下士官の中から十五人、先に一曹になった者から順に組み入れられる先任海曹集団は、毎年移り替わってゆく幹部連中を尻目に、その艦に根を下ろして睨みをきかすのを仕事にしている。幹部とは別世界を生きる曹士にとっては親分であり、彼らが詰めるCPO室には、こわもての体育教師しかいない職員室さながらの緊張が漲（みなぎ）っていた。

士官室並みに居住性の行き届いたCPO室で、彼らは幹部とは別ルートの勤務評定をつけ、素行悪しと判断された者をみっちり説教し、場合によっては護衛艦乗りの生きがいである上陸を差し止めにしたりする。特に彼らの長である先任警衛海曹——先任伍長とも呼ばれる古株曹長は艦の主であり、すぐに手が出る分、滅多に顔を合わせない艦長よりもよほど恐ろしい存在だった。

幹部が命令を下し、曹士たちが実行する。その構図の中に、下された命令を正確に実行させる先任海曹たちが存在するわけだが、実際には彼らが艦の運営を取りしきっているといっても過言ではない。ひとり三役（スリー・ローテーション）を合言葉に、次から次へとさまざまな部署に回される幹部たちに満足な指揮が執（と）れるはずもなく、現場は先任海曹のリコメンド——下位の者が判断を下し、それを提案という形で上位の者に伝え、あらためて命令させる——で成り立っているものだからだ。

そうして複雑、特殊な掟が支配する艦内で訓練に明け暮れ、上陸先の夜の街で仲間たちとバカ騒ぎしている間に十代は終わり、二十代の中頃には、ミサイル装備のスペシャリストとして他の艦に指導に赴くようになった。仙石は海上自衛隊にとってなくてはならない人間になり、誰かに必要とされる人生を望んでいた仙石も、他に自分の居場所があるとは考えられなくなっていた。

船酔いしない体質も、長続きの一因だろう。海が荒れると、ビニール袋を片手に通路の隅でうずくまる者が必ず出たが、仙石には無縁の話だった。子供の時分から店の酒を舐めて、人より平衡感覚を鍛えられていたからだろうか。一度、船酔いで真っ青の初任幹部に、どうしたら船酔いしないで済むか尋ねられたことがある。船に乗らなきゃいいと答えると、同年配のエリートは世にも情けない顔をして見せたものだった。

気の合った仲間と呉市内に借りていた下宿を引き払い、一人部屋に移ったのは、昇進試験をパスして三等海曹になった時だ。まがりなりにも拠点を構え、下士官の肩書きも手にして気持ちの余裕が出てくると、仙石は再び絵筆を手にするようになった。

休暇には呉市南東に緩やかな起伏を見せている休山に登り、至るところに旧海軍の史跡を残す呉の街や、さまざまな艦艇がひしめきあう埠頭、その向こうに広がる海を描き、艦内では非番直や夜間見張り(ウオッチ)の時を見計らって、持ち込んだ水彩絵の具一式を片手にやはり海を描く。お気に入りの場所は後部デッキだった。艦尾にテラスのように設けられた後部デッキは、本来は曳航索(えいこうさく)や可変深度ソナー、対魚雷用の囮(デコイ)曳航体を収納してある場所だが、訓練のない夜には恰好(かっこう)のアトリエになるのだった。

周囲三百六十度を包む闇の海面、遠くに瞬く僚艦(りょうかん)の航海灯、吸い込まれそうな満天の星空。それらはすべて、家を捨てて海で生きる道を選んだ自分がつかみとった世界であり、それでいながら、決して触れられないなにかに満ちた世界でもあった。断片でも写し取ろうと無心で筆を動かすうちに、二時間の当直時間はあっという間に過ぎてしまい、そのことを手紙のやりとりをするようになった兄に伝えると、彼はクールベの画集を仙石に贈ってくれた。海をモチーフに絵を描き続けた、十九世紀のフランスの画家だった。

兄は大学を卒業すると、引く手あまたの大手企業就職を断り、実家の酒屋に戻ったのだという。そんなことを知ったのもつい最近で、遺棄し、拒んできた過去の事柄と再びつきあい始めるようになったのは、ここにきてようやく兄と対等の立場になれた気がしていたからなのだろう。出来のいい兄と悪たれの弟ではなく、それぞれ社会で一里塚を築いた家族として。実家に戻ったと聞いた当初こそ、家出した自分の身代わりになったのではないかと罪悪感を覚えたものだが、兄は屈託なく、いつかこの店を一大チェーン店に拡大してみせるなどと嘯(うそぶ)いて、からから笑っていた。

そんな兄の姿をまぶしく感じながらも、結局、自分とはとことん違う人種なのだと納得した仙石は、前にもまして仕事に打ち込むようになっていった。幹部と曹士がそうであるように、兄と自分にもそれぞれまったく別の苦労があり、誇りがあり、生き方がある。能力の上下ではなく、それは適性の問題だった。実際、高卒の海曹にも部内幹部候補学校を通じて幹部への道が開けており、試験突破のために勉強会を催す奇特な士官もいたが、仙石には幹部になるつもりは毛頭なかった。転勤・引っ越しの連続で、ひとつの術科をじっくり学ぶこともできず、艦内では年中書類に埋もれている。それでいながら給料はさして変わらない。そんな生活のどこがいいのか、さっぱりわからなかったからだ。

やがて一曹に昇進し、右も左もわからない初任幹部を相手にリコメンドする苦労を憶え始めた頃、異動の辞令がきた。DDG《いそかぜ》乗務。第三世代ミサイル護衛艦(DDG)《はたかぜ》型の三番艦で、対空ミサイル(SAM)、対艦ミサイル(SSM)を装備したシステム艦。自衛艦中もっとも多数のコンピュータを搭載した、多機能型水上艦への転勤だった。ミサイル畑のパイオニアという肩書きが威力を発揮した結果で、艤装(ぎそう)の段階から《いそかぜ》に乗り込み、ミサイル班長として各発射機の取り付けにも立ち会った仙石は、ついにCPO(先任海曹)室の住人に迎え入れられた。

上半身を起こせる二段ベッドに、お付きの当番兵。下士官の殿堂CPOは、しかし、思ったよりずっと煩雑で苛酷な仕事だった。それぞれが所掌(しょしょう)する班員の性格把握、諍(いさか)いの仲裁、生活指導。時には人生相談も受け持つ。艦内のこまごまとした備品調達、曹士たちクルーの勤務予定表を作るのも役目で、その日は休みたい、あの日も休みたいと、航海中に溜まった代休を好き勝手に申請してくるクルーの要望を交通整理し、この日はあいつが休みたがっているから折れてくれ、その代わりあの日は絶対に休ませるとひとりひとり頼んで回り、やっと今月度分が完成したと思っても、急病人が出たり海上幕僚監部の巡察が入ったりすれば一から作り直し。どうしても手配がつかない時には、自分の休みを削ることにもなった。

若者の気質も明らかに変わってきていて、他人の迷惑を顧みずに平気でズルけたり、すぐに投げ出してしまうような連中が増える一方、「殴るより励ませ」などというバカなお達しで体罰を禁ずる風潮が上から流れてくるとあっては、仙石たち先任海曹がババの引き受け手になるよりないのだった。

時は、総理の「日本は不沈空母」発言から始まった軍拡時代の真っ只中。米軍払い下げ艦艇の寄せ集めからスタートした海上自衛隊は、このとき艦の総トン数に限っていえば二十倍もの規模に達していた。新造艦が次々就航する傍ら、肝心の乗員の手当が追いつかず、バブル景気につられて辞める者もぼろぼろ。地方隊に較べれば、護衛隊群は優遇されている方だったが、それでもひどい時には十ヵ月近く家に帰れないこともあった。

六畳一間の下宿に一人住まいの時はそれでもよかったが、今の仙石には帰りを待ってくれる妻子がいた。妻の頼子(よりこ)とは、行きつけの洋食屋で彼女がウェイトレスをしていた時に知り合い、仙石は上陸中は欠かさずそこでオムライスを食べて、なにも言わないでも大盛りオムライスが運ばれてくるようになった頃、決死の覚悟で彼女を映画に誘った。そして一世一代の恋愛をした末、結婚にこぎ着けたのだった。

入籍から一年。娘が生まれ、それを機会に仙石は十年ぶりに実家に戻った。小さな酒屋は既に取り壊されて、代わりに駅前の大型スーパーにセンゴクストアの看板が掲げられていた。

兄が宣言した通りだった。仙石は、スーパーの店長がすっかり板についた前かけ姿の兄と再会し、老いた両親と再会した。父は頼子に深々と頭を下げた後、産着(うぶぎ)に包まれた娘を抱き上げて、涙を流した。母は終始、泣き通しだった。十年間のしこりが溶けてなくなり、仙石は再び故郷を取り戻した。

帰り際、新幹線のホームまで見送りにきてくれた兄は言った。「おまえのせいで店を継がなきゃなんなくなって、最初は正直、恨んだよ。でも今は感謝してる。おれにも『なにかひとつずば抜けたもの』があるってわかったんだからな」

センゴクストアの名前がプリントされた百円ライターを差し出して、兄は微笑んだ。受け取り、一緒にその手も握った仙石は、涙を見られないように頭を下げて、新幹線に乗り込んだのだった。

昼夜なく艦内を駆けずり、怒鳴り声を張り上げている間に、もともと太り気味だった腹回りにたっぷり肉がつき、娘の佳織は大学受験を気にする年頃になった。ふと周囲を見回してみると、仙石は《いそかぜ》の最先任海曹になっていた。

他にも同期の掌帆長や先輩の烹炊長がいたが、一曹昇任は仙石がいちばん早く、必然的に先任警衛海曹——第二の艦長とも呼ばれるCPOの長、先任伍長の名が仙石に冠されることになった。

ここより先はない、人生の到達点。四十代後半の海曹長にとっては、そういうことだった。冷戦終結、バブル崩壊とともに軍拡時代は幕を閉じ、その遺産たる第四世代DDG——イージス艦が四個護衛隊群に配備された現在、第三世代に属する《いそかぜ》は過去の遺物になりつつある。同時二目標の追尾・撃墜が精一杯のこちらに対して、イージス艦は同時十二目標の攻撃が可能。対空ミサイル発射装置に至っては、一発一発撃つしかない《いそかぜ》の単装発射機になど目もくれず、甲板埋め込み式の垂直発射装置を採用して、二十九基の同時装塡ができるという差のつけられ方だ。レーダーも、探査電波を照射しながら回転する従来型と一線を画し、自艦の周囲に電子の網を張り巡らせ、三百六十度の常時監視を実現するフェーズド・アレイ・レーダーを装備しており、これらはFCS－3と呼ばれる新射撃指揮装置に統合されて、イージス・システムという鉄壁の防空網を構築するのだった。

もっともそれは局地戦で機能する「楯」であって、艦隊同士がぶつかりあう海戦が過去のものとなり、大陸から頭越しに飛来する弾道ミサイルが戦争の勝敗を決する現在、優秀な楯が四枚ほどあったところでなんの役に立つのかという意見もある。イージス艦に長距離ミサイルを搭載して威嚇能力を持たせるべきだとか、そもそもイージス艦なんぞいらんのだとか、幹部たちの間で議論になることもしばしばだったが、仙石には興味のない話だった。技術革新もここまでくるとついていけないというのが偽らざる心境で、もうミサイル装備のスペシャリストの肩書きは返上し、先任伍長として退役（たいえき）まで《いそかぜ》の面倒を見ることに、なんの異論もなかった。

　巨大なレーダーと管制システムを搭載しているため、艦橋構造部が両舷にまで張り出したイージス艦の無骨な姿を、不細工なもんだと横目で睨みつつ、もはやまったくの時代遅れになったターターを磨く。定年の五十三歳まであと数年、そうして暮らすことに文句はないつもりだった。

　が、沖縄の米軍弾薬基地をまるごとひとつ消し去った前代未聞の爆発事故――「辺野古ディストラクション」と、続いて起こった北朝鮮の弾道ミサイル騒動によって、俄（にわ）かに情勢が変わった。海外駐留米軍や同盟国の防御を目的に、アメリカが進める世界的なミサイル探知・迎撃網の敷設――戦域ミサイル防衛構想（TMD）に日本も参加することになり、海上自衛隊は全護衛艦のイージス化を計画。《いそかぜ》がその一番艦に選ばれ、ミニ・イージス・システムを搭載する大規模近代化改修（フラム）が行われることになったのだ。

ミニ、とは従来のシステムと区別するために便宜的に付けられた名で、性能はイージス艦のそれと変わらない。これが現有護衛艦すべてに搭載され、開発中の次期汎用護衛艦にも標準装備されれば、数十の「楯」が日本の空を完璧に防護するようになるわけで、その試作型となる《いそかぜ》にかけられる期待は半端なものではなかった。操艦には定評のある新艦長も着任し、《いそかぜ》は呉の乾ドックで長い改装の時を過ごすことになった。

　護衛艦が一線で働いていられるのはせいぜい二十四年で、この間、装備は十年サイクルでどんどん更新される。そこで船体を補強して艦齢を延ばし、装備を換装（かんそう）して新鋭艦と同等の性能を持たせようとするのがフラム——早い話がお色直しだったが、今回《いそかぜ》に施されたフラムはそんなレベルのものではなかった。マストを飾っていた三次元レーダーや射撃指揮装置のアンテナ板はことごとく撤去され、代わりに艦橋構造上にミニ・イージス・システムの要（かなめ）になるフェーズド・アレイ・レーダーを設置。主砲はこれまでの有人砲台から、戦闘情報指揮所（ＣＩＣ）からの一元操作が可能な自動無人化砲台に交換され、魚雷連装発射機（アスロック・ランチャー）が取り外された跡には、甲板埋め込み式のＶＬＳも装備された。イージス艦のそれより一回り小さい十六基装填タイプだったが、単装のターターがひとつしかなかった今までに較べれば、格段の進歩という言葉でもまだ足りない。つまり《いそかぜ》は、ＴＭＤ対応艦として正真正銘「生まれ変わる」ことになったのだ。

　フラムは九ヵ月に及び、その間、溶接の火花が閃（ひらめ）くドックで作業員たちと怒鳴りあうのが仙石の仕事になった。それはいじるな、そこに物を載せるな、そんなところに取り付けたら移動の邪魔になる。事前に青写真で検討されてはいても、実際の作業では不都合なことが出てくるもので、時には何日もドックに泊まり込み、現場監督ととっくみあい寸前のケンカをしながら、作業は進んだ。

仙石にとっては、護衛艦乗りの生涯を締めくくる最後の大仕事であり、その思いは同年代の艦長も同じようだった。毎年、艦長を入れ替える現在の制度では、大過なく年度業務計画をクリアできればそれでいいと考える者も少なくなかったが、この艦長の熱意は本物だった。幹部はもちろん、曹士の顔と名前もすべて憶えようと誰かれなく話しかけ、仙石も何度か酒席に招かれて、《いそかぜ》の癖についてあれこれ尋ねられた。偉ぶらず、気さくで、いつでも現場の身になって考えてくれる好人物だった。家族の不幸で一度戦線を離れたものの、間もなく復帰し、新生《いそかぜ》が進水した時には、ともに祝杯をあげた。

異動の季節が重なり、公試運転の前に幹部乗員の更新も行われた。遠洋航海を終えたばかりの初任幹部が七人と、部内幹候上がりのベテランが五人。ほとんど総入れ替えといってもよく、面舵(おもかじ)と取り舵の区別がつくかどうかも怪しい初任幹部を、大量に引き受けるとなれば混乱は必至だったが、海幕監部も新人に早くミニ・イージス・システムを習熟させたいのだろうから仕方がなかった。

彼らを鍛え、《いそかぜ》が所定の性能を発揮できるように艦内を取りまとめてゆくのは仙石たちの仕事になる。システム修得のためにクルーの一部が術科学校に出向してしまい、当分は定員割れの苦しい生活が続くだろうが、気合いを入れ直して、残り五年の乗艦勤務の最後を飾ろうと決めた。

兄はバブルに浮かされることもなく、堅実な経営で店を会社組織にまで育て上げており、ディスカウント酒販で当ててからはチェーン店も三軒を数えるまでになった。呉近郊に購入した小さな一戸建てのローンを抱え、退職金と恩給年金を入れても当分は働き続けなければならない弟の事情を知ると、兄は名ばかりでよければ役員待遇で引き受けると言ってくれたが、仙石はまだ退官後のことを考える気にはなれなかった。

海上自衛隊、護衛艦の他に自分の居場所があるのか。考えると不安になり、慌てふためくほど定年が間近に迫っているというわけでもなかった。

まだまだ時間はある、ゆっくり考えていけばいいさと思い、次の瞬間には、公試運転で露呈したクルーのばらつきや居住性の悪さを反芻して、改善策を考えている。そうしている間に改修後初の訓練航海の日が迫り、気心の知れたクルーと問題を話し合っておこうと思いついた仙石は、《いそかぜ》再就役祝いの名目で自宅に簡単な宴席を設けた。

限定したつもりでも、数回に分散しなければならなかった。このあたりの店ではどこに同業が潜んでいるかもわからない、家でやるしかないんだと言うと、頼子も仕方ないという顔で準備をしてくれた。先任伍長の妻として、その辺は心得ているのだろう。明日の出港を前に押しかけてきた最後のグループにも、終始にこやかに応対してくれた。

完全とは言わない。が、十分に充実した人生なのだろう。その晩、妻から別居の話を持ち出されるまで、仙石はなんの疑いもなくそう思っていた。

皆が帰ったのは十時少し前。出港を控えて、自然と酒量も控え目になった。頼子が台所で洗い物をする音を聞きながら、仙石は鼻唄まじりで明日持っていく荷物を点検していた。下着類、新しい歯磨き、暇潰しの文庫本が数冊。制服や画材道具、細々とした生活用品はCPO室に置きっぱなしにしているので、ボストンバッグひとつでもお釣りがくる。

バッグのジッパーを閉め、風呂にでも入るかと思いかけた時、洗い物を終えていた頼子が、「今度の航海が終わってから、言うつもりだったんだけど……」と居間の絨毯の上に膝をそろえた。

「あたしと佳織、しばらくこの家を離れようと思うの」

なにを言われたのか、すぐにはわからなかった。まじまじとその顔を見た後、仙石は「どうして」の声を絞り出した。

「佳織、前から東京に行きたがってたでしょう？　向こうの大学に通いたいんだって。それで、しばらく一緒に行ってみようと思って。お義兄さんが住む所はなんとかしてくれるって言うし……」

目を逸らした妻の横顔は、ひどく疲れて見えた。接待続きでヘソを曲げているのか？一瞬思ったが、静かな、しかし硬質な頼子の声は、一時の感情の揺れが紡ぐものとは違っていた。「夏休みが終わったら、佳織はこっちに戻すわ」と続けた頼子に、仙石は「なんでおまえまで一緒に行くんだよ」と狼狽を隠しきれずに言った。頼子は答えなかった。

「今だって、年の半分は別々に暮らしてるようなもんじゃねえか。そりゃ、この何ヵ月かはずっと家で寝泊まりしてたけど……」

フラム中の九ヵ月は、結婚以来最長の上陸期間だった。「……それでやんなっちゃったのか？」とためらいがちに聞くと、頼子は微かに苦笑したようだった。

張り詰めた空気が多少ほぐれて、仙石は「よせよ」と息をつきながらお膳の上のタバコに手をのばした。

「まったく、縁起でもねえ冗談だ。明日は出港だってのに」

「そうよね。あなたにとって大事なのは護衛艦。ここはただの仮住まいですもんね」

硬いままの声がそう言って、仙石はライターを持つ手を止めた。

「なに言ってんだ……」

「あなたは、どこにいても先任伍長さんだってことよ。家にいる時だって、休暇中の先任伍長さん。夫でも父親でもなかった」

「そんなことはねえだろう。留守がちにしてて悪いと思うから、一緒にいる時はおれなりに気を遣って……」

「そう。それが護衛艦乗りのルールのひとつだものね。いつも家にいない分、陸に上がった時は家族サービスに努めろって」

「いい加減にしろ！　それのどこがいけないんだ。なにが不満なんだ。言ってみろよ」

「あたしが結婚した、仙石恒史って人はどこにいるの？　そう言ってるの」

長年抑え込んできた感情のうねりが、思いきり体当たりしてきた。そんな声だった。仙石はなにも言えなかった。

「そりゃね、あなたやさしいわ。あたしたちのために一生懸命働いてることも知ってる。いろいろ不満もあるでしょうに、我慢して口に出さないで……。それが伝わってくるから、あたしだって頑張ってきた。家のことも佳織のことも、あなたの負担にならないよう全部あたしひとりでやってきた。自治会の役員だって、本当はやりたくなかったけど、地域と親交を深めるのも自衛官の妻の仕事だって言われて、やってきたわ。

本当、理想的よね。お互い助け合って、美しい話だけど……。それが本当の夫婦だって言える？」

問いかける目を、見続けることができなかった。妻が言わんとしていることがなんとなくわかり、わかったからといって今さらどうにもできない問題だということにも、気づいてしまったからだった。

「もっと本音をぶつけあって、お互いをさらけ出して、一緒に喜んだり苦労したりする。それが本当の夫婦なんじゃない？　友達が自分の亭主の悪口を言うのを聞いて、あたしいつも思ってたわ。ああ、あたしは悪口言えるほどあなたのこと知らない。あなたはいつも物分かりがよくてやさしくて、息切れする前に、また海に戻っていってしまう。永遠にそれのくり返しだったって。あたしは休暇中の先任伍長さんのお世話をしてただけで、自分の夫とは会ったことがないんだって」

「……考えすぎだよ」

「それが新鮮でいいって人もいる。でもあたしはイヤ。この頃すごく虚しくなる時があるの。そんなふうにして、あたしはやり直しのきかないこの歳までなんとなく来てしまった。人生を無駄にしてきちゃったんじゃないかって」

無駄、の一語にカッとなるのを自覚したが、目に涙の膜を浮かべている妻の顔を前に、怒りを維持することはできなかった。頼子は涙を拭おうともせずに続けた。

「そう思い始めると、あなたを憎んでしまいそうで、そんな自分が情けなくて……。この九ヵ月、《いそかぜ》の工事で毎日あなたが家に帰ってくることになって、あたし、これが最後のチャンスだなって思ってたわ。ずっと一緒にいれば箔も剝がれて、本当のあなたと向き合えるんじゃないかって、そう……。でも結局、あなたは最後まで先任伍長のままだった。あたしがなにを相談しても、立派な、他人事のような返事しか返ってこなかった。二十年連れ添った、夫の言葉とは思えなかった」

顔を俯けた拍子に、こぼれた涙がぽたりと膝上に重ねた手の上に落ちる。ぼんやりそれを見ながら、仙石は、これはもうどうしようもないなと呟く自分の声を聞いていた。信頼という名の無関心で妻を放置し、家庭から一歩身を退いてきた自覚はあったから……。

「だから、考える時間が欲しいの。しばらく離れて暮らして、寂しいって思えたら、また……」

「……佳織も、そうなのか？」

むさくるしい男ばかりの宴会を嫌い、二階の自室に避難している娘は、まだ寝ている時間ではないはずだった。頼子は「あの子は、あれで結構するどいから」と涙を拭いながら答えた。

「あたしがどんな思いでいたか、ちゃんと見抜いてたわ。反対はしないって」

言いきった頼子の声に、一瞬前の諦念を押し退けて怒りがこみ上げてきた。自分をよそに、話はすっかりできあがっている。東京に住む場所を手配するということは、兄も知っているのだろう。そこまで決めているなら、わざわざ自分の了解を取る必要もないだろうに。そう思った仙石は、「わかったよ」と言い捨てて頼子に背を向けた。

「好きにすりゃいいさ。冷却期間が必要だってんなら、東京でもどこでも行けばいい。兄貴にはおれからも頼んでおく」

意地だった。「……それでいいの？」と言った頼子を無視して、仙石はタバコに火をつけた。

「しょうがねえだろ？　おまえがそうしたいっていうなら」

煙と一緒に吐き出し、後は振り返らずに腹の虫がおさまるのを待った。これ以上顔を合わせていると、あげたことのない手をあげてしまう予感があった。

タバコが半分ほど灰になった頃、「……そうね」と言った頼子の声がひどく遠くに聞こえた。

「あなたならそう言うわね」

その瞬間、もしかしたらこれが頼子が用意した最後の機会だったのかもしれないと思いついたが、今さらなにを言えるものでもなかった。仙石は風呂に入り、頼子と顔を合わせないまま寝床についた。頼子は居間で寝たようだった。

なかなか寝つけなかった。重いものが胸にのしかかっていて、どんなに寝返りをうってもなくならない。海上自衛隊で過ごした三十年間と、それを取り払ってしまえばなにもない自分の空虚、不安。そういったものが作り出す重みだった。

浅い睡眠を漂っている間に、七月の早い太陽が昇り始めた。頼子はなにごともなかったかのように起こしにきて、仙石も無言のまま朝の支度を済ませた。半袖開襟（かいきん）の夏用制服を身につけ、ねっとりした暑さを漂わせ始めた朝の空気の中、庭につっこんであるカリーナに乗り込んだ。

いつもは頼子も同乗し、出港を見送った後に車を家に戻すのが決まり事になっていたが、今日は違うとわかっていた。庶務の係に、後で女房が車を取りにくることを伝えておかなければと思いつつ、仙石は呉への道をたどっていった。

水色の空に、立体絵画のような質感を浮き立たせている入道雲の下は、藍色を流し込んだ凪の海面だ。水平線上には厳島の濃い緑色に塗られた島影があり、その手前を滑る高速水中翼船の玩具っぽい形が、白い航跡を残して反航してゆく。

フェリー航路が錯綜する広島湾を抜け、江田島と大奈佐美島に狭まれた奈佐美の瀬戸を過ぎれば、そこはもう瀬戸内海だった。艦首方向に島影はなく、四百メートル先を行く《うらかぜ》の細い船体が、泡立つ筋を海面に刻んで粛々と進む光景だけが見える。十字架を想起させるマストからは何本もの索が艦橋構造との間に張られており、そこを小さな落下傘のような物体がするする上下しているのも見えた。信号旗だ。

先行する旗艦が発する信号旗を信号員が読み取り、航海指揮官補佐が翻訳して、艦長や航海指揮官に伝える。編隊航行、それも出港となれば針路や速度の変更はざらで、すれ違う商船が旗を下ろして敬礼すれば、答礼の指示も出さなければならない。艦橋は今ごろ戦場だなと思った仙石は、当直の航海補佐は風間雄大三尉であることも思い出して、心持ち顔をしかめた。名前と正反対の小心者で、物事がうまく運ばないとすぐにヒステリーを起こす二十四歳の初任幹部。ちゃんと勤まってるんだろうか……。

《いそかぜ》と《うらかぜ》の二艦によって構成される第六十五護衛隊は、母港の呉を後にして四国沖の訓練海域を目指している。目的は隊訓練だが、主眼は《いそかぜ》の錬成と、幹部の操艦感覚養成に置かれていた。同じ艦でも、艦底に苔や貝が付着してくればそれだけで行足（進行）の度合いが違ってくる。大改修で基準排水量にまで変更が及んだ《いそかぜ》については言わずもがなで、太平洋に出て思いきり艦を動かし、その癖に馴れ、性能諸元を記した艦橋要表を根本的に書き直すデータを収集する必要があるのだった。

隊司令の衣笠一佐が、あえて旧型の第二世代ミサイル護衛艦《うらかぜ》を座乗艦に選んだのも、艦長の宮津弘隆二佐に《いそかぜ》を自由に操艦させ、早く勘をつかんでもらいたかったからに違いない。期待に応えて、宮津艦長は出港と同時に鮮やかな「その場回頭」——速力をつけず、スクリューのプロペラ・ピッチだけで回頭する高度な操艦技術を披露し、素早く《うらかぜ》との単縦陣を形成してみせた。

護衛艦乗りにとって、他の艦より自分の艦が秀でるのはなによりも嬉しいことで、この艦長に任せておけば問題ないと再確認した仙石は、昨夜から抱いていたしこりが多少軽くなるのを感じた。

もやい作業の喧噪が過ぎ去れば、第一分隊の運用員には舷側にずらりと並び、出港する艦の飾りを務める役が待っている。登舷整列というやつで、艦橋から「分かれ」が下命されるまでは、暑かろうが寒かろうが、ひたすら直立不動で立っていなければならない。旧海軍から伝わる儀式のひとつだ。出港から一時間弱、じりじり照りつける太陽に晒され、熱した甲板の上で目玉焼きの気分を味わった仙石は、厳島の影が艦尾に消え去ったのを潮時にして、隣に立つ海曹に軽く顎をしゃくってみせた。後はなにも言わずに列を離れ、艦橋構造の側面にある水密戸へと向かう。

甲板から見上げる艦橋構造は、ダークグレーで塗られたビルか大型倉庫といったところだ。いま、その最上部にはミニ・イージス・システムの心臓部であるフェーズド・アレイ・レーダーのレドームが鎮座しており、そこからマストが伸びている様子は、芽の出たタマネギを艦橋にのっけているように見えた。おれの艦を、こんな不細工に造り変えやがって。いつもの不満を抱いて水密戸を開けた仙石は、合図を察したクルーが三々五々列を離れ、滑り止めペイントの上を小走りにこちらに向かってくるのを見た。

空調室と艦長浴室に挟まれた通路は、すぐに逃げ込んできた曹士たちでごった返すことになった。クーラーの冷気はあっという間に消し飛んだが、一時間近く炎天に炙られた身には天国に違いない。しばらくは全員が暑い、暑いとうわ言のようにくり返しながら汗を拭う時間が続き、やがて「チクショウ、意味もねえのにいつまでも立たせやがって……！」と聞き慣れた声が不平を漏らし始めた。

人いちばい大きな制服に、人いちばいの汗。仙石とほぼ同じ体型で、後ろ姿は生き写しとクルーから揶揄されているまる顔の青年は、田所祐作士長だった。その胸には五級賞詞の防衛記念章が輝いている。腕に残る根性焼きの跡が示す通り、もとはなんとかいう暴走族の幹部で、入隊後もなかなかその気質が抜けなかったが、一昨年、職務精励で記念章を受けてからは、見違えるように真剣に訓練に取り組むようになった。

　後輩の面倒見がいいのを見込んだ仙石が推薦したからで、今は先任士長として海士たちを取りまとめる役を務めてくれている。なにを言っても後腐れを残さない、さっぱりした気性は、《いそかぜ》の貴重な財産のひとつだった。

「どうせまたアホの初任幹部が、ブリッジにリコメンドすんのを忘れてんだ。日射病で一分隊が全滅したらどうするつもりなんだ」

「いいじゃないの。どうせ分かれの号令が出るまで立ってたことなんかないんだから」と、去年昇進したばかりの三曹が相手をする。誰も見る者のない海上で登舷整列を続けるのはバカらしいと、号令前に自主的に解散するのはどこの艦でもやっていることだ。田所は「そういう問題じゃないっスよ」と口を尖(とが)らせる。

「前甲板にいる掌帆長たちはまだ立ってんだから。ブリッジの連中、あれ見てなんにも感じないのかねえ?」

　掌帆長はもやい作業など運用面を司(つかさど)る先任海曹で、仙石の同期の若狭祥司(わかさしょうじ)曹長が務めている。今日は不慣れな分隊長を補佐して前部甲板で指揮を執っており、登舷整列もそこでやる羽目になった。

　ブリッジから見下ろせる前部甲板では、さすがに自主解散することもできない。一刻も早く分かれの号令が出るのを祈るしかない立場だ。

「幹部の総入れ替えで、ブリッジもまだ慣れてないんだ。勘弁してやれ」

若狭に同情しながらも、仙石はそう言っておいた。田所は「そうスかねえ……？」と意味ありげな目を寄越す。

「なんだよ？」

「とっちゃん幹候出の五人、宮津学校の出身なんだって聞きましたよ」

とっちゃん幹候とは、海曹が試験を受けて入学する部内幹部候補学校のことだ。生徒の平均年齢が高いことからそのあだ名がついた。仙石は、「宮津学校？」と聞き返す。

「宮津艦長が昔、海曹向けの勉強会を開いてて、そこで勉強して幹候に入った連中なんだって。だからフク……フクスケの部下じゃなくて、えーと、なんだっけ」

「腹心の部下、か？」

「そう、それ！　だから慣れてないなんてことはないっスよ。海幕が、初任幹部ばっか押しつけた代わりにわざわざ配置したんスから」

「おまえ、どこでそんな情報を仕入れてくんだ？」

「そりゃ、人望ってやつですよ」と田所は胸を張る。「生意気いうな」とその頭を小突きながらも、今回の人事にそんな因果が含まれていたのをまったく知らずにいたのは、先任伍長の立場としてはちょっとしたショックだった。

失笑するクルーたちの中で、不意に真顔になった田所は、「あれ？」と言いながらたむろする十数人の顔を見回した。「どうしたんですか？」と尋ねる海士たちを背に水密戸から顔を出し、艦尾の方を見て「あ、まだあんなとこにいやがった」と声を出した。

肩越しに覗き込むと、後部甲板に近い舷側にひとりで立ち尽くす若い海士の姿が見えた。見慣れない顔。今度の人事異動で《いそかぜ》に配置されてきた新クルーのひとりだ。照りつける太陽の下、微動だにせず立っている横顔は、アイドル歌手でも通用するなと仙石は思った。襟足までのびた、自衛官としては長すぎる髪もそう見える原因だろう。後で注意しなければ……。

田所は、「もういいよ、こっち来いよ！」と呼びかけている。足もとから這い上がる波の音、吹きつける風の音に遮られて聞こえないのか、少年のような海士はぴくりとも動かない。後方に流れてゆく陸地を、背筋をのばしてじっと見つめていた。舌打ちしてから、田所は「ヘンな奴」と肩をすくめた。

「イージス・システムを扱ったことがあるってんで、横須賀から特例で送られてきたらしいけど。愛想が悪いのなんのって。あれでよく今まで勤まってたもんだよなあ」

「おまえに言われたかねえってよ」と冷やかす声が後ろでしたようだが、仙石は聞いていなかった。横須賀から……と言われて、その海士の名前が頭をよぎったからだ。

変わった名前だった。確か如月……そう、如月行だ。

もう一度、今度は名前を呼んでみたが、行は動かなかった。頑なとも取れるその横顔を見つめ直して、仙石はアイドル歌手の第一印象を引っ込めなければならなくなった。海と、その向こうに消え去りつつある島影を見つめる瞳。他人の干渉を寄せ付けない真摯な視線は、遠ざかる陸に永遠の別れを告げているようで、安易な比喩などはねのけてしまうものだったからだ。姿勢のいい立ち姿と重なって、それは強烈なイメージを仙石に植えつけた。

まるで死地に赴く兵士だ――。

十分後、分かれの号令がかかるまで、行はその場から動かなかった。

第一章

1

午前七時十二分。いつもと同じく、サブジェクトの乗るスクーターが駅前のロータリー入口で停まるのが見えた。

相も変わらぬ安全運転で、他の通勤者が〈バス専用・一般車乗り入れ禁止〉の立て看板を無視して直接駐輪場に乗りつける傍ら、律儀にエンジンを止めて歩道に上がり、スクーターを引きずって歩き始める。満車すれすれの駐輪場でなんとか空いた場所を見つけ、座席下の物入れにヘルメットを収めると、片手にアタッシェケース、片手に顔いっぱいの汗を拭きとるハンカチを持って、急ぎ足で駅の階段を上ってゆく。

なんの変化もない、昨日撮影したビデオを再生しているような、サブジェクトの出勤風景だった。おもしろくもないと思いながら後に続こうとした途端、〈シノ〇二(マルフタ)から〇八(マルハチ)。現在時まで異状なし。送れ）の声がワイヤレス・イヤホンから発せられて、男はちらとだけロータリーを振り返った。

入口前の交差点で信号待ちをしているスクーターの上に、見知った中年男の顔があった。自宅から駅までサブジェクトに張りついてきた、夜勤番の同僚だ。耳に手をやって了解の意を伝え、改札口に続く階段を上ろうとしたが、（痔の具合は？）と続いた声に、もういちど立ち止まってしまった。

タバコを吸いつつ、手袋の中に仕込んだワイヤレス・マイクに声を吹き込む同僚の口もとは、ニヤニヤ笑っているようだった。肩をすくめて、男は残る階段をひと息に駆け上がった。

ベッドタウンの住人たちに混じって、東京行きの電車を待つ。いつものドアからいつもの車両に乗り込んだサブジェクトを追って、こちらもひとつ隣のドアの前に陣取る。ひと通りの定例行動が済めば、後はサブジェクトが下車するまで、新聞越しに時おり様子を窺う時間が続いた。

男は、８０５と呼ばれていた。無論、妻は「あなた」と呼ぶし、子供たちは「お父さん」と呼ぶ。同僚も、基本的には両親から受け継いだ姓名で呼んでくれる。しかし雇用者たちは、普通の会社が課長、係長と呼び合う感覚で、彼のことを８０５と呼んだ。

別に不愉快ではなかった。彼の職場ではごく当たり前のことで、多くの父親がそうするように、彼は雇用者から与えられる仕事をこなして月々の給料をもらい、家族を養っている。職場のしきたりに従うのは当然だったし、第一、それ以上に不愉快なことがこの稼業にはいくらでもあった。

三交代、二十四時間態勢で「監視対象者(サブジェクト)」を「監視(ウォッチ)」する。警察では張り込みとか行動確認とか呼ばれる、この三ヵ月間805が携(たずさ)わっている仕事も、そのひとつだった。正直、気乗りがしない。この仕事で気乗りするものなんてあるはずもなかったが、中でもこれは最悪の部類に入る。日中は動き回るサブジェクトにぴたりと張りつき、食事もトイレも相手のペースに合わせて、勤勉な営業マンより早く靴を履き潰す。夜はサブジェクトの自宅近くに停めたバンにこもり、盗聴器が傍受した愚にもつかない会話を聞きながら、むさくるしい同僚相手にひと晩じゅう将棋をさす。そして何日も座りっぱなしの生活をした代償として、いずれ腰を痛めるか、痔を患うのだった。

805はそういう生活に慣れており、生理的欲求もある程度は我慢できるよう訓練されているので、それが重要な任務であるなら文句を言わずにやり通すことができたが、いま行っているウォッチはおよそ重要なものではなかった。それどころかまるっきり無駄といってもよく――痔を悪化させてしまったのも、そのために気が弛んだせいなのかもしれなかった。

夜勤では悪化する一方なので、同じ現場に就いている同僚たちに交代を頼むと、彼らは失笑しながらも快く日勤を譲ってくれ、医者に行けるよう、七時から十五時までの早番に回してもくれた。勤め先の本部にも医者はおり、二十四時間無料で診察を行っていたが、８０５は町の医者に行くと決めていた。医務室で診察を受ければ、結果は雇用者たちの耳にも入る。痔なんかで考課を下げられるのはまっぴらだったからだ。

そんなわけで、８０５はこの一ヵ月間、平日は毎日サブジェクトの通勤を見届けていた。八丁堀（はっちょうぼり）で日比谷線に乗り換え、六本木で下車。市ヶ谷に引っ越しつつある防衛庁にサブジェクトが出庁した後は、同じ本庁勤務の監視者（ウォッチャー）に動向把握を任せて、六本木界隈で待機する。サブジェクト外出の報せを受ければ、近くの駐車場に確保したバイクにまたがって即出動ということになるが、昼飯も庁内の食堂で済ますサブジェクトが門を出るのは、退庁する時だけ。本部に定時連絡を入れる他はすることもなく、ひたすら時間を潰している間に遅番の交代がやってきて、その日のウォッチは終わり。肛門科の医者に寄った後、本部に戻るという生活をくり返している８０５にとって、朝の通勤時間監視が唯一の仕事らしい仕事なのだった。

沢口博（さわぐちひろし）、五十二歳。海上幕僚監部勤務。三十代前半で体を壊し、護衛艦乗務を外れてからは、もっぱら陸上配置のみをこなして、海上自衛隊内の幹部人事を司る海幕人事課長にまで昇り詰めた。千葉市内の一戸建て住宅に、妻と二人の子供とともに居住。勤勉、温和、やや神経質。送迎車の手配をあえて断り、電車通勤を続ける謙虚さは、気弱な性格の裏返し。護衛艦乗務中に体調を崩したのも、精神的なストレスが原因とされる——。サブジェクトの資料を要約すると、そういうことになる。実際、目の前にいるのはいかにも事務屋然とした眼鏡面の中年男で、制服を着ていなければ誰も自衛官だとは思わない。中肉中背、ごく普通の中間管理職サラリーマンの姿で、監視措置を敷く理由などどこにもなさそうだったが、問題は、この気弱な海幕人事課長には隠された性的嗜好があるという事実だった。

幼女嗜好。世に言うロリコンなどという生易しいものではなく、十歳以下の幼女に性欲を感じる性質で、調べてみたところ、沢口が開設している私書箱には確かにその手のビデオや雑誌が配達されており、自宅のパソコンにもそうした趣味に関する国内外のホームページにアクセスした形跡が残っていた。たとえ実際の行為に至らなくても、現在の地位を脅かすには十分な秘密で、沢口にはそれをネタに「あるグループ」に強請られている可能性があった。

秘密を守るために、沢口は海幕人事課長の職権を乱用して「あるグループ」の要求に応じたのではなかったか。三ヵ月前、海上自衛隊内部のある部署に非常に不自然な——危険でさえある——人事異動がなされ、それが沢口自身の発案によるものだったことがわかった時から、その疑惑が持ち上がった。そして強請られるに十分な破廉恥な趣味の存在が明らかになるに至って、一級の監視態勢が沢口を取り囲むことになったのだった。

「あるグループ」がどんな集団で、問題の人事異動のどこが不自然で危険なのか、８０５は知らなかったし、知る必要もなかった。いつでも注意して物事を観察し、聞き耳を立てろという一方で、余計なことには興味を持つなというのも、この仕事の鉄則のひとつだ。が、それがG事案に関与したものだと聞かされれば、沢口専従監視班「シノ」の緊張はいやが上にも高まった。

詳細は知らされなくても、G事案がいま国内外の公安・情報機関の注目を一身に集める事件であることは、メンバーの誰もが知っている。大きな仕事に関わると張りきってしまうのはどこの世界も同じで、全員がサブジェクトの一挙手一投足に食らいつくようにしたが、期待に反して、沢口はなんら怪しい素振りを見せなかった。

電話、投函物、パソコン通信の記録。すべてリスト・アップされた交際関係から外れるものはなく、もちろん未知の人物と外で落ち合ったり、なにかを受け取った様子もない。「あるグループ」の影などどこにも見えないまま一ヵ月が過ぎ、「シノ」班の誰もがいら立ち始めた頃、問題の人事異動がよくよく見てみれば筋の通ったもので、本部の疑心暗鬼が勝手な妄想を膨らませていただけらしいという噂が上から流れてきて、メンバーは懸命に積み上げてきた積み木を、いっぺんに崩される思いを味わったのだった。

よくあることだった。百の無駄から、一の真実を掬いあげるのがこの仕事。そして無駄とわかった後でも、下手に中止の命令を出して責任を被りたくない雇用者たちの弱気のために、現場がずるずると長引いてしまうのも、やはりよくあることだった。採算無視でも成り立ってしまう、日の丸株式会社傘下企業ならではの浪費。非公開情報機関も、役所根性だけはきっちり引き移しているというわけだ。無論、当の沢口はそんなことはまったく知らず、判で押したような役人生活を続けており、８０５もそれにつきあって、満員電車に揺られる日々を今日も続けていた。

いつもと違う点があるとすれば、新聞を開かずにぼんやり窓を見つめていることぐらいだが、特記事項に記すほどの行動ではない。電車は東京湾沿いを走っており、倉庫や工場が立ち並ぶくすんだ風景の中に、時おり思い出したように海が姿を見せる。真夏の晴天日、通勤電車に押し込められた奴隷たちを嘲笑うかのごとき海の輝きを見れば、誰だって現実で埋められた新聞を遠ざけたくなる。陸に根を下ろした海上自衛官には、あるいは捨ててきた海に対する特別な感慨でもあるのかもしれなかったが、いずれにしろウォッチャーが気にすべきことではなかった。乗車から十分、８０５はいつものように新浦安で下車した沢口に続いて、ホームに降り立った。

ここで快速に乗り換える。三分の待ち合わせ時間があるのを知っているので、８０５は沢口を目の端に捉えながら喫煙コーナーに向かった。肛門科の医者に控えるよう言われていたが、タバコでも吸わなければこんなバカな仕事はやっていられない。マイルドセブンに火をつけ、ひと吸いしてから、列の中ほどで電車の到着を待っている沢口を見た。

少々顔色が悪い。首をやや横に傾け、薄く唇を開けて、ぼんやりとした視線を前に並ぶＯＬの後頭部に向けている。身体の具合が悪いのかもしれない。これは特記事項に記す価値がありそうだと思った時、電車の入線を知らせるアナウンスが流れた。オレンジ色の車両が近づいてくるのを振り返り、目を戻した805は、サブジェクトの姿が消えていることに気づいてぎょっとなった。

慌てて視線を左右に動かす。列の前の方で、人の塊が動くのが見えた。誰かが列を押し退けて前に進もうとしている。人垣の割れ目に沢口の眼鏡面が見え、その青白い顔が一瞬こちらを向いたような気がした。

無表情の面相に穿たれた二つの目が、なにかを訴えかける切実な光を宿して、間違いなく805を見た。気づかれていた？　棒立ちになった次の瞬間、沢口がまっすぐ線路に飛び込んでゆく光景が、805の目にはっきりと映ってしまった。

ちょうど電車が入ってきた時だった。常軌を逸した女の悲鳴が構内に響き渡り、それは急ブレーキの音にすぐかき消された。さっと人の列が後退し、代わりに駅員たちが殺到してくる。鋭い警笛の音。事故発生を伝える業務放送のアナウンス——。

その間、805はなにもできなかった。緊急停車した車両を遠巻きに見つめ、その下にある光景を想像して一様に蒼白になっている乗客たちとともに、降って湧いた混乱に走り回る駅員たちを傍観するだけだった。どうしてという思いも浮かばず、ただサブジェクトが「マグロ」と化してしまった事実だけを飲み込んで、震える手で携帯電話を取り出した。

鉄道会社にいる知り合いに聞いたことがある。駅員たちの間で使われる隠語「マグロ」

は、轢断死体のありさまを残酷なまでに正確に言い表したものらしい。本部の電話番号を押す間に、背後でひそひそ囁きあうOLの声が耳に入っていた。

「あたし、聞いちゃった。許してくれ、許してくれって飛び込む前にずっと言ってたの。どうしよう、耳から離れない……」

耳を塞ぎ、その場にうずくまってしまったOLの気配を背後に感じながら、805は完全にしくじった自分たちを知った。喉元までこみ上げた敗北感を飲み下して、市ヶ谷本部に第一報を入れるしかなかった。

*

六十インチのスクリーンに映った小ぶりなテナントビルは、この九ヵ月あまりの間、うんざりするほど何度も見てきたものだった。入口の上にある「森村ビル」の看板、通路沿いに並ぶ郵便受けの扉のひしゃげ具合、壁の染みや微かな亀裂。すべて鮮明に脳裏に描くことができる。そういう者は他にも数人——いや、百人以上いるかもしれない。

地上四階、地下二階。パチンコ店やスナック、ラブホテルが建ち並ぶ鶯谷駅前の一角、約二十坪の敷地に築十八年の建物を構えているビルは、もとは在日朝鮮人商工連合会が所有していたものだ。現在は売りに出されており、都内の不動産業者が管理。この不景気で買い手も借り手もなかなか見つからず、空き家の状態が二年以上続いている——はずだった。

「その、たとえばだね。特殊なビニールか何かで建物全体をくるんでしまうというのはどうだ？　昔、映画でそんなのがあったぞ。スピルバーグの、宇宙人が出てくる映画で……」

スクリーンの反射光だけが照らす薄闇の中で、男の声がそう言う。『E.T.』のことだろう。異星人を匿った少年の家を、宇宙服に身を固めたNASAの職員たちが防疫シートでまるごとくるんでしまう、そんなシーンが確かにあった。いかにも部外者らしい、能天気な発言に渥美大輔は苦笑しかけたが、「日本の住宅事情では不可能ですよ」と応じた別の声は、不機嫌そのものだった。

この会議室にいるのは全部で五人。ひとりは公安課や外事課を所掌する警察庁警備局のトップ、菅原裕二警備局長。もうひとりは内閣直属の調査機関である内閣情報調査室の室長、瀬戸和馬。それにスライドの映写装置を操作している瀬戸の部下と、その後ろで壁に背を預けて退屈をかみ殺している渥美がおり、最後のひとりが問題の部外者、吾妻真一郎衆議院議員。それぞれ多忙な時間を送る国内情報機関の幹部たちを集め、無意味な状況説明をさせている張本人だった。

菅原は生粋の警察官僚で、瀬戸も警察出向組で固められている内調の室長。挙句、ここが桜田門に聳える警視庁ビルの中となれば、渥美も同じ畑の出身と判断されるのが当然だったが、事実は違う。他の者が初対面の吾妻議員に官姓名を名乗り、名刺交換も済ませているのに対して、渥美は軽く頭を下げただけで名乗ってもいなかった。部外者に知られていい名前、仕事ではないし、政治屋根性をむき出しにして恥じない吾妻のようなタイプとは、必要に迫られない限り口もききたくない。内調室員のひとりとでも思わせておけばいいだろう。実際、歳より若く見える四十四歳は、五十盛りが顔を揃えるこの会議室では、誰の部下と言ってもおかしくなかった。

「しかしな、いつまでもこの状態を続けるわけにはいかんのだ。例の、ペルーの大使館でやったみたいにだな、特殊部隊で奇襲を仕掛けるというわけにはいかんのかね？　警察にも最近そういう部門ができたはずだろう」

吾妻が言う。菅原警備局長はずり落ちそうな黒縁眼鏡に手をやってから、やれやれというふうに衆院議員の脂ぎった顔を見る。

「ですから、先ほどから何度も申し上げておりますように、彼らは絶えず《ネスト》の抽出(ちゅうしゅつ)レバーを握っとるのです。二十四時間、誰かが必ず起きていて、《ネスト》を胸に抱いている。そして突入の気配があれば、即座に〝あれ〟を開放すると言ってるんですよ」

どだい、いま森村ビルの地下に籠城(ろうじょう)している七人の男女は、ペルーの田舎ゲリラとは根本的にレベルが違う。全員が類い希な資質を備えた工作員たちだ。〝あれ〟と言うたびに顔の神経をぴくぴく動かしている菅原から目を離して、渥美はスライドの切り換わったスクリーンを見つめた。

一見、なんの変哲もない魔法瓶を思わせる物体が映っている。銀色で、高さは約四十センチ、直径は十五センチ足らず。手で楽々と持ち運べる大きさだ。しかしその中には、四重の隔壁と強固な電子ロックの施錠に守られて、〝あれ〟の入ったカプセルが収められていた。《ネスト》と呼称されるその容器は、三千度の熱に晒されても数日間は耐久する特殊鋼材によって作られており、パスワードを入力しなければ抽出レバーにも触れられないようになっている。無理にこじ開けたり、連続三回パスワードの入力を間違えると、隔壁内に充塡された化学剤がカプセル内に浸透して〝あれ〟を分解、無力化してしまう徹底した安全措置も講じられていたが、彼らはあっさりそれを解読して、抽出レバーを手にしていた。科学の粋を集めた安全容器も、設計者の口を封じることまではできなかったというわけだ。

抽出レバーは、〝あれ〟が毒性を発揮しない条件下――完全密封された研究室など――で、ロボットアームを使用した慎重な遠隔操作によって引かれるべきものだ。それが町中で、強奪グループたちの手によって引かれればどうなるか。カプセルが溶け、〝あれ〟が空気中に噴出する。巣から這い出た魔物が、都心にその禍々しい姿を現すことになる。それがどんな災厄をもたらすか、多少の知識があれば、吾妻もこれ以上愚かな発言で場をかき回すことはしないだろう。だが〝あれ〟の名前や性質を口外する権利は、この会議室にいる者はもちろん、日本という国家にもなかった。

権利を持つのはただひとつ。〝あれ〟の生みの親である米国防総省、それを包括するアメリカ合衆国だけなのだから。

「〝あれ〟とか《ネスト》とか、日本で起こっている事件なのに、なんでいちいちアメリカの了解を取らなければちゃんとした説明ができんのだ。ここだけの話、〝あれ〟の概略だけでも耳打ちしてもらえんもんかね？　そうでないと知恵も貸せん」

それでも、情報機関に課せられた守秘義務の重さを想像できない吾妻は、イライラとそんなことを言う。もう嘆息も出尽くした風情の菅原警備局長に代わって、瀬戸内調室長が口を開いた。

「米軍は、その漏出を防ぐためにひとつの基地を躊躇なく犠牲にした。それだけの破壊力を持つ物としか、言えません」

慇懃さの中にも、誰がおまえの猿知恵なんぞ借りるかといういら立ちを滲ませた声に、吾妻はしぶしぶ口を噤む。警察官僚を支配する出世主義に嫌気がさし、進んでドロップ・アウトして内調に移った瀬戸には、菅原とは対照的に物怖じしない空気が身についている。首相を相手にブリーフィングの日々を送っていれば、耐性が備わるのも当然といったところか。

「あのビルの地下室に籠城している者たちが、それを強奪した。そして踏み込めば〝あれ〟を開放すると言っている。それがいま、我々があなたにお教えできる最大限です」

続けると、瀬戸は吾妻を背にスクリーンの方に歩み寄っていった。剣道で鍛えた偉丈夫も、このところの激務で生彩がない。無理もない、〝あれ〟がまだ日本に残っていたなど、夢想だにしていなかったのだ。米軍が、沖縄の辺野古弾薬基地で密かに育て上げた魔物は、基地を焼き尽くした業火（ごうか）――「辺野古ディストラクション」とともに一掃されたと誰もが信じていた。だからその試料がまだ沖縄に残っていて、正体不明のグループに強奪されたと聞かされた時には、渥美も冗談だろうと笑ったものだった。

が、それは冗談ではなかった。「辺野古ディストラクション」から一年、マスコミ攻勢もようやく収まり、軍内部でも極秘で開発が進められてきた〝あれ〟の試料を本国に持ち帰ろうとしたペンタゴンは、その運び役を民間人を装った情報士官に託すという、三流スパイ映画並みの愚策を弄した。

　辺野古基地の爆発以後、在日米軍全体を覆（おお）った後ろめたい空気に多くの将兵が不満と疑惑を抱き、誰が内部告発者になるかわからない恐怖に晒されていたペンタゴンとしては、基地を往復する輸送機をチャーターすることさえ気が引けたのだろう。その弱気が禍（わざわい）したのか、水も漏らさぬ輸送計画は強奪グループたちに筒抜けとなり、彼らは〝あれ〟を手に入れた。そして慌てた米軍が自身の身体を探り出す前に、情報源（ソース）に利用した技術将校を殺害して姿を消した。

　見事な手際だった。潜伏先が判明したのは九ヵ月前のことで、事件発生からは実に四ヵ月が経過していたのだ。徹底した保秘のもと、それこそ泡を吹く勢いで強奪グループの行方を追ってきた日米協同捜査チーム――実態は、抜け駆けと揚げ足とりが横行する醜い寄り合い所帯だったが——は、ようやく発見した一味を完全包囲し、一刻も早く〝あれ〟を奪還しようと策を練った。が、彼らはそんなことは先刻承知といった様子で〝あれ〟の抽出レバーに手を置き、以後、不毛な睨み合いが続いているのだった。

寂れてもいなければ、繁盛もしていない。地元住民と周辺オフィスの会社員が落とす金でどうにか成り立っている、ごく平凡な都内の歓楽街の一画で、いまこの瞬間にも〝あれ〟が目を醒ますかもしれない。森村ビル前の通りは下水工事の名目で封鎖されており、運送トラックに偽装した移動指揮車のコンテナに本陣を張り、下水道や向かいのビルの屋上で息を殺している現場監視班の姿は、地元の目さえも完全にくらましている。だが渥美には、そろそろ限界に達しつつある彼らの緊張を、スライド写真の中にも感じ取ることができた。のんびり事のあらましを説明している場合ではない。

「無論、脅しじゃありません。〝あれ〟を奪って籠城した時から、彼らは死を覚悟している。……お見せして」

それでも、無骨者なりに永田町の処世を身につけている瀬戸は、慇懃無礼の説明を続ける。頷いた部下の操作でスライド投影装置の電気が落ち、代わりに天井に据えられた三管プロジェクターがビデオ画像を映写し始めた。

ここではない、別の場所にある大会議室の映像。渥美が所属する組織の建物の中だ。瀬戸や菅原の他、日米協同捜査チームの幹部クラスが居並ぶ前に、ひとりの男が座っている。風采の上がらない、見過ごしてしまいそうな三十代前半の男だが、目の奥には強い意志の光がある。なるほど、あの時の映像か。能天気なでしゃばり議員を黙らせるには、これを見せるのがいちばん手っ取り早いと思った渥美は、スクリーンに注視した。

「〝あれ〟が盗まれた次の日、連絡があった。代表で使者を送るから、関係者を集めておけとね。これはその時の映像です」

瀬戸が説明する。「〝あれ〟の名称は聞こえないよう編集してありますので、ご理解のほどを」と付け加える間に、男の前に置かれたテープレコーダーが話を始めた。

（我々は、……を強奪した者である。使者が持参した写真が示す通り、……は現在、我々の制御下にある。貴職らが奪還の挙に出た場合、我々はただちに……を開放する。その結果、どのような惨禍がもたらされるかは、貴職らもよくご存じであろう）

男は無表情に、敬愛するリーダーの声を聞いている。明瞭な日本語は、とても速成教育でマスターしたものとは思えない。吾妻が質問を発するより前に、瀬戸が説明を差し挟んだ。

「籠城している七人を外部から操っているグループのリーダー。いまだその顔がわからず、足取りもつかめない。北朝鮮偵察局始まって以来の恐怖と評される、許英和の声です」

吾妻は曖昧な顔で頷いている。警察、公安調査庁、それに渥美の所属する組織はもちろん、在日ＣＩＡでさえもその痕跡をつかめなかった男。ほとんど伝説的といっていい北朝鮮の浸透組員が、初めてその声紋を明らかにした時だった。

（我々の目的は、ここでは語らない。だがこの行動が、祖国の意志とはまったく無関係なものであることは宣言しておく。現在、我々が望んでいるのは、本国人民武力省偵察局局長、林民基（リン・ミンギ）との余人を交えぬ会談である。他の者と交渉するつもりはいっさいない。貴職らには、その実現に全力を傾けてもらうよう要請する。

貴職らの力をもってすれば、いずれ我々の潜伏先は露見するだろう。また、使者を無事に返せと要求しても無駄なことだろう。薬物を使用し、知っていることをすべて話させ、話したという記憶を奪った上で発信機とともに返す、その程度のことはするだろう。逆の立場なら、我々もそうするからだ。

このテープと写真を郵送する手段もあったが、それでは浅薄（せんぱく）な脅迫者と変わらない。我々の覚悟を知らしめ、また安全を確保するために、使者はここで自決する）

スクリーンの中に動揺が走る。それまで苦虫をかみ潰しながらテープに聞き入っていた出席者が一斉に席を蹴り、爆弾かと思って慌てて後退する者、使者の自決を阻止するために飛び出す者が入り乱れて、会議室が混乱に包まれる。誰かが三脚で設置してあったカメラを倒してしまったのか、横倒しになった映像に使者を取り囲む人垣が映り、その肩越しに、白目を剝（む）き、四肢を痙攣（けいれん）させている男の顔が一瞬だけ映る。「舌を嚙（か）んだぞ！」「医者、呼んで！早くっ！」の怒号。そこにテープの声が重なる。

（この尊い犠牲を教訓にして、貴職らは今後一切、我々の行動に関与しないことを……）

そこで映像は途切れた。瀬戸がビデオを止めたのだった。暗闇の中に、頭を抱えて動かない吾妻の姿が、ほんのりと浮かび上がった。

「……狂ってる」

「確かに。だがバカじゃない。与えられた命令を完遂するために、その肉体も意志も強靭に鍛えられている。簡単な相手ではないのです。……七人いれば、見張りのシフトも楽に組めますしね。どれだけ時間をかけても、相手の消耗は期待できない」

会議室の電気をつけながら、瀬戸は言った。すっかり脂気の抜けた顔で、吾妻は「電気もガスも、水道も止められている地下室でもか?」と空しい抗弁をする。瀬戸はちらりと渥美を振り返って、

「自衛隊からお借りした赤外線カメラで調べたところ、地下二階には水や食料がどっさり貯蔵されてるし、発電機だってある。排泄物を化学分解する携帯便器やら浄水機やら、野戦キットがひと通り準備されてるんですよ。七人なら、節約すれば二年は暮らせる量だ。彼らの祖国の惨状に較べれば、どうってことはないでしょう」

瀬戸の視線を追って、吾妻も疲れきった顔を渥美に向ける。瀬戸め、だんまりを決め込んでいるこちらに対する嫌がらせか。渥美は素知らぬ顔で無言を通しておいた。瀬戸は微かに苦笑する。

「で、その偵察局長とやらに話は通したのか? 奴らが直接会談を要求している……」

「もちろん。アメリカ経由の外交ルートを使いましてね。彼らも寝耳に水だったようで、すぐに特別便で日本に駆けつけてきました」

「ヤラセじゃないのか？　平気でわが国の頭越しに弾道ミサイルを飛ばすような連中だぞ」

「あれは、収まるべき結果が事前に見えていたからやれたことです。彼らは傲慢(ごうまん)な教条主義者だが、一国家の主権を担うだけの狡智(こうち)を蓄えている。明け透けにこんな大それた真似はしません。第一……」

そこで言葉を切ると、瀬戸は今度は菅原警備局長に矛先(ほこさき)を向けた。まったく人の悪い男だ。菅原は慌てて咳払いすると、

「リン・ミンギ偵察局長が来日して、我々も在日ＣＩＡも全力で監視態勢を敷きました。だが尾行はもちろん、盗聴器も、皮膚内に仕込んだ位置発信機もことごとくヨンファに看破されて……。しまいにはアメリカの偵察衛星までが持ち出されましたが、奴は衛星の受像限界や固定可能時間さえ熟知していたらしく……」

その裏には、非公式とはいえ外国要人の警護はこちらの領分と、菅原がつまらない威信根性を発揮して横槍を入れたばかりに、ミンギ偵察局長を掠(かす)め取られてしまったという無様(ぶざま)な経緯がある。苦しい菅原の弁を引き取って、瀬戸は続けた。

「さんざん引き回された挙句、我々は偵察局長を見失ってしまった。以来、消息は不明。ヨンファはどこかで会見を果たしたんでしょう。数日後、小包がピョンヤンに郵送された」

「小包……？」

「偵察局長の生首です」

平然と答える瀬戸に、吾妻はほとんど泣き出しそうな顔になった。素人には少々刺激が強すぎたようだ。首を突っ込んでしまったことを後悔しているだろう。きっかけはつまらない話だった。森村ビルを含む土地一帯を買い取り、パチンコやカラオケを内包する一大ヘルスセンターを造ろうと目論む企業があった。ところが問題のビルはこちらが手を回しているので一向に買い取りが進まない。そこで持ちつ持たれつの関係を続けている吾妻議員に泣きついた。

吾妻はビルを所有している朝鮮商工会に当たり、その背後で有形無形の圧力をかけていることちらの存在に気づいた。唐突に立ち塞がった国家機密の壁。貴重な企業票田を失いたくない吾妻は、怯まずに遠縁にあたる党顧問格の老人に相談する。党顧問は部外者の気楽さで、真相の一部を教えるくらいどうということはあるまいと総理に言い、つっぱねて余計な反感を買いたくない総理も、そういうわけだから説明してやってくれないかと内々に瀬戸に頼んできた。

派閥裁量で動く政治家を相手に、物の道理を説くことほど時間の無駄はない。瀬戸は早速、協同捜査チームの幹部に連絡を取り、渥美と菅原がそれぞれ代表でオブザーブするという条件で、機密のシールを少しだけ剝がすことを了解した。それがこの無意味なブリーフィングの正体というわけだ。瀬戸が辛辣になるのも当然と言えた。

吾妻は「……バカな。狂ってる。異常だ」と呟くだけだ。瀬戸は、「もうおわかりでしょう」と冷たく突き放す。

「彼らは完全に自分たちの意志で動いている。そして唯一の交渉窓口にしていた本国偵察局とも決裂した。もはや話合いは不可能。その目的がなんであるにせよ、我々には手出しができない」

「そんなバカな話があるかっ！　相手はたかが七人だぞ。居場所もわかってる。君たちはそれをぐるりと取り囲んで、中の状況も把握してるんだろう。なにか手があるはずだ」

ベソをかいた後は癇癪か。やれやれと思う間に、「無論、手は尽くしましたよ」と怒りを押し殺した瀬戸の声が続いた。

「ペルーで有名になったトンネル作戦、周辺住民を巻き添えにしての催眠ガス散布。あなたの言うのとは少し違うが、防疫用ビニールを特注して、ビル全体を覆うなんて作戦も大真面目で検討しました。ありとあらゆるオプションが案出され、いくつかは実行された。でもダメなんです。少しでも攻撃の気配があれば、奴らは躊躇なく抽出レバーを引く。そうしたらわたしもあんたも、その家族も死ぬことになるんだ。〝あれ〟があいつらの手にある限り、どうしようもないんですよ……！」

ほとんど噛みつく勢いの瀬戸に、吾妻は教師に叱られた子供の体で顔を俯ける。緩急自在、剣道の達人らしい冷静さが売りの瀬戸にしては珍しいことだったが、あるいはそれが当たり前の反応なのかもしれない。誰だって心の底では脅えきっている。自分だって、許されるなら大声で叫び出したい心境でしかない。その思いを嚙み締めた渥美は、開く予定のない口を開いてしまっていた。

「しかし、彼らだって超人じゃない。いつかはボロが出る。体力の衰え、視力の低下。食料や日用品が揃っていても、長い時間が経てばそういうチャンスだって出てくる。だから今は待つしかないんです。そして訪れたチャンスを逃さないためには、現状の、いやそれ以上の監視態勢が必要なことをご理解ください」

それまで無言を通していた正体不明の傍観者の言葉に、吾妻は最初、目をぱちぱちさせたが、やがてわかったというふうに頷いた。ヘルスセンターなんてとんでもない。あそこには地獄に通じる穴が開いてるんだ。その現実を頭に刻み込んだのか、無言のまま席を立った。

「最初にもお話ししましたが、この件を口外なさった場合……」

菅原が、その背中に遠慮がちに声をかける。吾妻は、「わかっているよ」とうんざりした声で答えた。

「判事と検事しかいない裁判にかけられて、議員特権もクソもなく投獄されると言うのだろう？……こんなこと、誰に話せるものか」

そして、会議室を後にしていった。肩をすくめる瀬戸に、渥美は苦笑で応じた。菅原はひと言も話さず、憮然とした顔で資料を片付けていた。

警視庁を後にして、渥美が自衛隊市ヶ谷駐屯地に戻ったのは午後一時を少し回った頃だった。いつものように東京地方連絡所側の裏門に乗りつけた渥美の車は、警衛の敬礼を背に駐屯地内に進入していった。

懐古情緒溢れる旧陸軍参謀本部の面影も、今は昔。防衛本庁の新庁舎も落成し、六本木からの引っ越しが半分近く終了した現在、市ヶ谷駐屯地は陸海空自衛隊の総合オペレーションを実現する国防の総本山として、急速に生まれ変わりつつある。真夏の太陽に鮮やかな緑を際立たせる銀杏並木を左手に見ながら、渥美を乗せた車は東寄りの小ぶりなビルの前で停まった。

外壁こそ新しく塗り替えたものの、建物の老朽ぶりは隠せない。新庁舎に囲まれている今はなおさらだったが、ここに関しては建て直しの必要はなかった。かつては陸幕調査隊、現在は防衛情報本部と呼ばれる機関が入居するビルは、その倍以上の規模を誇る地下施設への入口に過ぎない。そのアンバランスは、防衛情報本部という世に知られた顔と、それを氷山の一角にして運営される非公開情報機関との関係を象徴したものでもあり、渥美の座るべき席は地下の方に用意されていた。

玄関をくぐり、顔なじみの受付に身分証を提示する。コの字に折れ曲がった通路の角で立哨（しょう）している警衛たちにもいちいち身分証を見せながら、終点にあるエレベーターに乗った。ズボンのポケットからチェーンで繋がった電子錠を取り出し、操作盤の鍵穴に差し込む。運転可能のランプが灯り、地下六階のボタンを押した渥美は、ダイス（Defence Agency（防衛庁） Information Service（情報局））と呼ばれる組織の中枢へ下りていった。

「国益・治安を侵害する事態」に対して、「国家公安委員会及び情報活動監視委員会が認める範囲内」で「超法規的対処活動」が認められている場所。冷戦の最中、反共の防波堤として東西それぞれの闇の干渉を受けざるを得なかった日本が、自己防衛のために生み出さなければならなかった生存の知恵――。訓練キャンプの教官たちは、そんな言葉でこの穴蔵と、そこで働く者たちの存在価値を説明していた。他にも警察を一元とした情報収集能力の是正など、自己弁護の言葉遊びは尽きなかったが、防衛庁の一官吏として、在日ＣＩＡやＫＧＢの信じられない無法を目撃してきた当時の渥美には、「法を超えた悪には、法を超えた制裁を」と謳（うた）った文句がいちばんしっくりきたのを憶えている。

政府という、本来国民に奉仕すべき存在が、自身の組織維持のためには国民にババを押しつけて恥じない集団であること。半世紀以上かけても民主主義を使いこなせなかった国民の無節操が、そうした風潮を助長してこの国を閉塞の闇に追いやっていること。それらを身をもって学び、すっかり消化しきったつもりでいる現在、そんな御託（ごたく）は頭の中で風化して久しいが、それでもやるべき仕事だけはごまんとある。史上最年少で内事本部長の重責を背負わされた渥美にはなおさらのことで、この九ヵ月間、帰宅はおろか四時間以上満足に寝たこともなかった。

入局以来、物事を冷笑的に捉えることで精神のバランスを保ってきた夫に愛想を尽かして、妻はとっくの昔に家を出てしまっている。待つ者のない家をどれだけ空けていようと問題はなかったが、この大事な局面に時間を無駄に潰された腹立ちは、それとは別だった。エレベーターを降り、最近改築されたばかりの廊下を大股で歩いた渥美は、自分の執務室を通りすぎて局長室へと向かった。

仮にもダイスのトップが執務する部屋であるなら、最奥最深部にあってもよさそうなものだが、地下七階のハイ・セキュリティ・エリアは電算室に占められて、人間は二の次にされている。部屋の前で座哨する年配の警衛、秘書を務める女性士官の敬礼にそれぞれ応じた後、局長室のドアをくぐった渥美は、「どうだったね？ 桜田門の方は」と問う声を正面に受けた。

マホガニー製の机の向こうで、どちらかといえば小柄の部類に入る体を泰然と構えている。野田輝夫局長のいつもの姿に一礼した渥美は、「くだらんです」と吐き捨てた。

「久しぶりにG事案の幹部クラスが顔を揃えて、やることが低能議員のお守りとは」

〝あれ〟を巡る一連の事件は、G事案というコード名で分類されている。微笑した目の奥に、この穴蔵の住人に特有の抜け目ない光を湛えて、野田は「馴れておくことだ」と言った。

「管理職の肩書きがつけば、政治とのつきあいは不可避なものになる。潔癖が美徳になるのは、現場で泥にまみれている間だけだよ」

国内事案を所掌する内事部にあって、各方面部長を統括する本部長は、警察でいうなら刑事局長クラスに相当する。若年の渥美がその任に就いたのも、野田が周囲の反対を押しきって推挙してくれたからだ。頭越しに出世していった若僧を僻み目で睨めつける方面部長たちの扱いも含めて、統率者の心得を諭されるのはいつものことだった。

治安情報局と呼ばれた昔からここにいる野田は、防衛庁と自衛隊出身者が大半を占めるダイスにあって、数少ない警察上がりの幹部だ。組織改廃の危機の渦中、たまたまお鉢が回ってきたために局長に就任した自覚がある身には、渥美のような若手を周囲に配置して、権力基盤を補強する必要があったのだろう。言われるほど潔癖だった覚えはない、の思いを胸中に留めて、渥美は「心得ておきます」と応えておいた。

「しかし、膠着状態がこうも長引くと、さすがに神経に堪えます。時々、なにもかも忘れて突入しろという気になる」

応接セットのソファに腰を沈めながら、渥美は続けて言った。上官の部屋で勧められる前に椅子に座り、ずけずけ思ったことを言う。こうした態度が制服上がりの幹部に嫌われる所以だろうなと思ったが、直すつもりはない。そんな気質を見込んでくれているらしい野田も、「恐ろしいことを言うなよ」と笑うだけだった。

「……もっとも、近々そうなる可能性がないではないがな」

意外な言葉が降りかけられて、渥美は顔を上げた。意味深な笑みを浮かべた野田は、机を離れて壁にかけられた写真の方に近づいていった。将官の顔写真は、すべて歴代局長たちのものだ。

「〝あれ〟は、高空から散布しなければ本来の力を発揮しない。極端な話、奴らが《ネスト》の抽出レバーを引いたとしても、地下室ごと蓋をしてしまえば問題ないわけだ。そして必要最小限の『解毒剤』を注入する。無論、周辺住民を避難させた上でな。不発弾が発見された、とでも言って」

やや傾いた額のひとつを正しながら、野田は簡単に言った。渥美は、疲れでぼやけかけていた頭を蹴飛ばされたように感じた。

「まさか。……そんなことをすれば」

「奴らが籠城しているビルを中心にして、最低でも直径三十メートルの大穴が都心に出現する。地盤沈下や爆風を考慮に入れれば、被害はもっとになるかな」

蓋をする――つまり籠城している地下室を空気的に遮断する方法は、初期の段階で既に考慮されていた。だが空気孔や下水道管は封鎖できても、地面下に接した壁や床の細かな亀裂までは塞ぎきれない。窒息の気配を察した彼らが《ネスト》の抽出レバーを引けば、細かな割れ目を伝って地面に浸透した〝あれ〟が、地上に噴き出しかねないという推測から、実施されることはなかった。

しかし「解毒剤」を使うとなれば話は違ってくる。「解毒剤」は、〝あれ〟を滅ぼせる唯一の存在だ。野田が言うような方法で使えば、確かに成功の可能性は高い。その代償に、辺野古弾薬基地を焼き尽くしたのと同じ光が、都心に顕現することになるが……。

そこまで考え、半分以上実行するつもりになっている自分に気づいた渥美は、慌ててその考えを振り払った。ダメだ、危険すぎる。都心の地下数メートルで、少量とはいえ核爆発にも匹敵する熱放射を発生させるなんてとんでもない。どんな偽情報を流す？　不発弾の処理失敗か？　家屋を失う人々の生活補償だってある。だいたい、そこまでやって〝あれ〟を完全に屠れる保証がどこにあるのだ？

「バカげてる」と言って、渥美は乱暴に過ぎる解決案を退けた。

「わたしもそう思うがね。赤坂では真剣に討議されているようだ」

野田は涼しい顔で言う。ダイスが本部所在地に従って市ヶ谷のあだ名で呼ばれるように、アメリカ大使館内に極東支部を構えるＣＩＡは、赤坂と呼び習わされている。いかにも連中らしい発想だ、と渥美は顔をしかめた。どだい、「解毒剤」の処方は彼らにしかわからない。

「ま、あくまでも最後の手段だが……。こちらとしても、町の一区画が消失するだけでこの悪夢が終わるなら、そうしてもらいたいという本音はある」

渥美の心中を読んだかのように言うと、野田は向き直った。強い視線に、今朝から一段と厳しさを増した状況を思い起こした渥美は、開きかけた口を閉じた。そう、いま以上の悪夢を喚起する事態が始まりつつある。手段を選んでいる余裕はない。

「問題は、ヨンファも当然それに気づいているということだ。籠城組だっていつまで保つかわかったもんじゃない。必ずなにか手をうってくる。それにどう対処するか、だ」

「外事部の報告によれば、中東を渡り歩いているブローカーたちの動きが活発化しているそうです。『象の檻』が傍受した記録とも一致します」

「象の檻」は、美保と東千歳の二ヵ所に陸上自衛隊が所管している通信所だ。バックネットで結ばれた鉄塔が円陣を形成していて、それが巨大な檻のように見えることからそのあだ名がついた。主に北朝鮮の電波傍受に使用されているが、電波の方位と発信源を特定できるその性能から、ダイスでも便利に使わせてもらっている。

特定人物の声紋を入力しておけば、国内を飛び交う無数の電波の中から、その者の通信だけをピック・アップしてくれる。変換プロセスさえわかっていれば、デジタル通信であっても選び出すことが可能で、市販の携帯電話の変換ソフトはすでに入力済み。強奪グループのリーダー、ホ・ヨンファが籠城組と交わす会話もよく傍受してくれたが、本人を捕捉するには至らなかった。あちこちの故買屋から、大量に他人名義の携帯電話を買いつけているヨンファは、いちど使った電話は必ずその場に捨ててゆく。双方向から当該携帯電話に電波を飛ばし、交点から位置を割り出す三角捕捉法を使っても、見つかるのは捨てられた携帯だけというありさまだった。

ヨンファが、中東諸国を得意先にする武器密売ブローカーと連絡を取り合っているという情報も、象の檻からもたらされた。内容は〝あれ〟の売却。日米情報機関が注視しているというのに、ナメるのも大概にしろというところだったが、追い詰められつつあるヨンファが、なんらかの打開策を講じていることは間違いない。連絡を受けたブローカーたちの動きが活発化していると聞けば、無視できる状況ではなかった。

「北には、旧ソ連が中東に武器を輸出する際、中継役を務めていた過去がある。例の弾道ロケットも売ったぐらいだし、ヨンファがその通商ルートを知悉していたとしてもおかしくない」

「優れた商品であるなら、買い手は売り手が誰であろうとこだわらない。……もしイラクが〝あれ〟を手に入れたら……」

「世界情勢は一変するな。あるいは人類社会の終焉か……」

真顔で呟く野田を、笑うことはできなかった。それだけの恐怖が〝あれ〟には詰まっている。渥美は「しかし、それがヨンファの目的とは思えません」と言って、這い上がる悪寒をごまかした。

「中東のブローカーに連絡を取ったのは明らかに欺瞞です。本命は必ず他にある。奴がなにを最終目的にしているのか、それさえわかれば行動も絞れるのですが……」

「狂人の心理を知りたければ、狂人になるしかない。真面目な君には無理な話だな？」

日頃はなんにでも冷笑的な態度をとっている男が、いちど思い込むとなりふり構わず実証せずにはいられなくなる。渥美の性向を知る野田は、そんな言葉で熱くなりかけた頭に水をかけたつもりのようだったが、この場合それは逆効果だった。タバコをくわえかけた野田に、渥美は「ですが、沢口の自殺で『アドミラルティ』作戦の要度が上がったことぐらいはわかります」と言ってやった。

まっすぐここへ来たのは、そのことを話し合うためだった。監視員の目前で線路に飛び込んだ海幕人事課長。遺書も動機も見つからなければ、警察では早晩、発作的な自殺と結論されるだろうが、その場に居合わせたウォッチャーの報告を総合すれば、沢口は自分の罪を贖うために命を絶ったと見るのが妥当だった。

沢口がホ・ヨンファに強請られた可能性を探っていた渥美たちにとって、それは、現在の悪夢を百倍に増幅しうる事態が、現実に動き始めたことを教える出来事だった。

「良心の呵責、か。……考えたくない事態だが」

脅迫されて行ったとされる不自然な人事異動は、視点を変えて見ればごく正当なものであったことが立証され、沢口自身、怪しい素振りはまったく見せなかった。ありえない、思い過ごしという結論が半ば出かけていた今、このような形で疑惑の再浮上を突きつけられた野田の声は、ひどくしわがれたものになっていた。タバコに火をつけ、机に戻ろうとした背中を追って、渥美も立ち上がった。

「可能性が出てきた以上、現在の規模では不十分です。以前上申した通り、作戦要員の増員と海自装備の一時借り受けを許可していただきたく思います」

早くから事態の予兆を嗅ぎ取り、対処作戦『アドミラルティ』を強行したのは渥美だった。一部の要員は既に配置に就いているが、事態が現実化すれば対応しきれる数ではない。しばらくの沈黙の後、野田は「許可はしよう」と答えた。

「だがくれぐれも保秘に心がけてもらいたい。もし、もしもだ。本当にそれが起こり、事前に防ぐことができなかったら……」

そこで言葉を切ると、野田は渥美に振り返った。その目に、理性では抑えきれない恐怖と痛恨が揺らいでいるように見えた。そう、あの時も野田はこんな目をしていた、と渥美は思い出す。そうしてひとつの若い命が「処理」されていった……。

「我々は地獄に堕ちるぞ。あらゆる意味でな。公的機関化どころか、今度こそダイスは地上から消えてなくなるだろう。それは結果的に、この国から目と耳を奪うことにもなる」

東西冷戦の嵐の中、反共の防波堤を必死に支えてきた隠花植物が、冷戦終結とともにあっさり伐り倒されそうになるさまを、何度も目撃してきた男の言葉だった。そうなのだろうと思いながらも、渥美は、そのためにこの事態の端緒を開いてしまった悔恨を拭い去ることができなかった。

国民の生命と財産を守るため、と言いながら、その力を保持し続けるために、結果的に国民の生命を奪いもする。永遠に解決できないジレンマ、矛盾……。

終わらない苦痛を地獄というなら、我々はとっくの昔に堕ちているのかもしれない。が、今は絶望する間も惜しい時だった。G事案の一環ではあっても、これはダイスだけで解決しなければならない。警察力の一元化を宿願にする警察に知られれば、今度こそ市ヶ谷は潰される。現実的な思考で感傷を追い払った渥美は、じっとこちらを見つめる野田に微かな笑みを返した。

「そのための『アドミラルティ』です。防ぎますよ」

他に言える言葉もない。野田も頰を動かしたが、微笑と呼べる表情を作るには至らなかった。代わりになにかを言おうとして、不意に鳴った内線電話の音に中断された。

受話器をつかみ、「わたしだ」と応じてから数秒。その顔がみるみる青ざめていった。

「……わかった。すぐそちらに行く。現場のウォッチャーには、手出し無用を徹底させろ」

抑揚のない早口は、危機的状況の到来を教えていた。軽く息を吸って衝撃に備えた渥美に、野田は蒼白な顔を向けた。

「奴らが籠城を解いた。オーストラリア行きの航空券を七人分、要求しているそうだ」

その言葉が頭の中で咀嚼(そしゃく)されるより前に、渥美は部屋を飛び出していた。

　劇的な瞬間だった。それまでサーマル・イメージ装置――物体の輻射する熱を感知し、映像化するカメラを通してしか見られなかった顔を、今は肉眼で捉えることができる。午後十一時四十五分、最初の連絡があってから約十時間三十分後。ちょっと買い物にでも出かけるといった風情で森村ビルの玄関に姿を現した男は、道路の左右を軽く見渡してから、ゆっくりこちらに向かって歩き始めていた。

　この九ヵ月間、彼らの籠城生活をひたすら監視し続けてきた梶良巳に、その姿は衝撃そのものとなって視界に飛び込んできた。まるで普通。籠城の疲れも汚れもまったく見えない。地下室を出る前、洗顔と着替えをしていたのはモニターで確認済みだったが、それにしても、このまま街に出ればすぐにでも人並みに溶け込んでしまいそうな男の、余裕たっぷりの足取りはなんなのか。

　これが、ホ・ヨンファが鍛え上げた北朝鮮浸透組の精鋭――最高の工作員たちのレベルということか。そう考えた梶は、小さく深呼吸をした。そうしないと、ズボンのベルトに挟んだ自動拳銃、シグサワーP226を引き抜いて、九ミリ・パラベリウム弾を男の脳天に撃ち込んでしまいそうだった。

今はまだできない。男は、左手にしっかり《ネスト》をぶら下げている。やや大きめの魔法瓶といった形の、銀色の円柱物。あの中に〝あれ〟が眠っている。今、その上部カバーは開いており、男の手は内側の抽出レバーを把手代わりにつかんでいた。無理にもぎ取れば、レバーが引かれて〝あれ〟が噴出するというわけだ。

腕を狙撃して、手首ごと奪還することはできないか？　街灯だけが頼りの暗闇で、短銃による狙撃では難しいかもしれないが、通りに面したビルの屋上に布陣している、暗視ゴーグルを装着した部下たちなら可能かもしれない。彼らの指はアキュラシー・インターナショナルAWS——消音器を標準装備した、世界最高と呼ばれる狙撃用ライフルの引き金にかかっており、ヘンソルト十倍率の照準器を通して、男の動きを逐一フォローしている。梶が左手を鼻の前にやれば、十数発の七・六二ミリ亜音速弾が殺到して、男は瞬時に血と肉の塊にまで粉砕されるだろう。そうすればこのいまいましい事件にも幕が下りる。ダイスの対テロリズム特殊要撃部隊「920SOF」の隊長として、移動指揮車のコンテナや下水道にこもりきりだった生活も終わる……。

が、それはあまりにも危険な賭けだ。冬戦教——北海道、真駒内で行われる陸上自衛隊のレンジャー訓練課程——で地獄のような寒冷地訓練に耐え、可能なことと不可能なことの区別を体にたたき込まれた後、ダイスの一員として、会得した戦技を幾度か「実践」している梶は、いつでも効果を想定してからリスクを冒すよう心がけていた。為せば成るの精神論は、この世界では通用しない。経済がコスト対効果を基本に置くように、戦闘でリスクを冒すからには、それに見合った効果が得られなければならない。〝あれ〟が単純な爆弾で、もし失敗しても自分の損失だけで済むなら、このリスクには冒すべき価値がある。しかし〝あれ〟はそんな生易しい代物ではなく——失敗すれば、この場に展開するG事案現場監視班全員の命はもちろん、それ以上の、想定しきれない恐るべき損失がもたらされることになる。問題外だと思った梶は、むずむずする左手を握ったり開いたりして、男が近づくのを待った。街灯の光に《ネスト》を持つ男の手が照らされ、その凝った仕掛けを見て、一瞬でも狙撃を考えていた自分に冷汗をかくことになった。

抽出レバーの把手は、ワイヤーで四本の指とぐるぐる巻きに固定されていて、残る親指一本が、本体の縁に紐で結ばれた金具のリングを通して《ネスト》を支えている。それが外れれば、本体の重量が抽出レバーを引いてしまうわけで——つまりこの男は、親指一本で《ネスト》を支え、この場にいる全員……いや、もっと多くの命を支えているのだった。

狙撃なんてとんでもない、ちょっとでも力が抜ければ〝あれ〟が噴出する。ぞっとする思いを顔の皮一枚下に留めて、梶は二メートル手前で立ち止まった男の無表情を正面に見つめた。

背後のコンテナで食い入るようにモニターを見つめている者、周囲のビルの窓や屋上で、スコープ越しに見下ろしている者。それぞれの緊張がダイレクトに伝わってくる。陽の光を忘れた白い顔を微かに上げて、男は約束通りひとりで待っていた代表者——梶に顎をしゃくって見せた。手も足も出せないいら立ちを飲み下して、梶は右手に持っていた七枚の封筒を男に差し出した。

「お望みのものだ。日本国籍のパスポート。オーストラリア行きの航空チケット。日本全国の国際空港で有効、搭乗日時も随時指定可。それに荷物検査の除外と、税関パスを保証する外務省発行の特別通達書。おまえさんらのために大急ぎで作ったものだ」

　この十時間、霞が関で繰り広げられた責任転嫁論争をよそに、男はひどく簡単に七人分の封筒を受け取った。そして中身を確認しようともせず、来た道を戻っていった。

「……礼もなしか？」

　あまりの素っ気なさに、この九ヵ月間の労苦を踏みにじられたように感じて、梶は言ってしまっていた。賭ける価値のないリスク。衝動で行動したのは、９２０ＳＯＦを預かってから初めてのことだった。隊長たる資格なし、と自分を罵る間に、立ち止まった男はゆっくりこちらに振り返った。

　その口もとが、奇妙に歪む。笑った、とすぐにはわからなかったのは、男の目を注視していたからだった。なんの表情もない暗い瞳が梶を見据え、一瞬後には、背を向けて歩き出した。

　男の背中が森村ビルの玄関に入ってゆく。相手に呑まれていた自分を舌打ちで取り戻した梶は、監視機器の詰まったコンテナに飛び込んでコンソール上の無線マイクをつかんだ。絶対に手出しは無用、ほんの少しのきっかけで〝あれ〟は開放される。その事実を別の場所で待機する追尾班にも伝えようとして、「なんだ、ありゃ」と呟いた声に止められた。

警察から出張ってきた公安捜査官の声だった。何度かサツ回りの新聞記者に尾行される失態を犯して、920SOFのメンバーからは無視の憂き目にあっている男だったが、簡単に驚きを露にするタマではない。視線を追って暗視映像を映す八面モニターのひとつに目をやると、森村ビルの玄関に数人の人だかりができているのが見えた。

七人の籠城犯たちだ。狭い場所に密集して立っているのは、狙撃がないとわかっているからか。そこまで考えて、彼ら全員が手にするものに気づいた梶は、絶句した。

《ネスト》だった。〝あれ〟を収めた銀色の筒を、七人全員が所持している。無論、本物はひとつで、残る六つは精巧なダミーなのだろうが、ここからでは判別できない。呆然とする間に、ひとりが懐から携帯電話を取り出して、耳にあてる姿がカメラに映った。

本部に傍受を督促する必要はなかった。五分後、彼らの要求に従って封鎖を解除した通りに、次々タクシーが押し寄せてきたのだ。七人はそれぞれ別の車に乗り込み、ばらばらに森村ビルを後にしていった。

タクシーの運転手は、飲み会帰りの客を乗せたとでも思っていることだろう。それぐらい自然で、呆気ない最後だった。タクシーの車番と会社名を追尾班に伝えた後は交わす言葉もなく、梶たちはまったく無駄に終わった九ヵ月を悄然と受け止めた。

2

(教練対空戦闘用意、教練対空戦闘用意)

アラートの鐘の音が響き渡り、スピーカーからこもった声が流れる。艦内哨戒第三配備が令されてから、五分。想定通り、目標がレーダーに探知されたのだ。

当直の者はもちろん、非番直で横になっていた者も、今は戦闘部署の発動に伴ってそれぞれの配置についている。いつものように艦対空ミサイル単装発射機の管制室に陣取った仙石恒史は、射撃管制員の三曹とともに、十数項目に及ぶ発射管制装置の指差確認を終えたところだった。

「ターター、オール・システム・グリーン。教練戦闘準備よし」

戦闘訓練時に着装する鉄帽は椅子の脇に置いて、仙石は無電池電話と呼ばれるヘッドセットに報告した。その名の通り、電気系統が破壊された場合でも通話ができる代物で、今は艦の中枢に位置する戦闘情報指揮所と繋がっている。(あ、わ、りょ、了解しました。そのまま待機)と、がちがちに緊張した声がすぐに返ってきて、同じ通話を聞いている三曹と二人、顔を見合わせてニヤリとした。

「落ち着きなさい、ミサイル士。深呼吸でもして。ミサイル長、そこにいるんでしょう？指示通りやってりゃ大丈夫だから」

　ＣＩＣの薄闇で全ミサイルの射撃管制に当たっているのは、《いそかぜ》のミサイル士に任命されてから、これが初めての戦闘訓練になる初任幹部だ。手順に従って発射ボタンを押すだけの決まりきった役目だが、ターターの他にも対艦ミサイルのハープーン、十六発の対空ミサイルを装填する垂直発射装置（ＶＬＳ）と、それぞれ特性の違うミサイルを同時に管理して、各管制室に指示を飛ばすのは容易なことではない。本物のミサイルに触れてまだ間もない新人ならなおさらで、小まめにアドバイスを出し、指揮されながら指導してやるのもベテラン海曹の大事な役割――リコメンドというものだった。

（ぶ、分隊長、あ、いや、ミサイル長は、ＶＬＳに下りておられる。ここにはいません）

　される側も馴れていないと、命令口調と敬語がごっちゃになってしまう。仙石は「あ、そう。じゃあ、あんたがしっかりやんないとダメだ」と涼しい声で言ってやった。

「変なボタン押して、ミサイルを誤爆させたりしないように」

（は？　あ、りょ、了解です）

　回線がいったん切れると、ヘッへと笑う声が後ろでした。計器と表示ランプで埋められたコンソールを前にした三曹が、「まったく人が悪いよなあ」とニヤニヤこちらを見ていた。

　仙石同様、管制室の床にテッパチを置いて、カポック式救命胴衣を身につけている。一見すれば陸上自衛隊と間違えそうな物々しさだが、これが戦闘訓練時の護衛艦乗務員(クルー)の普通の姿だった。CICに詰める幹部たちも、今は同じ格好をしている。制服制帽で戦闘指揮を執る艦長は映画の中のフィクションで、特別なことがない限りは、平時でも略帽に略式制服が当たり前。海曹に至っては作業用の繋ぎがほとんどだ。仙石は「訓練、訓練。人間、多少頭にきてた方が物覚えがいいもんだ」と応じてから、「おまえも他人事じゃないぞ？」と、三十にさしかかりつつある三曹に振り返った。

自分が退官する前に、このターターDシステムに精通する後継者を作っておきたいという思いは、二、三年前から持っていた。口には出さなくても、射管員としてなかなか優秀な成績を修めているこの三曹を筆頭候補と見込んで、細かなことを口すっぱく教えてきたつもりだったが、

「余裕ですよ。VLSに較べりゃ、ターターのシステムは簡単なもんで……」

そこまで言って、三曹ははっと口を噤んだ。気まずそうにこちらを窺う視線を無視して、仙石は正面の覗き窓に目のやり場を求めた。

ターター管制室は、前部甲板に据えられた一番砲台の真下に造られている。覗き窓は、砲の台座部分に穿たれた幅四十センチほどの小さな穴で、そこからは艦首に設置されたターター発射機を一望することができた。その向こうには揚錨機(ケーブルホルダー)と、甲板を這う錨鎖(びょうさ)、舳先(へさき)を覆うブルワークも見える。ブルワークはターターを保護するために付けられた波防用囲壁で、

艦首だけが一段盛り上がっているさまは、凌波性(りょうはせい)を向上させる舷の湾曲部(ナックルライン)とともに、《いそかぜ》の精悍な印象を際立たせる外見的特徴になっていた。

簡単、か。ミサイルも装塡しておらず、枯れた草木のようにぽつんと艦首に立つ発射機を見て、仙石は嘆息した。今回の大規模近代化改修(フラム)の目玉、戦域ミサイル防衛構想(TMD)実現の要であるVLSに較べれば、そりゃそうだろうとしか言いようがない。出港から三日、砲雷長を始めとして、ミサイル班は全員VLS発射機のシステム習得に明け暮れている。仙石は、息抜きに訪れる初任幹部や新任海士たちにターターの取扱いをぽつぽつ教えていただけで、VLSにはノータッチ。若手を優先させたいという言葉の裏には、ロートルに新しいことを教えてもムダ、の本音があるのだろう。いずれ、ミサイル班長の名前が泣く三日間であることに変わりはなかった。

が、戦闘訓練となれば文句をたれてばかりもいられない。紀伊半島・由良(ゆら)への入港を明日に控え、司令艦の《うらかぜ》と解列した《いそかぜ》は、今日は一日、個艦訓練を実施していた。溺者(できしゃ)救助訓練に午前を費やし、午後から始まったのがこの戦闘訓練。例によって赤青両国が交戦中という想定で、こちらは青国の陣営。領海周辺を警戒行動中に、赤戦闘機が襲ってきた……という内容だ。

艦長が訓練の実施を艦内に達すると、部署の責任者には幹部作成の封密書が配布される。なんの飾りもない封筒にX＋3などの記号が書かれてあって、Xは戦闘訓練標準時――つまり開始時刻を指しており、数字は分数を表している。今回の標準時は十四時ジャスト。だからX＋3なら十四時三分に封密書を開き、そこに書いてある想定に従って行動せよ、という意味になるわけだ。

ターター管制室に配られた封密書にはX＋10と記してあった。十四時十分開封。それまでは刻々と入る戦況を聞きながら、発射命令に備える時間が続く。

(対空目標接近。百三十四度五十二マイル。目標は三機。直上通過予定時刻、一四〇〇(ヒトヨンマルマル)変わらず)

スピーカーから緊迫した声が流れる。同時に甲高い吸気の音が艦底の方から聞こえてきた。COGAG(コガッグ)方式機関——四基のガスタービン・エンジンからなる、《いそかぜ》の機関の音だ。覗き窓から艦首に波飛沫(なみしぶき)が散るのが見え、体が少し後ろに引っ張られたように感じる。最大戦速が令されたのだろう。三十二ノットの速度で艦を走らせるために、大出力を誇るマリン・オリンパス型エンジンがますます吸気の音を高めてゆく。ジェット機そっくりの音がするのは当然で、《いそかぜ》に搭載されたエンジンは、どれもロールス・ロイス社製の航空機エンジンを転用したものばかりだ。

(教練、右対空戦闘！　CIC指示の目標)

宮津艦長の声が艦内に響く。力みのない気合い。腹の力の入れ具合を心得た、いかにも熟達した指揮官の声だった。ギュルギュルという金属音とともに、覗き窓にかかっていた砲身の影が右に移動して、頭上の自動無人化砲台が回頭したことを伝える。フェーズド・アレイ・レーダーが捉えた目標を入力しておけば、後は艦がどのように動いても、砲台が自動回転して目標を狙い続けるシステムだ。

合わせて回転したターターも同様で、発射命令が出た時、各装置の駆動に異常がないかを監視し、熱排気、再装填と続くプロセスを円滑に行うのが、管制室員の仕事になる。仙石は反射的に主機に目をやり、脳細胞の隅々にまで染み込んだ管制室の計器盤を再確認する。発射機周辺に障害物はないか、標識札の取り忘れはないか、各スイッチは定位置にあるか……。

(VLS、一セルから三セルまで発射用意)

(発射時機近づく)

(発射！　続いて四セルから六セルまで発射用意)

CICでのやりとりが続く。無論、実際にミサイルを発射することはない。どだい、VLSに装塡されているSM-2ERミサイルは百キロの長射程のため、実弾演習の時でも実射はできない。簡単に日本領海を抜けてしまうからだ。

対して、ターターが装塡しているSM-1MRは射程十八キロ。艦隊にぎりぎり近づいてくる敵機を墜とす、エリア防空用の代物でしかない。相手が五十マイル——九十キロ近く向こうにいるなら、出番があるはずはなかった。腕を組み、ひたすら待機の時間を過ごす。

(目標、一機撃墜。二機は散開、引き続き本艦に直進)

「……撃墜したみたいっスね」

先刻から気まずそうにしている三曹が、ぼそりと言う。仙石は、「聞こえてるよ」と言って貧乏ゆすりの止まらない足を組み替えた。

かつての防空の華も、長射程のミサイルが水際で敵機を墜としてしまう今は無用の長物。ターターの頭越しに訓練は続く。重い空気の中、近ごろいっそうきつくなってきた腹回りのベルトを弛め、耳穴をほじる間に、時計の針が十四時十分に近づいてきた。そろそろ開封時刻。暇を持て余した仙石は、一分ほどチョンボして封密書の封を切った。

一読して、ゲンナリした。(ミサイル二、右七十度。高速で接近中)の声がスピーカーから流れたが、もう椅子にじっと座っている必要もつもりもなく、無言のまま立ち上がった。

「想定は?」と三曹。仙石が紙を指先で弾くと、受け取った三曹はそこに書かれた文面を読み始めた。

「えーと……X時+10に赤国ミサイルがターターを直撃、全壊。火災発生。管制室員は前部防火員と協力して消火にあたること」

あちゃあ……という声が聞こえてきそうな顔をこちらに向けた三曹を背に、仙石はロッカーから防火服と酸素呼吸器(OBA)一式を取り出した。出番なしのままターターはあの世行き。旧世代の遺物は、さっさと壊して防火訓練のネタにするしか使い道がないというわけだ。(ミサイル一、前部に命中。船体に大激動）の声が無情に重なり、みじめさに追い打ちをかけた。

「あの……」

「なにも言うな。ＣＩＣに報告、できるな？」

ターター全壊、火災発生と想定通りの報告をする三曹の声を背中に聞きながら、仙石はふざけやがってと内心に吐き捨てた。こんなことなら、フラムの時にターターなんか外しちまえばよかったのに。換装する装備もないし、取り外すと余計な金がかかる。じゃあそのままにしておこう、とそんなノリで残置が決まったに違いない。まったく、世話する方の身にもなってみろってんだ。

全壊したターターをよそに、戦闘訓練は続く。あちこちの部署で封密書が読まれている頃合だ。壊れたと書かれてあったら修理と消火。負傷したと書かれていたら怪我人のふり。それぞれ想定に従って行動しなければならない。

（ミサイル二、さらに接近）

（主砲、一番二番、砲撃始め）

（ミサイル一、後部に命中。第三機械室に浸水）

（主機停止、出し得る速度二十ノット）

（第三分隊大沼一士、負傷。応急手当実施中）

（応急運転始め）

（第一分隊菊政二士、頭を打って昏倒。実際です）

（タ−ター弾薬庫延焼中。消火装置停止。前部防火員は……）

ミニ・イージス・システムを搭載した《いそかぜ》が、これほど簡単にミサイルを食らうことなどまずありえないが、戦闘訓練の主眼は、戦闘による被害対処行動の習熟に置かれている。やられなければ話にならないと自分に言い聞かせつつ、OBAの面体（マスク）を顔に当てて酸素漏れの有無をチェックしていた仙石は、ふと頭の端をかすめた違和感に顔を上げた。

「おい、いま実際って言わなかったか？」

確かに言った。菊政二士、頭を打って昏倒。「そういやあ……」と言いながら防火服のファスナーを閉じた三曹を押し退けて、仙石は無電池電話のヘッドセットに片耳をあてた。

「CIC、ターター！　実際負傷者の怪我の程度を知らせ」

ボタンを押せばCICに繋がる。電話線の向こうで、新米ミサイル士が（えー、あ、はい）と応じた。

（一分隊、菊政二士。移動中に転んで頭を打った模様。意識不明。看護長が急行中）

「場所は⁉」

（第二甲板、VLS管制室前です）

クルーの事故。用なしを嘆くミサイル班長は速やかに消え、先任伍長の頭が戻ってくる。

「見てくる。おまえは防火訓練を続けろ」と言い放った仙石は、投げ捨てたOBAの代わりにテッパチを被って、管制室を飛び出していった。

ドアを出て、隣の第一砲台揚弾室の前にあるラッタルを駆け下りる。《いそかぜ》の船体は三層構造になっており、露天甲板——すなわち船体の表面を第一甲板として、その下に第二、第三、第四甲板と続く。露天甲板上の艦橋構造部は、逆に下から01、02、03、04甲板。艦橋構造部が地上の建物で、船体内部は地下街と考えればわかりやすい。実際、全長百五十メートル、最大幅十六メートルに及ぶ《いそかぜ》艦内は、なまじの地下街の規模を凌駕している。もっとも壁は陰鬱な暗灰色に塗り込められ、天井は低く、機械油と人いきれ、塗粧ペンキの入り混じった独特の臭いが滞留してはいるが。

第二甲板は、その感覚で言えば地下一階にあたる。右舷に沿って艦尾にまで続く主通路を進み、第一便所、洗身室を急ぎ足で過ぎた仙石は、すぐに真新しいVLS主機室の壁を目前にした。第一甲板上に、碁盤のような発射口だけを見せている垂直発射機の本体部分だ。第三甲板までぶち抜いた中には、打ち上げロケットさながら、弾頭を上に向けて装填されたSM-2ERミサイルがぎっしりと並ぶ。管制室は左舷側の士官寝室に続く横道の途中にあり、そのドアの前に五、六人の人だかりができているのが、仙石の目に入った。

昏倒した菊政二士を取り囲んでいるらしい。「高速運転中に艦内マラソンやらされりゃ、転びもするさ」と話す声が聞こえ、野次馬の中にひときわ目立つ大柄を見つけた仙石は、「兵長」と呼びかけながら近づいていった。

兵長——先任士長の田所祐作が振り返る。「どうだ、怪我の具合は」の問いに、「いま気づきました」と答えて、田所はまた丸い背中をこちらに向ける。正式な役職があるわけではないが、最先任海士の田所には、仙石のそれと似たまとめ役の責任感のようなものがあった。後ろ姿からも心配げな空気を漂わせる田所の肩越しに、座り込んで壁に背を預けている菊政克美二士の様子を窺った仙石は、その前に予想外の顔を見つけて、微かに息を呑み込んだ。

床に片膝をついた如月行一士は、まだぼんやりしている菊政の目前で指を動かして、目の反応を調べているようだった。余人の干渉を許さない馴れた手つきで、しばらく目をしばたかせた後、仙石はようやく「看護長は？」と尋ねるのを思いついた。

「まだ来てないんです。こんなこと、想定になかったもんで……」

田所が答えた。大方、艦尾の最下層にある機械室にでも行っているのだろう。戦闘訓練中は隔壁扉を閉鎖するので、場所によっては移動に時間がかかる。主通路を見に行こうとした仙石は、「すんません、迷惑かけちゃって」と言った声に止められた。

壁を支えに立ち上がった菊政は、蒼白な顔にいつもの人のいい愛想笑いを浮かべていた。第一分隊砲雷科所属の魚雷員で、そろそろ乗艦一年を迎える二十歳。おばあちゃん子らしいのんびりした性格は一長一短で、密閉空間で凝縮される人間関係の潤滑剤になる一方、上陸先で遊び呆けて、出港時刻ぎりぎりまで帰艦しなかったことも一度ではなかった。

打ちつけた後頭部を手で押さえた菊政は、艦が縦揺れすると簡単にバランスを崩して倒れそうになった。すかさず支えた行が「まだ立たない方がいい」と言っていた。

「いや、もう平気です」

「頭は後が怖いんだ。いま看護長が担架を持ってくるから、じっとしてろ」

すらりとした外見からは想像できない、有無を言わせぬ命令口調だった。奇妙な違和感を抱いたのも一瞬、田所たちが呆気に取られているのを横目にした仙石は、「如月の言う通りだ。休んでろ」と菊政に言ってやった。

ほどなく担架を携えた応急員を引き連れて、看護長がやってきた。座らせた菊政の目にライトを当て、行がやったのとそっくり同じに指を動かす。一歩退いた行が隣に並んで、自分より拳ひとつ下にある横顔をちらと見た仙石は、「慣れてるんだな?」と訊いてみた。え？　という顔をした後、問診する看護長の背中に目を戻した行は、「……教育隊で習いましたから」と答えた。髪の長さを注意しようと思っていながら、今まで忙しさにかまけて向き合う時間がなかった新乗組員。ミニ・イージス・システムの習熟者として、特例で横須賀総監部から送られてきたという経緯の割には、直属上司の射管長もまったくその名を口にしない。他にも数人配転されてきた曹士たちの中に紛れ、ひっそり艦内に溶け込んでいる如月行と初めて会話らしいものを交わして、仙石の胸中には、さらに疎遠になったような奇妙な感触が残された。

その間に菊政の体は担架に乗せられ、訓練時は戦闘治療所になる士官食堂へ運ばれていった。「しっかりしろよ」「この人手不足に、おまえにまで倒れられちゃかなわんからな」などとかけられる声に、親指を立てて応える姿が見えなくなると、田所がほっと息を吐く気配が感じられた。被っていたテッパチを脱ぎ、蒸れた五分刈り頭をごしごしとこする。

「まったくドジなんだよなあ。そこのドア開けて駆け出したと思ったら、つるって一回転してさ。ちょうどテッパチのあご紐を弛めてたもんだから……」

「菊政は水雷担当のはずだろう。VLSでなにしてたんだ」

「今日の戦闘訓練じゃ対潜は想定してないからって、ミサイル長が水雷士にナシつけてこっちに引っ張ってきたんです。配置員のいない電源室と熱交換機室を往復して、動作ランプがついてるかどうか確認する役。人手不足だからしょうがないけど……」

なるほど、確かに艦内マラソンだ。CICでミサイルの発射ボタンが押されるたびに、各装置が所定通り信号を受信しているか見て回る。配置されるべき場所に人がいない、まさに人手不足の弊害で、ターター管制室にしても、正規の半分数での切り盛りを余儀なくされている。規定乗組員数二百六十名に対して、約二百名のクルーしかいない《いそかぜ》の、それが現状だった。

ミニ・イージス・システム習得のため、五分の一のクルーが術科学校に出向しているからで、この状況はこれからもしばらくは続く。仙石はあらためて、人が技術の進歩に追いつけなくなっているこの十年間を顧みた。

新しいレーダーや砲雷兵器が開発される。その習熟のために、一線で働いている士官や下士官たちが一時的に艦を離れ、術科学校なり電機メーカーなりに出向する。その間、他の者が休みを削って抜けた穴を埋める。最初のグループが帰ってきたら、今度は次のグループ。そうしてようやく一巡し、全員が新しいシステムに慣れた頃には、さらに新しい装備が開発され、再び最初のグループが艦を離れる……といった具合。

「機械ばっか、どんどん作ったってなあ……」

田所が言う。そうした現状に嫌気が差し、辞めていった者を何人も見ている者の声だった。不景気のお陰で途中退場者の数は減ったが、財政難で採用者数の枠も固定されてしまった。ふと、さまざまな不満や鬱屈がどっとのしかかってきたように感じて、仙石は持ち場に戻ってそれを忘れようとしたが、

「そこ！　なにをしているか。今は戦闘訓練中だぞ」

神経を逆撫(さかな)でする高い声に、立ち止まってしまった。水雷担当の初任幹部、風間雄大三尉がつかつかと近づいてくるところだった。

「ややこしい野郎がきやがった」

慌てて被り直したテッパチの下の顔を露骨にしかめて、田所がぼそりと言う。彼だけでは

ない、ここにいる全員の代表的意見だった。ヒステリー男、歩く勤務参考書、名前負けの風間。わずか一ヵ月で、これだけあだ名を頂戴した初任幹部も珍しい。

一同の冷たい目を無視して、風間は「怪我人は？」と全員を見回す。その腕には航海指揮官補佐の腕章が巻いてある。初任幹部が当番で回している役で、本来は艦橋に詰めて操艦補佐をするのが仕事だが、今はシステム習熟が一義とされているので、戦闘訓練時にはCICに配置されている。護衛艦の中枢が、操艦の要である艦橋から、コンピュータで埋められたCICに移って久しい。

「看護長が戦闘治療所に運びました。怪我は軽微の模様」

仙石が答えると、よかったでもなんでもなく、「この中で怪我の状況を説明できる者は？」の質問が続いた。田所が目撃者のはずだったが、彼はそっぽを向いたまま、風間の顔を見ようともしない。他の曹士以上に、田所は風間を嫌っている。公試運転の最中、機関長の許しをもらい、機械室の片隅に自分の洗濯物を干していた田所を、艦内風紀を乱すなと風間が頭ごなしに叱ったのが、その原因だった。

無論、風間の言うことが正しいのだが、二人部屋をあてがわれている士官はともかく、三段ベッドの一段しか使えるスペースがない曹士にとって、洗濯物干しは重大な問題だ。そうした事情を顧みず、正論をぶって恥じない無神経さがこの男にはある。

誰もなにも話そうとしない。仕方なく、仙石が代わりにかいつまんで説明した。せかせかメモに書き取った風間は、「なるほど、大体の状況はわかった」と言って、うりざね顔をこちらに向けた。テッパチを被ったその頭の形は、どことなくキノコを想起させる。

「で、先任伍長の私見では、これはヘルメットをきちんと着装していなかった菊政二士個人のミスと思うか？　それともこの艦の構造に転倒を誘発するような問題があったか、あるいは訓練計画そのものに誤りがあったと思うか？」

「はあ？」

人ひとり転んだだけで、なんでそうややこしい話になる。呆れた顔の仙石に、風間は「いや、隊司令にご報告する電信を起案するのに、なるたけ客観的な視点を取り入れた方が正確になると思って」と平然とのたまった。

「はあ……。そりゃその、艦長のご命令で？」

「いや。規則に則った行動だ。命令は受けていない」

ほっとした。まあ、宮津艦長がそんなバカな指示を出すはずもないが。微塵の揺るぎもない顔を向けている風間に、仙石は「さしでがましいようですがね……」とひきつった微笑を浮かべて言った。

「わたしの経験から言わしてもらえば、こんな事件は電信する必要なんかないですよ。ＣＩＣから艦長が直接、隊司令にお話しすれば済むことです」

電信にすれば、記録が残って呉総監部にも話が伝わってしまう。小事を大事にしてしまう

元だし、菊政の勤務評定にも影響してくる。その辺の胸算用は時間をかけて憶えてゆくしかないのだが、

「しかし、規則では艦船内で起こった事故はすべからく中央に報告するようにと……」

ひょろっとした細身を硬直させて、風間は言い返す。この男のいちばんダメなところだった。教条主義は初任幹部なら誰にでもある傾向で、現場の実状とすりあわせてゆくうち、次第に丸みを帯びて中庸に収まるものなのだが、風間は依怙地にそれを守ろうとする。そして守りきれないとわかると、ヒステリーを起こすのだった。このアホ、の思いを胸にしまって、仙石は「まあまあ」と愛想笑いを続けた。

「とにかく哨戒長にでも聞いてごらんなさい。多分、同意されますよ」

艦長を補佐して実務面を取りしきる哨戒長は、先任士官たちが当番で役を回している。今の当直は横田一尉。今回配転されてきた幹部のひとりで、田所の情報を信じるなら「宮津学校」の出身者だ。酸いも甘いも嚙み分けたC幹（部内幹候出身幹部）なら、そうした機微もわかろうというものだった。愛想笑いでは隠しきれないいら立ちと、先任伍長に逆らう無益さに気づいたのか、風間はしぶしぶ頷いたが、

「なんでもかんでも規則、規則かよ」

ひどく明瞭に聞き取れてしまったその声に、かっと顔を紅潮させていた。仙石は反射的に「誰だ、いま言った奴は⁉」と大声を発した。

事の成り行きを窺っていた五、六人のクルーが、一斉に気をつけをして視線を中空に向ける。上官に怒鳴られた時の条件反射だった。まん中に立つ田所が「はっ！　自分であります」とこちらに負けない大声で言った。

訊くまでもなくわかっていたことだが、当人の前で上官の悪口を言う者を放っておくわけにはいかない。上の権威がなくなったら、軍組織は終わり。常識以前の話だ。部下の前で風間をコケにしすぎたと反省しつつ、仙石は「夕飯食い終わったら先任海曹室（ＣＰＯ）に来い。他の者はさっさと持ち場に戻れ」と先任伍長の声で言った。

ぴしりと敬礼すると、一同は号令もないのにぴったり息のあった右向け右をして、小走りにその場を去ってゆく。田所を筆頭に、怒られ馴れた連中だからこそできる所作だった。やれやれと見送る間に、風間も決まり悪くＣＩＣに戻る道をたどっていった。

戦闘訓練は続いている。自分も全壊したターターの消火訓練に戻ろうとした仙石は、ふとＶＬＳ管制室から出てきた人影に気づいた。

行だった。さっきの騒ぎなど気にも留めていない涼しい顔がこちらを見、すぐに視線を外して反対側の通路に歩いていってしまった。

訓練要具収めに奔走し、哨戒配備が解除されて通常の航海直に戻ったのは、午後四時半の課業終了時を少し回った頃だった。《うらかぜ》との合流も果たし、紀伊半島に向けて夕凪の太平洋を北上する《いそかぜ》艦内は、分刻みの夕飯と入浴を済ませた後のゆったりした空気が流れている時間だった。

午後八時の巡検までは、四交替で回ってくる二時間の当直をこなす他は、特別することもない。あれからすぐに現場復帰した菊政の旺盛な食欲を確かめた後、艦尾第二甲板にあるＣＰＯ室に戻った仙石は、同期の若狭祥司掌帆長と食後のコーヒーを前にしていた。仙石は砂糖もミルクもたっぷり入れたほとんどカフェオレで、若狭はブラック。ＣＰＯ室付になった給仕係は、そうした好みもちゃんと記憶してコーヒーを淹れてくる。無論、そうなるまでこちらが苦労して教育するのだが。

十五人の先任海曹が寝起きするＣＰＯ室は、事務室と寝室に区切られていて、事務室には簡単な応接セットも用意されている。壁には曹士乗組員全員の名札を貼ったボード。ひと目でクルーの所属がわかる仕組みだが、今は五分の一が隣の入校ボードに移ってしまっている。術科学校に出向中の者たちだ。

非番の者たちは、みんな思い思いの時間を過ごしている。寝室のベッドに寝転がって本を読む者。将棋をさす者。とっくに受像圏内を離れ、無用の長物となったテレビで洋画のビデオを観る者。だがいちばん多いのは、夜中の当直に備えて仮眠を取る者だ。そうでなくても司令艦から抜き打ちの指定作業訓練を言いつけられたり、緊急配備がかかったりで、非番でもいつ駆り出されるかわからない。休める時に休んでおく習慣は、護衛艦に乗れば誰でも否応なく身につくものだった。

そろそろ夕食後に出頭を命じた田所が来る頃合で、そのことを若狭に話すと、「なんでその場で張り倒さなかったんだ」の反応がすぐに返ってきた。

「他の連中への示しにもなったのに」

呉の教育隊に入る前は、自分以上に手の付けられない不良だったらしい若狭は、今も一見すればそのスジの人間と間違われかねない雰囲気を漂わせている。浅黒い顔に口髭（くちひげ）をたくわえ、入出港時のもやい作業を怒声と拳骨で指揮する姿は、さながら現代にタイムスリップしてきた旧海軍の鬼兵曹だが、反面、家庭ではめろめろに甘いマイホーム・パパだったりする。仙石と違って幹部への道を志したこともあり、部内幹候に合格するだけの頭をもっていながら、転勤の連続で家族に負担をかけたくないという理由で断念した経緯が、そのパパぶりを如実に物語っている。家が近所ということもあって家族ぐるみのつきあいをしており、仙石にとってはなんでも話せる数少ない友人の一人だった。

「今は殴るより励ませ、の時代だろ？　あの頭でっかちの前でそんなことしたら、逆に注意されちまうよ。暴力はいかんぞ、先任伍長。この件はさっそく電文にしたためて、艦長、隊司令にご報告するってな」

そう答えながらも、今までそんなことは思いつきもしなかった頭に、若狭の言葉はちょっとした衝撃だった。確かに、少し前までの自分ならそうしていたかもしれない。そんな弱気を嗅ぎ取ったのか、若狭は「らしくないな」と窺う目を向けてきた。

「考えるより先に手が出てた先任伍長が……。このところ元気がないんじゃないか？」

「まあ、用済みのターターで冷や飯ばっか食ってるとな」

視線を避けて言うと、「それだけかい？」と応じた若狭の顔に迷いの色が浮かんだ。見かけによらず繊細な気配りを発揮する掌帆長の横顔を見、「なんだよ？」とコーヒーを啜りながら言うと、ちらとこちらを見た若狭は思いきったように口を開いた。

「実は、出港の前の晩に女房に電話がかかってきてね。……その、奥さんから」

息と一緒にコーヒーが気管に入り、盛大に咳き込んだ仙石を困惑と同情の入り混じった目で見つめて、若狭は黙ってティッシュを手渡してくれた。唾を拭い、テーブルの上のコーヒーを拭いた仙石は、無意識に「あいつめ……」の呟きを漏らした。

いくら若狭の女房と親友づきあいをしているとは言え、その晩のうちに夫婦のもめ事を電話で報告するとは。おれの艦内での立場がわからないはずはないだろうに。これだから女は……と勝手な理屈を胸中に固めるうち、「ま、家庭の問題に立ち入るつもりはないがね」と、わざと気楽な声を出した若狭が、椅子の背もたれをギッと鳴らしていた。

「今は《いそかぜ》も試練の時だ。人手不足のところにもってきて、幹部は総入れ替えの寄り合い所帯。クルーも新システムの習得に手一杯で、チームワークもなにもあったもんじゃない。由良からは、ＦＴＧの連中も乗って来るんだろう？」

ＦＴＧ——海上訓練指導隊は、ベテランの幹部と海曹からなる教育集団で、演習時や改装直後の艦に乗り込んできては、砲雷や航海など各術科の訓練を指導・採点するのを仕事にしている。各科長に細目にわたった通信簿をつけ、艦長にも艦の総合評価を百点満点方式で伝えて、その結果は海上自衛隊の総本山、海上幕僚監部にも伝えられる。いわば本社が支社に送り込む監査役のようなもので、乗せる側にとっては間違っても喜ばしい客とは言えなかった。

ミニ・イージス・システムを搭載した一番艦である《いそかぜ》には、それでなくても海幕の熱い視線が注がれている。ＦＴＧの面々が待ち受ける由良基地分遣隊への入港を明日に控えて、若狭の危惧は当然だった。

「今日の戦闘訓練もお粗末なもんだった。この調子じゃ赤点くらうぞ、きっと。まとめ役の先任伍長にしっかりしてもらわにゃ……」

そこで言葉が途切れたのは、落ち込みきっているこちらの顔色を気遣ったからだとわかっていたが、取り繕う気にはなれなかった。しばらく沈黙した後、若狭は「戻ったら、ゆっくり話し合った方がいいぞ」とだけ言った。

「……無駄だよ。もうそういう段階は越えちまってるんだ」

自分でもうんざりするほど暗い声だった。出がけに見た、すっかり他人になってしまったような頼子の目の色も思い出してしまい、仙石は「まったくさ」と、それを打ち消す軽い声を出し直した。

「落とし穴に落とされたみてえだよ。なんの前触れもなく、急にだぜ？　冗談じゃねえよ。なんでもっと早く言わなかったのか……」

若狭は曖昧に頷く。サインはもっと前から出ていたんじゃないか？　と言いたげな目を見ないようにして、仙石は冷めかけたコーヒーを啜った。

「それに較べりゃ、おまえんとこは円満だよな。出港の時も一家で見送りにきてたし。最後に笑うのはマイホーム・パパか」

「それだけじゃないさ。いろいろ努力はしている」

やや鼻白んだ様子で、若狭もコーヒーの残りを啜った。「どんな？」と尋ねると、周囲を見回し、部屋の隅で将棋に没頭している掌砲長と射管長の様子を確かめてから、耳打ちの仕種をする。顔を寄せた仙石の耳に、「交換日記、とか」という小声が飛び込んできた。

「……冗談だろ？」

「本当だ。結婚してから二十一年、欠かしたことはない。お互い、航海中になにをしてたか知るのにけっこう便利な……」

勢いに任せてそこまで言ってから、笑いを堪えている仙石に気づいた掌帆長は、みるみる顔を赤くしていった。この地球上で、これほど交換日記が似合わない男もいない。堪えきれずに肩を揺すって笑い出した仙石に、若狭は「誰にも言うなよ？」と赤い顔のまま釘を刺した。

「やだよ、言うよ。こんなおもしれえ話……」

「おい……！」と若狭が思わず身を乗り出した途端、部屋の扉が勢いよく開かれて、分隊先任海曹が飛び込んできた。息せき切った顔に、非番ののんびりした空気が一瞬に消し飛ぶ。

「先任伍長、大変だ。第三居住区でケンカです！」

第三居住区は、最下層の第四甲板にある海士たちの寝室だ。「誰がだ⁉」と瞬時に切り替えた先任伍長の声で怒鳴ると、反射的に気をつけをした若手海曹は答えを返した。

「兵長と、横須賀からきたなんとかいう奴……如月です！」

ＶＬＳを搭載した都合上、第三甲板から最下層に移る羽目になった第三居住区は、艦底に近づいたぶん揺れがひどくなり、まだ船に乗り慣れない海士たちから不評を買っている。今回のフラムでいちばん割をくった区画だったが、今は降って湧いた騒動に揺さぶられて、艦の動揺などは打ち消されていた。

三段ベッドがずらりと並ぶ手前、テレビを置いた長テーブルとソファがあるだけの休憩所で、顔を真っ赤にした田所が拳を繰り出す。太い腕がぶんと空気を震わせ、行が紙一重の差でそれをかわす。田所とは対照的に冷静な無表情が、次々飛んでくる拳を最小限の動きで回避し、業を煮やした巨体が両手でつかみかかろうとすると、素早く膝を曲げて相手の懐に入り込む。身軽に体を翻し、すれ違いざまにちょっとだけ足を出して、田所の足を引っかける。つんのめった田所の体が長テーブルを倒しながら床に転がり、上に載っていたジュースのペットボトルやスナック菓子の袋、テレビが落下して派手な音を立てる。

呆然と見つめる野次馬の中には海曹も混じっていたが、勢いに呑まれて制止するのを忘れてしまっている。彼らを押し退け、最前列に出た仙石と若狭も同様だった。それほどに行の動きは尋常ではなく、田所の怒りも激しかった。ようやく我に返ったのは、転がった拍子にぶつけたのか、血の滲んだ額を押さえた田所が憎悪の目を行に向けた時だった。

「てめえ、ぶっ殺してやる……！」

体よりもプライドを傷つけられた痛みに、その目がかつての暴走族幹部に戻ってしまっている。「やめんかっ！　二人とも」と怒鳴った仙石の声も聞こえない様子で、田所は立ち尽くす行に猛然と突進していった。

押さえようと飛び出しかけた仙石は、ちらとこちらを見た行の瞳に、一瞬ためらってしまった。待て、という意志がそこから発し、バリアーになって、仙石の立ち入りを阻止したかのようだった。

一秒の何分の一かの間に起こったことで、次の瞬間には、肉を打ちすえる重い音とともに行の体がベッドのひとつに叩きつけられていた。

揺れたベッドの上段から雑誌の何冊かがこぼれ落ち、ヌードのピンナップが床に散らばる。直前に歯を食いしばり、重心をずらして受け流したようだったが、大兵の体重を集約した拳をまともに受けて、そうそう無事でいられるはずもない。尻もちをついた行に近づいてゆく田所の背中に、引きずり上げてもう一発お見舞いする殺気を読み取った仙石は、今度こそ飛び出して田所の肩をつかんだ。

払おうとした勢いを借りてこちらに振り向かせ、その頬を殴りつける。よろけた体をベッドの縁についた手で支えた田所は、憎悪の目を向けたのも一瞬、すぐにはっとなにかに気づいた顔を見せて、その場に棒立ちになった。

口もとの血を拭い、行は冷めた目でそれを見上げていた。仙石は無言でその開襟制服の胸元をつかんで引きずり上げ、田所の横につき飛ばした。

少しふらついた後、すぐに体勢を立て直した行も、無言のまま田所の横に並んだ。全身で息をしている巨体と、息ひとつ切らしていない細身の体を見た仙石は、わざと殴られたな、とあらためて確信した。

「いったいなにがあった。なにが原因だ」

抑えた若狭の声が響いた。額の出血は凝固しかけているものの、殴られた頬を赤く腫れ上がらせている田所は、「こいつが……」と言いかけて、すぐに言い直すため唾を飲み込んだ。

「如月一士が、短艇（カッター）競技をくだらないって言いやがったんです」

思わず若狭と顔を見合わせると、田所は慌てて「おれ、いや自分は、今度の大会の特艇員（とくていいん）

だから」と付け足した。

「真鍋が術科に行ってて欠員だから、予備要員にって誘ってやったのに……」

なるほど、と仙石は納得した。特艇員——カッター競技の選手に誘い、ひとり横須賀から送り込まれて心細い思いをしているだろう行を《いそかぜ》に馴染ませる。いかにも田所らしい配慮だった。先刻、昏倒した菊政の面倒を見てくれた礼も兼ねていたのだろうが、行は素直にありがとうなどと言うタマではなく、逆にそれを踏みにじる言葉を返してきた。相変わらずの無表情を見下ろして、仙石は「事実か？　如月」と尋ねてみた。

「くだらないとは言っていません。興味がないと言いました」

躊躇も澱みもなく、行は答える。さっと表情を険しくした田所が、「てめえ……！」と行を肘でつき飛ばすようにした。

「その後でなんて言ったよ。我慢してもういっぺん誘ってやったら、おれにはそんな暇ねえってぬかしただろうが」

見た目にも、田所の怒りの再燃が伝わってくる。仙石はもう一度、「やめんか！」と声を荒らげたが、

「なんの騒ぎだ？」

不意に聞き慣れた声が降りかかって、ぎくりとした。さっと割れた野次馬の人垣の狭間に、杉浦丈司一尉の長身が立っているのが見えてしまった。

今はいちばん見たくない顔、聞きたくない声だった。新たに配転されてきた幹部のひとりで、艦長、副長に次いで三番目のトップにあたる三十五歳の先任士官。役職は砲雷長兼ミサイル長。砲雷科員で占められる第一分隊の分隊長でもあり、ついでに警衛士官も兼務している。第一分隊所属の先任警衛海曹である仙石にとっては、二重の意味で直属の上官だった。巡検にはまだ間があるのに、なんだって海士のたまり場なんかをウロウロしていた？　冷たい目に見据えられ、そんなことを考えた仙石は、隣に補給科事務室があったのを思い出してうんざりした。これだけ騒げば、補給長が連絡するのも当然だ。

行と田所の聴取を後回しにして、仙石は居住区の入口から動こうとしない杉浦にことのあらましを説明した。ひと通り聞いた杉浦は、「で、如月一士は田所士長に手をあげたのか？」と、それだけ知れば後はどうでもいいという声で尋ねた。

「いえ。……ちょっと蹴つまずかせただけで」

ふつふつとわき起こる嫌な予感を隠して答えると、杉浦は案の定、「問題だな」と低い声を漏らした。

「懲戒補佐官会議にかける必要がある」

背後で息を殺していた若狭が、ぎょっと息を呑む気配が伝わる。懲戒補佐官会議は、懲戒権者である艦長を上座に置いて、副長、警衛士官、各分隊長が規律違反者の処分を話し合うという、いわば被告抜きの裁判だ。処分になれば停職、その下の訓戒や注意でも、記録は総監部まで伝わってしまう。仙石は「そりゃあ……ちょいと大げさなのでは」と言って、自分より十歳以上若い上官の顔を正面に見た。

「狭い艦内では、つまらんことでも諍いになるもんですし……」

「そうだが、先輩や上官に手を出す者を放ってもおけん。重大な規律違反だ。違うか？　先任伍長」

　風間ほどではないにしろ、杉浦にも石頭の気があることは、毎晩クルーの生活風紀を見回る巡検のお供で察していた。幹部としてのキャリアが長いぶん、初任幹部のように簡単にあしらうわけにはいかないとわかっている仙石は、「ちょっと……」と言いながら杉浦をやんわり部屋の外に誘った。

「勘弁してやってくださいよ。会議にかけて、処分なんてことになれば二人のキャリアに傷がつく。田所は十月には曹昇任試験を受けるんですよ？」

　補給科事務室の前の通路で、杉浦は腕を組んだままなにも言おうとしなかった。まったく、こんど配転されてきたA幹（防大出身幹部）どもは、どうしてこう融通のきかん連中ばかりなのかと仙石はいら立った。何度も宮津艦長と同じ艦に乗務し、深く薫陶を受けたという杉浦には、もっとスマートな幹部像を期待していたのだが……。

「試験を突破すれば、システム習得のためにアメリカに留学する道だって開けてる。知ってるでしょう？　如月にしても、ミニ・イージスを扱ったことのある数少ない経験者なんですよ」

「そうだが、最低限の規律は……」と、ようやく口を開いた杉浦を制して、仙石は「ですから、それは自分が責任をもってよく言い聞かせます」とたたみかけた。

「ここはわたしの顔に免じて、見なかったことにしてください。頼んます」

間髪入れずに、腰を九十度曲げる。先任伍長がここまでしてんだぞ、のプレッシャーを背中に滲ませてじっとしていると、「……わかった」の声が頭上を行き過ぎた。

「ただし、今度だけだぞ」

捨てゼリフを残して、杉浦は居住区とは反対側の方に歩き去っていった。ほっと息を吐き、ちっとはてめえの分隊員を庇おうって気がねえのか、と思いながらその背中を見送った仙石は、その腹立ちを抱えたまま居住区に戻った。

入口から顔を覗かせ、聞き耳を立てていた野次馬たちと視線がぶつかる。軽く息を吸い込んでから、「おまえら、いつまでそうやってるつもりだ！」と蹴散らす大声を出した。

「巡検が始まる前にさっさとそこをかたせ。それから田所と如月！」

慌ててケンカの後始末を始めた海士たちの向こうで、ボウリングのピンよろしく並んでいる行と田所の背中が、電気を受けたようにそり返る。

「ここをかたづけたら、ＣＰＯにツラ貸せ。大至急だ」

精一杯ドスをきかせた声で言い放ち、若狭と頷きあった仙石は、鼻息荒く第三居住区を後にした。

十分後、緊張で顔を青くした田所と、頬に痣がある他は平素と変わらない顔の行がCPO室に出頭した。非番で部屋に残っていた先任海曹たちには寝室に移ってもらい、仙石と若狭だけが直立不動の二人を前にすることになった。

「……で、如月。カッターを漕ぐ暇もないほど、なにがそんなに忙しいんだ?」

若狭は事務机の椅子に座って手を組み、仙石は立って二人の前をゆっくり行き来する。説教時の基本態勢を整えておもむろに質問すると、打てば響くように「言葉のアヤです」という返事が返ってきた。

まっすぐ一点を見つめた目は、ぴくりとも動かない。気負いも緊張もない気をつけは、初めて見た時に感じた姿勢のよさそのままだった。死地に赴く兵士を彷彿とさせたあの横顔……。

「カッター競技は遊びでやるもんじゃない。毎年、秋に行われる艦隊集合行事の目玉だ。護衛艦隊に所属するすべての艦艇から代表が送られてくる。一等を取るために、みんな一年も前から練習を重ねてくるんだ。なんでかわかるか?」

その思いは隠して、仙石は続けた。「いいえ」と行。

「それが艦の名誉になるからだ。護衛艦のクルーなら、誰だって自分の艦が一番になることを願うもんだ。だから代表になった者は一等を取るために頑張るし、みんなも応援する。それがチーム精神ってもんだ。この稼業でいちばん大切なもんだ。艦は、ひとりの力で動くもんじゃないんだからな」

目の前で話していても、その不可知な本質は近づくどころか、ますます遠のいてゆくように仙石には感じられた。つっぱっているのでもなければ、いじけているわけでもない。捉えどころのない現代の若者というのとも違う。そこにあるが、近づけないのだ。いったいなんなんだ？　整った行の横顔をまじまじと見つめていると、話が途切れたのを訝った若狭の目が突き刺さった。仙石は咳払いして、

「おまえはまだ配転されて間もない身だ。特艇員に誘って、兵長はこの艦に馴染むきっかけをくれようとしたんだ。その気遣いがわかっていれば、無下に断るなんて真似はできないはずだ。よく考えろ」

歯切れの悪さを感じながら言い終えた後、仙石は間を置かずに、「それから田所！」とがなった。行の隣で、我が意を得たりとばかりにニヤニヤしていた顔がさっと硬くなると、ぴんと音の出るような気をつけをする。こちらは実にわかりやすい。

「さっき呼び出しをくらったばかりで、出頭前にもう一発騒ぎを起こすとは、やってくれるな。ええ？」

「申しわけありません！　以後気をつけます」

「おまえな、言葉の意味がわかってそう言ってんのか？　CPOはおまえを説教するために作られた部屋じゃないんだぞ」

「はい、申しわけありません。以後気をつけます！」

「将来のある大事な体なんだ。カッとなる前に、そのことをよく考えろ」

「はい、申しわけありません。以後気をつけます！」

やれやれ、だった。ここまで怒られ馴れると説教も拳骨も効果がない。ムスッとした顔の奥で笑いをかみ殺しているはずの若狭に振り返った仙石は、「さて、掌帆長。処罰はどうするかな？」と予定通りのセリフを言った。

「そうですな。他のクルーへの示しもあるし、上陸札(じょうりくふだ)召し上げなんかが適当なんじゃありませんか？」

若狭も予定通りの返事をすると、「ええ……!?」と情けない声を出した田所の顔が、見る見る半泣き状態になっていった。上陸札は幹部と先任海曹を除くすべてのクルーが所持しているもので、表札のような木製札に、墨で書かれた本人の名前と先任伍長の印鑑が押してある。上陸時にはこれを必ず舷門(げんもん)のボードに掛けてゆく決まりだから、上陸札を没収すれば、必然その者は艦内から一歩も外に出られないということになる。

酒とも女とも無縁の狭苦しい艦内に住み、四六時中同じ顔を突き合わせている護衛艦クルーにとって、上陸は文字通り命の糧(かて)だ。田所はどんな訓練でも見せたことのない必死の形相になった。

「お願いします。なんでもしますから、それだけは……！　甲板掃除でも皿洗いでも、他のことなら喜んでやりますから！」

無論、本気の話ではない。若狭と二人、仏頂面（ぶっちょうづら）を維持するのが難しくなるほど笑いを堪えると、田所は無言で突っ立っている行に矛先を向けた。

「おい、おまえもなんとか言えよ。上陸差し止めになんだぞ」

「自分は、別に構いません」

再び躊躇のない声が返ってきて、仙石は思わずその顔を見た。中空に据えられた目は、やはり動くことがなかった。

「いいのか？　停泊中も、ずっと艦内に留まるんだぞ」

若狭が訊く。行は「はい」と答えてから、初めてその目を微かに下に向けた。

「……陸（オカ）に上がっても、することありませんから」

若狭が目をぱちぱちさせる音が聞こえてきそうだった。田所は宇宙人を見る目で行の頭からつま先までを舐（な）め回して、「なんでえ、じゃあ暇なんじゃねえか」などと呟いていた。

陸に上がっても、することがない。虚無的な顔から紡ぎ出された言葉は、生きることに興味がないと言っているように仙石には聞こえた。なんだ、おまえはなにをそんなに達観しているんだ？　喉までこみ上げた問いかけを飲み下して、仙石は「……まあいい」の声を絞り出した。

「兵長に免じて、上陸札召し上げは勘弁してやる。二人は今日から一週間、自分の当直が終わったら、分隊先任海曹の指定する場所で一時間の甲板掃除に当たること。いいな?」両手で胸を押さえ、大きく安堵の息を漏らした田所の隣で、行が「はい」と答える。仙石は「よし、以上だ。分かれ」と締めくくりの文句を言った。

腰を十度曲げる脱帽敬礼をしてから、回れ右で部屋を出てゆく。「ありがとうございました!」と声を合わせた行と田所の足音が遠のいたところで、こちらもほっと肩の力を抜いた。伸びをし、凝った肩を揉んでいると、「変わったな」と若狭が呟いた。

「ああ。最近の若い奴は何を考えてんのやら……」

行に感じているものを説明する気にはなれず、そんな言葉ではぐらかすと、若狭は「違うよ」と言って顔をこちらに向けた。

「以前のあんたなら、あんな口をきく奴には鉄拳をお見舞いしてたはずだ」

じっと見上げる若狭の目に、仙石は答える言葉がなかった。

＊

闇の中で、いくつかの表示灯と計器だけが光を発している。その微かな光に照らされて、それぞれ定位置で立直するクルーの寡黙な横顔は、幽鬼のように見えた。

正面の窓の前に立ち、時おり双眼鏡（メガネ）を覗いている航海指揮官。その斜め後方には機関室との連絡係を務める速力通信器員がおり、初任幹部の記録員になにごとかリコメンドする姿がある。後方に控える信号長は先刻から微動だにせず、航海指揮官補佐は左舷の張り出し（ウイング）にいる見張り員と話し込んでいて、なかなか艦橋（ブリッジ）に入ってこようとしない。

無理もない、自分も初めの頃はブリッジの寡黙な空気に馴染めず、ウイングに避難しては同年代の海士たちと無駄話に興じていた。そんなことを思い、中央の操舵器（そうだき）の前で舵輪を握る操舵員が、今の自分と同年配のベテラン海曹であることに苦笑した宮津弘隆は、ブリッジの右端にある艦長席から夜の太平洋を見渡した。

行き合う船舶もなく、くっきりとした三日月を映して波間に微かな銀の粒を瞬かせている暗い海。視界が利くよう、夜間でもいっさいの明かりを点（つ）けないブリッジからは、窓に自分の顔が映り込むこともなく、直接その深淵を覗くことができる。日中の輝く蒼より、夜の暗黒を湛えた海に安息を感じるようになったのはいつからだったか。そんなに昔のことではない……と思い、ウイングで立直する見張り員と窓越しに目を合わせてしまった宮津は、慌てて遊離しかけた意識を引き戻した。

クルーの前でぼんやり物思いをしたり、迷った仕種を見せるのは厳禁。表情を引き締め、艦長の顔を取り戻したところで、宮津は前方に目を移した。

水平線上より少し手前に、三つの灯が形成する三角形が見える。緑色の右舷灯、赤色の左舷灯、白色のマスト灯をそれぞれ点した司令艦《うらかぜ》の灯火だ。夜間航行(ナイト・トランジット)の単縦陣で、指定距離は千ヤード(約九百メートル)。長年、艦長席に座っている目には、先行艦の灯火の位置からだいたいの距離を目算することができた。

マスト灯の白い瞬きが、窓枠の四分の一上を越えつつある。千ヤードを超えているなと思ったが、航海指揮官は気づく様子もなかった。しばらく待ってから、宮津は「航海指揮官、少し遅れているようだな」と教えてやった。

「は……」と顔をこわ張らせた航海指揮官は、慌ててジャイロコンパス・リピーターの羅針盤を覗き込み、メガネで《うらかぜ》との距離を概算してからこちらに振り返った。

「本艦は遅れています。増速します。黒、五」

速力通信器員が復唱し、機械室に伝える。黒は増速の意で、数字はエンジンの回転数。減速の場合は赤と言う。心持ちガスタービン・エンジンの吸気音が高まり、これが初めての航海指揮官当直になる砲術長は、もう二度とミスはしまいという意気を背中からも漂わせて、所定の立ち位置に戻っていった。

今は全地球測位システム(GPS)という便利な代物もあるが、それはあくまでも補助的なものに留めて、宮津はなるたけコンパスや海図を使った昔ながらの航法を実施させるようにしている。艦を己の手足にできなくて、なにが海上自衛官かという持論があるからで、CICにこもりがちな幹部たちを積極的にブリッジに上げ、操艦訓練をさせているのも、《いそかぜ》固有の舵と方位変化の勘をつかんでもらうためだった。システム艦といえども、護衛艦は護衛艦。レーダー基地や海上オフィスではない。

ミニ・イージス・システムの搭載で重量を増した《いそかぜ》は、それでなくても操艦の癖が変わっている。航海長以下、科長クラスの幹部全員にさせてきた操艦実習も、今夜で一巡。初めて航海指揮官の腕章を巻いた砲術長も、それなりにコツを呑み込んできたようだ。肩の凝りをほぐし、一服つけようとした宮津は、斜め後ろの階段を昇ってくる人の気配に気づいて、タバコにのばしかけた手を止めた。

「艦長、夜食用意よろし」

士官室係だった。幹部の給仕役で、若手の海士が当番で回している。「ありがとう。すぐ行く」と応じて振り向いた宮津は、薄闇に朧に浮かんだその顔を見て、おやと思った。頬が腫れているように見えたのだった。確かめる前に士官室係は階段を下りていってしまい、まだ少年の雰囲気が抜けきらない背中に、息子と同じ年頃かな……と感じてしまった宮津は、それを打ち消すために、「航海指揮官、現在の速度と針路は」と多少大きめの声を出した。

「は、両舷前進原速、赤黒なし。前続艦の後、基準針路〇三〇」

澱みなく答える声に、膨らみかけた暗い想念は鳴りをひそめた。「それでいい。しばらく頼む」と言って、宮津は艦長席を離れた。

赤色灯の明かりを頼りに階段を下る。「艦長、下りられます！」と張り上げた当直海曹の声が、狭い通路に響いていった。

二階ぶん階段を下り、艦橋構造部の後部にある士官室へ。夜目を維持する都合上、やはり赤色灯が照らすだけの薄闇に包まれている士官室には、ラーメンの芳香が漂っていた。

二つの長テーブルに、それぞれ十人ほどの幹部が座って談笑している。副長兼船務長の竹中勇三佐をはじめ、杉浦砲雷長、横田航海長らからなる主要幹部グループと、風間水雷士ら初任幹部のグループ。起立しようとした一同を手で制して、宮津は竹中副長の隣に腰を下ろした。

食器は官給品だが、艦長には幹部の卓費で賄われた専用のものがあてがわれる。そして艦長が箸をとってから、初めて他の者も箸を取る。すべて旧海軍から続くしきたりだった。昔、船酔いがひどかった時には、とても汁物なんか食べられなかったなと思いながら、宮津は麺を啜った。あの独特の悪寒は忘れて久しい。艦長職の重責に、船酔いにかかる余裕もなくなったというところか。

「そういや、今日の戦闘訓練で怪我した魚雷員、また看護長の世話になったらしいな」一般大出麺を啜る音だけが響く沈黙を破って、会話の口火を切ったのは竹中副長だった。

身で、宮津と同じ艦に勤務するのはこれで三度目。今年、厄年を迎えたはずだが、その快活な物腰は初めて会った頃から少しも変わらない。フラムを挟んで二年間《いそかぜ》に乗務しており、寄り合い所帯の感が強い幹部たちのまとめ役になって、申し分のない副長を務めてくれていた。

暗くなりがちな《いそかぜ》の士官室にあって、絶えず前向きなムードメーカーも演じてくれる。この時、この艦で竹中と再会できたのは、宮津にとっては真実幸運だった。

「ええ。カレーの食いすぎで胃薬をもらいに。まったくなにを考えているのか……」

杉浦砲雷長が答える。おもしろがっている竹中とは対照的に、苦い口調だった。実際、磊落な竹中とは性格も正反対の真面目人間で、融通の利かない面が多々ある。もう少し肩の力を抜けばいい幹部になると思うのだが、その辺の匙加減は本人に学ぶ気がなければ身につくものではない。

「《いそかぜ》のカレーは美味いからな」そんなことは意に介さず、竹中は気楽な声で続ける。「実際、腕の悪い烹炊長のいる艦に乗ったら悲劇だぞ」

「波がガブってるのに、豚汁を出されたりしてな」

宮津の相槌に、覚えがある他の者も苦笑を漏らした。海が荒れて船酔いにかかりそうな時には、その匂いを嗅いだだけでも気分が悪くなるものだ。

「しかし、今日の事故はクルーの士気の乱れが招いたことです」明るくなりかけた場を無視して、杉浦は強引に話を引き戻す。「訓練自体、艦隊の練度標準をクリアしているかどうか怪しいものです。一週間後の遭遇戦までにはもっと引き上げておかないと」

由良で一泊した後、《いそかぜ》は個艦訓練を実施しながら大島沖に向かい、横須賀総監部のお膝下でミニ演習を行う予定になっている。内容は、先行して待ち受けている《うらかぜ》を敵艦に見立てての遭遇戦闘。互いのデータリンクを一時的に遮断し、位置を知らせないようにして奇襲をかけあうというものだ。

海幕にしてみれば勝って当たり前の演習なのだから、負けは許されない。レーダーや搭載兵器の性能はこちらが圧倒しているものの、《うらかぜ》には戦技に長けたベテランの衣笠司令と、艦長として脂がのりきっている年頃の阿久津二佐が乗り込んでいる。杉浦の言う通り、今の《いそかぜ》の練度では苦戦が予想された。

「栄えあるＴＭＤ対応一番艦は辛いな」

竹中は動じない。あっけらかんとした物言いにみんな失笑してしまい、話の腰を折られた杉浦は憮然とラーメンの残りを啜ったが、

「栄えあるってのはどんなもんでしょう。下手すりゃ、ミニ・イージスの搭載計画は《いそかぜ》限りで打ち止めになるかもしれないって聞きましたが」

それまで黙っていた横田航海長がそんな言葉を漏らして、再び座が固まってしまった。かつて宮津が私的に催していた勉強会に参加し、部内幹候の門をくぐって幹部に昇進した横田

一尉は、宮津より二つ年上のベテランだ。海上自衛隊という組織を下から上まで知り尽くしているだけに、その観察眼は鋭く、容赦がなかった。

今この場で話すようなことではないと思ったが、「初耳ですね」と同じ部内幹候出の補給長が相手をしたために、横田は「つまりだな……」と話の口火を切ってしまっていた。

「今回の計画では、全護衛艦のイージス化が謳われている。日米共同で進められているTMDに対応して、日本全域をカバーするミサイル防衛網を作るってのが主旨だが……」

そこでいったん言葉を切り、横田はコップの水をひと息に飲んだ。こうなるとしばらくは止められない。仕方がないというふうな目を、宮津は竹中と見交わす。

「ここにカラクリがあるんだ。TMDは、偵察衛星やレーダーが探知した敵の弾道ミサイルを、上層と下層の二段階で空中撃破する防御システムだ。アメリカが同盟国と海外駐留基地を防衛するために始めた計画で、日本では当初、既存のイージス艦の参加だけが考えられていた。ところが例の北朝鮮のミサイル騒動で日本の防空能力の薄さが露呈するや、全護衛艦にミニ・イージス・システムを搭載して、TMD対応艦に改造することが決定した」

「弾道ミサイルは、空自のスクランブル機が引き返せって警告しても、聞く耳もたないからな」

なにを当たり前のことを、と言わんばかりに竹中が茶々を入れる。横田はまったくめげずに、「そうです」と大きく頷いた。

「これまでは法制でがんじがらめだったが、ことミサイルに関しては即時迎撃の了解事項が確立しつつある。問題は、今回の計画はアメリカが企図(きと)した規模をはるかに上回ってるって点です」

「つまり、全護衛艦のイージス化は日本上空に完璧すぎるミサイル迎撃網を作ってしまう。在日米軍の介入する余地がなくなってしまう……ということか？」

杉浦が先回りをして、横田は「その通り」とゴマ塩頭の下の顔をニヤリとさせた。

「西側第二位と言われた対潜水艦戦(ASW)能力をはじめ、日本はこれまでも高い索敵(さくてき)能力を誇ってきました。でも法律に縛られて、肝心の打撃能力がなかった。攻撃は在日米軍の役目で、我々は基本的に見張りの役だけを仰せつかってきたというわけですな。うがった見方をすれば、自衛隊そのものが在日米軍の番犬をさせられていたのかもしれない。

でも今度は違う。国産の偵察衛星と護衛艦によって構成される完璧な迎撃システムは、在日米軍の存在価値を失わせます。ミサイル騒動で目くらましされた形になったが、『辺野古ディストラクション』に集約される沖縄問題を、国民は忘れたわけじゃない。全護衛艦がミニ・イージス・システムを搭載した暁には、また基地撤退をめぐってひと波乱起きるのは避けられないでしょう」

いつの間にか別のテーブルの初任幹部たちも聞き耳を立てる中、補給長は「米軍の将来の繁栄を約束する世界戦略の設計図が、彼らの首を絞めるってわけか」と感心したように腕を組んだ。竹中は楊枝で歯をせせりながら「シュールな話だな」と言っていた。

「しかし、それならなぜイージス化計画が《いそかぜ》一艦で終わりになるんだ？」

「駆け引きってやつですよ。いま日本が急務にしているのは防衛問題なんかじゃない。経済再建です。梶本政権が金融ビッグバンの凍結を狙ってるってのはご存じでしょう？」

後始末内閣と揶揄された挙句、不況を深刻化させるだけに終わった前政権に代わって、昨年暮れに発足した梶本政権。政官財にいまだ根強く残る、日本型経済システムの復活を望む声に後押しされて政権を取ったと言われる梶本は、近年にない押しの強い首相として、それまでの規制緩和路線を否定する政策を打ち出していた。

アメリカ型の自由経済システムの導入が、経済再建の早道と考える主流に真っ向から反対し、保護統制を基調とした日本型経済システム——戦後、奇跡の発展を遂げる原動力となった日本式経営の復活を提唱。閉鎖的環境の再構築は、企業の国際競争力を失わせるなどの批判が出ているものの、保護統制政策の復活で恩恵を得る農家や中小企業、それらを票田にする野党を取り込んで、支持基盤は確実に増えつつあった。

「それまで規制緩和だ自由化だって騒いでた連中も、『経済大国日本の復活』を旗印にした梶本が登場するや、あっさり宗旨変えして保護統制論調に傾いていった。不況地獄に喘いだロシア国民が、共産主義の復活を望んだのと同じ心理ですな。その行方を占うのが、来年に予定されている金融ビッグバン受入れの是非です。

そのまま受け入れれば、梶本政権は空中分解。凍結すれば有言実行の政治家として国民の信頼を得るが、国際世論からは袋叩きにされる。どっちを向いても地獄ですが……」

「アメリカが擁護すれば、話は変わってくる。日米安保を外交カードに使うわけか」

杉浦が再び先回りをする。頭の回転の速さは、欠点を補って余りある杉浦の美点だった。もっとも、わかっていながらあえて口にしない竹中の方が、人間としては信頼が置けるが。

「そういうことです。在日米軍を無価値にする全護衛艦のイージス化計画をちらつかせて、日本がビッグバン施行を凍結した時、アメリカに擁護の論陣を張ってもらう。向こうの経済学者や政府関係者たちに、梶本の決断は正しかったと言わせるわけです。そうすればイージス化計画を中断して、そちらの都合のいい形でTMDに参加してもいい、とね。今回の計画には、状況に応じて改変する旨の条項があらかじめ含まれてるようですし」

「じゃあ、最初から途中でやめるつもりで始めた計画だってわけかい？　駆け引きのためだけに、全護衛艦のイージス化計画を発表したと。途中で放り出して、国民にはどう説明するんだ」

機関長の酒井一尉が口を挟む。横田と同期の部内幹候上がりだが、禿げ上がった頭は実年齢より老けて見える。横田は「誰も気にせんさ」とあっさり酒井の弁を退けた。

「ミニ・イージスが搭載された直後は、マスコミもよく《いそかぜ》の写真を撮りにきてたけどな。この間の出港の時には、マニアか広報部のカメラマンしかいなかった。大方の国民にとって、護衛艦の改造なんてのは無縁な話だよ」

「しかし、日本が独自のミサイル防衛網を完成させたからといって、在日米軍の存在価値がなくなるというのは乱暴じゃないか？　北朝鮮が本格的な侵攻をかけてくれば……」

杉浦だ。先任の意地があるのか、議論熱に火がついたのか。竹中は相変わらず歯をせせっている。

「北の脅威が存続している限りは、そうです。彼らがなんとかやっていけてるのは、朝鮮半島エネルギー開発機構（KEDO）設置のためにアメリカが各国に支援を呼びかけているからですが、最近アメリカ国内でも対北政策見直しの論調が高まってます。これでアメリカが一斉に支援を打ち切ったら、北は暴発しますよ。そして国連軍がピョンヤンになだれ込んで、一巻の終わり。梶本政権はそこまで読んだ上で、ミニ・イージスのカードを切ったんじゃないかと……」

「いずれにしろ、士官室で話し合うようなことじゃないな」

空になった丼に楊枝を放りつつ、竹中が釘を刺すように言った。はっとなにかに気づいた顔を見せた横田が慌てて口を噤み、他の者も顔を俯ける。

気まずい沈黙が降り、ちらとこちらを見た竹中の目に督促を感じ取った宮津は、咳払いしてから「まあ、興味深い話ではあるが……」と取り繕う言葉を出した。

「上がなにを考えようと、我々は与えられた艦で最善を尽くすだけだ。わかっているとは思うが、自分に唾するような話はクルーの前では慎むように」

他に言うべき言葉もない。「は、申しわけありませんでした」と頭を下げた横田に軽く頷きながら、しかし本当にそうだなと宮津は思った。クルーは知らない方がいい。ジェスチャーのためだけに作られたシステムの習得に、四苦八苦させられている虚しさを知らずに済むなら、その方がいい。この世界の真実の姿、抗いようのない醜さを知らずに済むなら、その方が……。

タイミングよくコーヒーが運ばれてきて、澱んだ空気がいくらか掻き回された。先刻の少年のような士官室係が、やはり頬を赤紫色に腫れさせているのを見た宮津は、「その顔、CPOに指導されたのか？」と苦笑まじりに尋ねてみた。

「いえ……」

口ごもり、顔を俯けた士官室係に代わって、杉浦が「ケンカですよ、ちょっとした。そうだな？」と険のある声で言う。なるほど、杉浦の不機嫌はこれが原因か。なんとなく事情を察した宮津は、所在なく突っ立っている士官室係の胸の名札をちらと見て、「ん、そうか。ほどほどにな、如月一士」と言っておいた。

「はい」

「いい名前だな。風情のある……」

ミサイル班・如月行と記されたプラスチック製の名札をもういちど見て言うと、士官室係は「自分は好きじゃありません」とにべもなく言い放った。

「なんか、電車みたいで」

若者らしい率直な態度に、思わず口もとが緩んだ。「そんなことはない。親からもらった大切な名前なんだから、大事にした方がいい」といった言葉に軽く会釈すると、如月行は片付けた丼を手に士官室を出ていった。

「例の横須賀からきた海士か」

その背中を見送って、竹中が独りごちる。杉浦は顔をしかめて、

「『礼節に欠ける傾向あり、士官室係に重点配置して再教育されたい』って、横総監からの評定にありましたんでね。そうしてるんですが……」

「ケンカ、ひどかったのか?」

「いや、たいしたことは。先任伍長が収めてしまいましたし」

案の定だった。小さく目の中で笑いあった後、竹中は「気に入らんようだな」と不服そのものの表情を浮かべている杉浦に重ねた。視線を逸らして、杉浦は答えようとしなかった。

「ベテラン海曹の存在がなければ、護衛艦は動かん。彼らを束ねる先任伍長は、言わば第二の艦長のようなものだ。もっと信頼してもいいのじゃないかな」

大方、正規の手続きに則って処分の挙に出ようとした杉浦を、先任伍長が退けてしまったのだろう。宮津はそう言って一徹に過ぎる先任士官に理解を促したが、杉浦は、「しかし、

軍組織の上意下達の原則は破られるべきでは……」と食い下がってきた。

「仙石曹長はわきまえているよ。心配するな、砲雷長」

竹中が言う。ひどく確信めいた口調に、杉浦は口を閉じた。コーヒーをひと口啜ってから、竹中は両肘をテーブルの上にのせた。

「二年前、おれが初めて《いそかぜ》に着任した時のことだ。ひどくガブられて、送りの内火艇が揺れてな。みっともない話だが、艦に着く前にすっかり船酔いしちまった。その時、舷門で迎えてくれたのが仙石曹長だった。女が化粧で使う……ファンデーションクリームか？ それを持ってて、おれに貸してくれた。艦長に着任挨拶するのに、船酔いの真っ青な顔じゃ行きにくいだろうってな。波が荒れてるのを見越して、用意しといてくれたんだ」

宮津も初めて聞く話だった。仙石の、無骨だがどこか愛敬のある横顔を思い出す間に、竹中は続けていた。

「おまえも経験済みだろうが、着任早々の幹部は嫌でも値踏みされるもんだ。青い顔のまま艦内を歩いて、曹士たちにペケマークを付けられたら、もうおしまいだ。それがわかってるから、先任伍長はクリームを用意しておいてくれた。そして二度とそのことを口にしなかった」

上げた拳を、下ろす場所がなくなってしまったというふうな杉浦の表情だった。俯いた顔に微笑して、竹中は「うちの先任伍長は、そういう男なんだ」と締め括った。

「彼に任せておけば問題はないよ」

そうなのだろう。そしてそう言える竹中もまた、得がたい幹部であると宮津は思う。この先なにが起ころうとも、その事実は変わらない。変えてはならない……。

ふと、胸苦しさを覚えた。「そろそろ上がろうか」と言って、宮津は席を立った。来た道を通って、ブリッジに戻る。「艦長、上がられます！」と怒鳴った当直海曹の声が、耳に痛かった。

＊

ベッドにもぐり込んで三時間、艦内スピーカーが当直の交代五分前を告げた。泥棒ウォッチとも呼ばれる、午前二時から四時の外周監視。気づいた時にはかけ布団をたたみ、立ち上がってズボンのベルトを締めていた仙石は、大判のスケッチブックに挟んでひとまとめにしてある画材道具を手に、CPO専用の洗面所に向かった。この当直を終えたら、総員起こしまでもう二時間ほど眠れることを考えて、シーツの皺は整えずそのままにしておく。

手早く顔を洗い、持参したミニペットボトルに水を詰めて後部デッキへ。艦最後尾にあるオープン・デッキには、CPO室脇の洗身室を抜ければすぐたどり着くことができる。月明かりだけが頼りの暗闇の中、欠伸をかみ殺していた前直の見張り員が入れ替わりに水密戸をくぐると、無人のデッキはいつものように仙石専用のアトリエになった。

頭上に張り出した後部飛行甲板の下、副錨や可変深度ソナー、消火用放水ホースなどを収めた小空間からは、夜の海と空を直接望むことができる。手すりの鎖にもたれかかって、仙石は二メートル下を流れる海面を覗き込んでみた。

闇の中でぼんやりとした光を放つ夜光虫の群れが、スクリューに掻き回されて散り散りになり、後方に流れ去ってゆく。月光に浮かび上がる航跡の泡立ちは、黒の海面に太い白線を描いており、それは途中でぼんやり霞みながらも、微かな隆起の筋を夜空と接するところまで一直線に続かせているのだった。その両脇には、艦首からVの字を広げる引き波の筋。満天の星が、ちっぽけな人間の生からすれば不変の輝きを投げかけて、それらを包んでいる。降るような……の表現そのままの清冽な光。地球が汚染されているという話が、嘘に思えてくる光景だった。

知らせる異状がなければ、特別することもない。暗闇に目が馴れてきたのを見計らって、仙石はスケッチブックに挟んだ画材道具を取り出した。床に腰を下ろし、蓋を開けたペットボトルに筆を差し込む。二十四色セットの絵の具をその脇に置き、膝の上にスケッチブックを広げて、まずは鉛筆で構図の走り描きを始めた。

色の判別も難しいほどの闇だが、馴れた目には微妙な陰影の違いを見分けることができた。ぺったり床に腰を下ろし、絵なんぞ描く姿を杉浦が見たら、なんて言うだろう。ちらり考えて、仙石は苦笑した。目を剝いて怒るか、あるいは呆れるか。若狭も、真っ暗な海と空を描いて、なにがおもしろいのかねえとよく首を傾げている。説明する気はなかったし、したくても言葉で表しきれないものがあるから、飽きもせずこうして筆を握っているのだったが、二十年以上、千枚にもなろうかというほどの絵を描いてきて、いまだにその本質に近づけない自分はよほど愚鈍なのだろうなと、ふとそんなことを思いもした。

夜の闇と月の光、星の輝き、そして海。余分なものはなにもない世界。それでいながら、触れられないなにかに満ちた世界。写し描けばその欠片くらいはつかめると思ったが、どうやら自分にはそこまでの才能はないらしい。どだい、この世界には自分には触れられないものが多すぎるんだと仙石は思った。目の前にあっても、わかったつもりになっていても、その本質には近づけない。たとえば如月行。たとえば不意に他人になってしまった頼子。

この広大無辺な世界で、自分が触れたものなんかほんのわずかなものでしかない。そしてそれさえも、幻のように手の中をすり抜けていってしまった。ターターの駆動音も、妻や娘の声も。目の前にある仕事をこなすうち、いつの間にか聞こえなくなっていた。

この孤独と痛恨、無力感は誰もが味わうものなのか、それとも自分だけのものなのか。せめてそれだけでも知りたいものだと思ったが、周りを見渡してみれば、そんな話をできる存在さえ自分にはないのだった。立場上、若狭にはそこまで自分をさらけ出すことはできないと思う。一歩離れて見ればなんの意味もないしがらみにこだわり、この小さな艦の中で、頼子がそう言うように自分もまた時間を無駄に過ごしてきたのか。もっと多くのものに触れられるチャンスがあったのに、それを逃してきてしまったというのか……。

黒潮から発する独特の粘りけを含んだ空気が、風になって周囲を流れてゆく。湿潤する思考に搦め取られていた手を動かし、下絵を描き終えた仙石は、パレットに絵の具を垂らして色の配合を始めた。

藍色と紺色に少量の黒を混ぜ、白で調節する。ベースになる海の色だったが、今の頭の中身を引き移したような重たい色になってしまい、何度やっても深みのない、のっぺりした色にしかならなかった。こうしている間にも艦は進み、月や星の位置が変わって、海も空も微妙に色を変えてしまう。焦って絵の具を垂らすうち、イメージとはほど遠い色がパレットから溢れんばかりになってきて、チクショウ、今夜はダメだとスケッチを放りかけた時、背後で水密戸が開いた。

行だった。モップを肩に担ぎ、片手にバケツを持って戸口に立っている。意味もなくドキリとしてしまい、床にあぐらをかいたままその目を見上げていると、「甲板掃除にきました」という声が風と波の音に混ざった。

罰当番の掃除を言いつけたのは、他ならぬ自分だった。「……ああ、そうか。ご苦労さん」と応じた仙石は、後ろ手に扉を閉めた行から視線を外した。

「適当でいいぞ。どうせ総員起こしの後、またやるんだから」

続けて言う間に、モップがバケツの水に浸される音が響き、床を磨く微かな音が背中で鳴り始めた。どんな顔をしてモップを動かしているのかと思い、首だけ動かしてちらと盗み見ると、こちらを覗き込むようにしていた行と再び目線があってしまった。

なにをしているのか気になるらしい。多少は普通らしいところもあるんだなと勝手に納得して、仙石はもういちど色の配合に挑戦するつもりになった。

ちょっとずつ色を足しては、目前の海の色と見較べてみる。何度やっても思った通りの色は表れず、次第に頭の中のイメージもぼやけてきて、やっぱりダメだ、今日はなにをやってもサエない一日だと結論した仙石は、筆をペットボトルの飲み口に放り込んだ。背中を反らし、首をめぐらして肩の凝りをほぐす。目を開けると、すぐ後ろにいた行がモップを動かす手を止め、こちらを見ていることに気づいた。

こいつから人に近づいてくることがあるのか。少し驚き、上半身をそちらに向けようとした途端、「……あの、ちょっといいですか」と、ためらいがちな口が開かれた。

目は床に置いたパレットを見つめている。「ああ」と言って筆と一緒に渡すと、中腰になった行は絵の具箱から朱色と緑色を取り出し、馴れた手つきで仙石が作った色と混ぜ合わせ始めた。

のっぺりしていた暗色に微妙な艶が生まれ、それはたちまち目前の海の色と同化した。下描きの線画にひと塗りし、ほれというふうに差し出した行からスケッチブックを受け取った仙石は、イメージ通りの色を確かめて、「そうそう、この色だよ」と、どこか気まずそうにしている顔を見返した。

軽く頷いた行は、パレットを置いてそのまま立ち上がろうとした。「ちょっと、描いてみろよ」と呼び止めると、少しためらった後、行はもういちど筆を握った。

下描きを見、闇の海面をじっと見据えてから、無造作に筆を動かす。なんの気なしに引かれた線が海の輪郭になり、水で薄めただけの濃淡が、平面に立体的な躍動感を刻みつけてゆく。魔法を見ているようだった。無機物に生命が、スケッチブックに新しい世界が彫り込まれてゆく――。

「こいつはたまげた。うめえもんだな」

自分が小手先で描いているようなものとは、根本的に異なる。才能の違いを実感する、その程度の絵心は仙石にもあった。そこにあるものを機械的に描き取るのではなく、触れられないなにかと通信し、己の作品の中に呼び出す才能。年甲斐もなくドキドキする胸を隠し、そんな言い方をすると、行ははっとしたように筆を止めた。

「……すみません」

ふと正気に返ったかのように、スケッチブックとパレットを突き返して立ち上がる。「謝ることはねえさ」と仙石は言ったが、モップを握り直した行はもう振り返ろうとはしなかった。

「絵、習ってたのか？」

「……ガキの頃、少し」

一心に床を磨き続ける横顔は、うっかりミスを犯してしまった自分自身を責めているかのようだった。「……ふうん」とその頑なな姿を窺ってから、仙石は行の絵をしげしげと眺めた。

「おれも手慰(てなぐさ)みみたいなもんだから、偉そうなことは言えねえけどさ。こりゃかなりの才能だぜ。護衛艦なんかに乗ってる場合じゃねえんじゃねえか？」

聞こえない振りで、行は返事をしなかった。なんだ、絵を描いたことのなにがそんなにいけないんだ。気になったが、尋ねても答えがないことは予測できたので、仙石は再びスケッチブックに向き直った。

強烈な才能の発露を目の当たりにして、下手なりに絵心が刺激されていた。パレットを取り、行の描き方を真似て筆を動かし始めた仙石は、「ま、そんなこと言ってると、後で人手不足で苦労するのはこっちなんだけどな」と独りごちた。「自分は辞めません」の声が返ってきたのは、その言葉が終わらないうちだった。

「他に行くところ、ありませんから」

モップを動かす手に力を込めて、行は床を見つめたまま言った。再度の気になる言葉に、目くらましされたように感じた仙石は、共通の話題でこの不可知の塊を引き寄せようと思いついた。

「横須賀じゃ《あすか》に乗ってたんだってな。ミニ・イージスを載せた試験艦の。あそこの先任伍長はおれと同期なんだ」

行を特例で横須賀から呼び寄せる理由になった、履歴に記されていた前の乗務艦の話を持ち出すと、モップを動かす手が一瞬止まった。「元気にしてたか？」と続けた仙石に、行は先刻とは打って変わった冷静な声で「はい」と答えた。

「よくは知りませんが」

定員七十名しかいない試験艦でよく知らない？　ありえない話だと思い、振り返って行の顔を見ようとしたが、奥の壁際で影に塗り込められた表情を知ることはできなかった。この調子なら、あるいは誰とも親しくならずに、淡々と集団生活をこなすこともできるか。そう思い直して、仙石は今度こそ絵に気持ちを戻した。

行と同じ絵の具と筆を使っているはずなのに、どうやっても同じ線が引けない。せっかく宿っていた傑作の卵の輝きが、自分が筆を加えるたびに消えてゆくことにいら立ちながらも、半ば自棄になって手を動かしているうち、腕時計のアラームが当直時間が半分過ぎたことを伝えた。まだ掃除を続けているらしい行に、「明日は入港で忙しくなるんだから、適当なところであがれよ」と背中を向けたまま言うと、「……あの」という声がすぐ近くから降りかかった。

「筆が悪いんだと思います」

いつの間にか背後に立ち、四苦八苦する様子を見下ろしていた行がそんなことを言い、仙石は思わず筆を顔に近づけた。三年使い古した筆先は確かに毛羽立っているが、行はこれを使って見事な色の階調を表現して見せたのだ。

「先任伍長は、タッチを大事にしてるみたいだから……。自分の描き方だと、多少、筆先が荒れてても関係ないんですけど」

心を読んだように行が続けて、仙石は「そういうもんか」と言いながら筆と絵を見較べるしかなかった。

「新しいのを買った方が……」

「そうは言っても、酒保には筆なんて売ってねえしなあ」

酒保は艦内売店の俗称だ。酒は御法度の護衛艦で皮肉なネーミングだが、旧海軍に倣ってそう呼ばれる。意外な積極性に少し戸惑いながら言うと、「明日、上陸しないんですか」の声が続いた。

「へへ、残念ながらおれは停泊当直だ」

突っ立ってこちらを見下ろしたまま、行はしばらく沈黙した。そして次に口を開いた時には、「じゃ、おれ買ってきます」とぶっきらぼうに言っていた。

それこそ予想外の言葉だった。なにか胸が締めつけられるような感覚にドギマギしながら、仙石は、「いいよ、そんなの。好きに遊んでこいよ」と咄嗟に応じてしまった。伏せられた目に、開きかけたなにかが萎んでゆく翳りがあった。所在なく立ち尽くす横顔に、艦内で見せる無機的な態度の内側にあるものを見せられたような気がして、仙石はふとやりきれない思いに駆られた。

こいつは本当に絵が好きなんだ。だから、絵を描く人間とならば話してみてもいいと思ったのだろうと気づき、そっとのばしてきた手を払いのけるようなセリフを吐いてしまった自分の無神経さにも、気づいたからだった。鈍い頭なりに精一杯回転させた仙石は、「……そうか。上陸してもすることないんだっけかな」のセリフを紡ぎ出した。

「じゃ、頼んじまおうかな。駄賃に、こんど酒保でアイスでも奢ってやっから」

気楽を装った声に「はい」と応えて、行は微かに口もとを緩めた。こいつはこんな顔もできるのか、と何度目かの驚きを感じた途端、それまで触れられなかったものに指先が届いたような気がして、仙石は暗い海に目を戻した。

海と空、それぞれ質感の異なる黒が隣接する水平線を、沈みかけた三日月が銀色に染めていた。周囲数十キロには誰もいない世界。自分で選び、自分でつかみ取った世界。触れられない、でもそこにいれば感じることはできる美に彩られた世界――。

「……一生、この光景を見られない奴だっている」

無意識に出た言葉が、それまで頭を重くしていたなにかを拭い取ってくれたように感じて、仙石は夜明け前の海を飽きずに見つめた。行はなにも言わなかった。ただ隣に立ち、黙って同じ世界を見つめた。

それは死地に赴く兵士の一途(いちず)な視線ではなく、未知の可能性に満ちた世界を食い入るように見つめる少年の瞳だった。仙石には、そう見えた。

3

午後三時二十分。予定より四十分早く、《いそかぜ》と《うらかぜ》からなる第六十五護衛隊は由良に入港した。

紀伊半島の西側中腹に位置する由良湾は、周囲を陸地で囲まれた直径一キロ少しの入り江で、一応由良基地分遣隊が常駐しているものの、港の規模はそれほど大きなものではない。この時は輸送艦が先に停泊していたので、《いそかぜ》と《うらかぜ》は「目刺し」停泊することを余儀なくされた。

《いそかぜ》が先に埠頭(バース)に付き、それを挟んで《うらかぜ》が停泊する。舳先を並べる二艦を上から見ればまさに目刺しで、《うらかぜ》のクルーは、上陸時には《いそかぜ》の甲板を通って舷門に向かうことになる。運用員の訓練を兼ねて、湾内の浮標(ブイ)に繋留(けいりゅう)する手も考えられたが、宮津はあくまでも陸への直付けにこだわった。ブイ繋留すれば、上陸のために内火艇(ランチ)を使わなければならなくなる。一刻も早く上陸したいクルーたちが、何回かに分けて岸壁まで運ばれるブイ繋留を喜ぶはずもなく、そうした気分を無視して訓練をごり押しする者は、艦長失格だという自戒があるからだった。

もやい作業の喧噪が終わるのを見届けた後、燃料や糧食、水の補給に関する艦長決済の事務仕事を済ませた宮津は、停泊当直以外の全幹部を引き連れて上陸した。部内では単縦陣と呼ばれる風景で、艦長以下、その艦の幹部たちが揃って飲みに出かけるのは、艦内の結束を固め、他の艦との親交を深めるという名目で、艦隊では推奨されていることだった。

真夏の猛威を振う太陽が岬の陰に隠れると、山から吹き下ろす風が入り江に一時の涼をもたらすようになった。船体中ほどから下ろされた舷梯(げんてい)の鉄階段を下り、バースのコンクリに足をつけた宮津は、先に上陸していた衣笠秀明一佐の出迎えを受けた。

「うちの隊付(たいつき)が、いい店を知っているそうだ。行ってみようじゃないか」

第六十五護衛隊司令として《うらかぜ》に座乗する衣笠は、そう言って潮焼けの染みついた顔をほころばせた。太り肉(じし)の体軀に、巌(いわお)の面相をのせた風貌から、いかにも海で鍛えられた者の空気を発する衣笠は、宮津の三期先輩にあたる防大出身の生え抜き幹部だ。来年は防大の主任教授に招聘(しょうへい)される予定で、これが最後の海上勤務になる司令職を精力的にこなしている。少し前までは自分も持っていたはずの雰囲気に、なにかしら気圧(けお)されるものを感じながら、宮津は「お供させていただきます」とだけ答えた。

衣笠の後ろには司令補佐を務める隊付幕僚の一尉が立っており、その肩越しに艦長の阿久津徹男二佐を始め、《うらかぜ》の主立った幹部が集まっているのも見えた。向こうも単縦陣で来たらしい。そのまま分遣隊基地の衛門まで歩いた一行は、門前に待たせたタクシーに分乗して夕暮れの由良に繰り出していった。

港前の歩道には、基地内で私服に着替えたクルーが同じように町を目指して歩く姿がある。衣笠、阿久津と並んでタクシーの後部座席に収まった宮津は、車窓に映るそれらの光景にぼんやり目を注いだ。短い自由時間の予定を話し合い、誰に遠慮することもなく破顔している若者たちの中に、昨晩の士官室係の顔を見つけたのは、車が信号待ちで停まった時だった。

如月行といったか。ひと塊になって歩く《いそかぜ》のクルーから一歩離れて、その顔はひとりだけ艦内にいる時と同じ仏頂面をしている。みんなとうまくいっていないのだろうか？　孤独を宿した横顔が気になり、後方に流れてゆくその姿を追った宮津は、「どうだね？《いそかぜ》の調子は」と言った衣笠の声に、多少慌てて車窓に押しつけていた顔を前に戻した。

「は、さすがとしか言いようがありません。よい艦をいただいて、感謝しております」

「クルーの錬成がひと苦労だろう。システム習熟を焦る気持ちはわかるが、初任幹部をああも集中配転させた上に、幹部の総入れ替えだからな。海幕人事もなにを考えているのか……」

そこまで言って、反対側に座る阿久津がちらと目線を寄越したことに気づいた衣笠は、「故人の悪口は慎むべきだったな。忘れてくれ」と低くした声で続けた。

「故人？　誰が亡くなられたのです」

「沢口人事課長だ。まだニュースを聞いてないのか？」

意外そうな衣笠の口調に「……は」と応じて、宮津は不意に腹の底を打った衝撃が全身に拡がってゆく感覚を味わった。由良湾に入る二時間前からテレビ放送の受信は再開していたが、不慣れなクルーたちとともに入港作業の打ち合わせに忙殺されて、テレビを見ている余裕などはなかった。「自殺だそうだ」と付け加えた衣笠の言葉が衝撃に追い打ちをかけて、宮津は震えをごまかすためにギュッと両の拳を握りしめた。

「今朝、線路に飛び込んでな。なにがあったか知らんが、よりにもよって……。遺族は鉄道会社から莫大な損害金を請求されるぞ」

自殺、線路、遺族。それらの単語が頭の中で反響し、すぐに胸の奥底にある暗闇に吸い込まれていくと、そこには昨晩から感じている胸苦しさだけが残された。手の震えも止まり、宮津は当然の帰結としてその事実を受け止めることに努めた。

沈黙した宮津に、同様の事情で九ヵ月前に息子を失った父親の翳りを見たのか、衣笠は

「いずれ、君ならうまく《いそかぜ》をまとめられるだろう」と取り繕う明るい声を出した。

「そうでなければ、海幕に君の艦長留任をかけ合ったわたしのメンツが立たんからな」

隆史の死後、一時は艦長職辞退を考えていた自分をよそに、海上幕僚監部も宮津の配置転換を決めていた。息子を失い、情緒不安定になったかもしれない人間に大事な護衛艦を預けるわけにはいかないという常識が働いたのか、あるいは別の巨大な力が働きかけたのか。どちらにせよ、海上勤務を外れて陸上配置に就くことが決まっていた宮津を、横紙破りを承知で強引に引き留めてくれたのは、衣笠司令に他ならなかった。

宮津二佐の海上指揮官としての能力は希有のものだ。これを陸で干からびさせるなぞ、幕僚の無能を示すことだ。六十五護衛隊を所管する第三護衛隊群司令の頭越しに、海幕に直談判に押しかけた衣笠は、居並ぶ幕僚たちを前にそう言ったのだという。それもこれも宮津の操艦能力に全幅の信頼をおいてのことなのだろうが、もうひとつ、海に出ていた方が気が紛れるだろうと、衣笠が同じ子を持つ父親の温情を示してくれたことにも、宮津は気づいていた。さらに重みの増した胸苦しさを抱いて、宮津は「その節は、大変お世話になりまして……」と応えた。

「いい艦長にいてもらった方が、わたしも楽ができるからな。そうだろう？　阿久津艦長」

いきなり話の矛先を向けられて、目を白黒させたのも一瞬、すぐにいつもの優男らしい笑顔を見せた阿久津は、「部屋長と較べられちゃかないませんよ」と応じた。三期後輩で、防大で寮の部屋長をしていた宮津をいまだに当時の肩書きで呼ぶ。学生時代から維持している若々しい情熱家ぶりは外見にも表れており、女性隊員の間でも人気は高いという話だった。もっとも当人は硬派一徹で、護衛艦を動かすことしか興味のない男だったが。

「連日、搾られてまいってるんです。司令、そろそろ《いそかぜ》に移られたらいかがです？」

冗談ともつかない阿久津の声に、衣笠は「せっかくだが、わたしには《うらかぜ》の方が居心地がいいんでね」と飄々と切り返す。司令の存在が気づまりになるのはどこの艦でも一緒で、《うらかぜ》を座乗艦に選び、《いそかぜ》の負担を軽くしてくれた衣笠の配慮を知っている宮津は、馬が合うらしい二人の様子を見ていくぶん安心した。反りの合わない司令と艦長が、同じ艦に乗り合わせることほどの悲劇はない。

が、それもどこかで予測されていた、当然の帰結でしかないのかもしれない。宮津は、「一週間後の遭遇戦演習までには、《いそかぜ》が百パーセントの能力を発揮できるようにしておきます」と言って、胸苦しさと向き合う時間を終わりにした。

「頼む。訓練検閲というわけではないが、群司令のみならず、海幕も注目している模擬戦だ。こちらはせいぜい沈め甲斐のある標的をやらせてもらうよ」

「でも、ただではやられませんよ。チャンスがあれば、こっちも沈めにかかりますからね。覚悟しておいてください、部屋長」

防大時代、鼻っ柱の強い一年坊主だった頃から変わらない目と声で、阿久津は言っていた。「これだ。司令席に座っとって、いつも冷や冷やしているよ」と苦笑した衣笠の隣で、宮津も「部屋長はもうよせよ」と微笑を浮かべた。

「いいじゃありませんか、こういう時くらい。自分にとっては、宮津艦長はいつまでも部屋長なんですから」

なんのてらいもなく、阿久津はそう応えた。胸苦しさから逃れる術がないとわかって、宮津は窓外を流れる港町の風景に目を戻した。

＊

停泊中にも、やるべき仕事は山ほどある。母港の呉から転送されてきたクルー宛ての投函物の振り分けや、補給品の事務手続き。燃料や糧食の補給は上がやってくれても、酒保に置くアイスやジュースの銘柄は、クルーからアンケートを取って先任海曹が手配しなければならない。無論、その間も当直は回ってくるし、航海中に溜まった勤務評定も、できるだけ片付けておく必要がある。午後五時半、ウキウキ顔で上陸してゆくクルーたちを横目に、仙石はCPO室で苦手な事務仕事に埋もれているところだった。

「ほんじゃ、悪いけどちょっと一杯やってくるわ」

それを尻目に、席を立った若狭が大きく伸びをしながら言う。つきあいで今まで手伝ってくれていたものの、停泊当直でもない体をいつまでも艦内に置いておく義理はない。顔を書類に向けたまま、仙石は「おう、行け行け」と言ってやった。

「マイホーム・パパはいかがわしい店には入んなよ」

「アホ。なにか買ってきてもらいたいものあるか?」

「交換日記用のノート」

顔を上げずに答えると、投げつけられた消しゴムが頭に当たって乾いた音を立てた。

＊

由良には分遣隊と湾を分け合う小さな漁港と、そこで働く人々が暮らす小さな町がある。観光業者の手も入っていない、生活を維持するために必要なものだけが集まった由良町の一角。町外れにあるカラオケ・スナックのカウンターで、如月行は五杯目の水割りを前にしていた。

昏倒した時にちょっと面倒を見てやって以来、妙になついてしまった菊政に強引に誘われ、田所たちのグループに加わってしまったのが間違いのもとだ。衣食住を保証された護衛艦クルーの金遣いは荒いと聞かされていたが、事実だった。寄港地では下宿を借りている者もないので、遊ぶだけ遊んだら艦に帰るしかない田所たちの飲みっぷり、歌いっぷりは尋常なものではなく、居酒屋、カラオケ・ボックス、ビリヤード場とハシゴして、このスナックに落ち着いたのが午後九時過ぎ。帰艦時限まで三時間しかなかったが、「今晩は幹部連中も単縦陣で午前様だから、少しくらい遅れても大目に見てくれる」と言う田所の弁で、第二次カラオケ大会が開催されることになった。

人前で歌うことはもちろん、雑談に加わって気のきいた相槌（あいづち）を打つ才覚も持ち合わせてはいない。二十一年と少しの時間を過ごしてきて、それが要求される場面に出くわしたこともなかった。浮き立たない程度にはクルーとつきあっておくことも必要と思い、際限のない飲み会に同行してしまった自分の判断を後悔しつつ、ひとり黙々とグラスを傾ける耳に、カラオケの音に負けないクルーの笑い声が響いた。

「えーっ、マジすか⁉」

「マジだよ。おれの情報網はすげえんだ。初任幹部どもを除いてな、こんど配転されてきた幹部はひとり残らずヤモメなんだ」

菊政と田所だ。漁師と上陸中の護衛艦クルーを最大の収入源にしている古びたスナックは、二十坪程度の敷地にキッチンとカラオケのお立ち台、座卓が押し込まれている狭さなので、離れていても明瞭に会話を聞き取ることができる。下手な歌声ががなっても、複数の音を分離して聞き分けられる耳には関係なかった。「離婚で？」と尋ねた菊政に、田所は「そりゃいろいろだよ」と返す。

「そういや副長も、ずいぶん前に奥さんに死なれてからずっと独りだったよな」

「艦長も、ついこの間息子さんが死んだんスよねえ」

「あ、そうだよな。考えてみりゃ気味が悪いな」

「なんか祟(たた)られてるんじゃないスか、うちの艦」

「そんじゃ、いっちょ厄落としにでも行くか？」

そこから下ネタに話題が切り替わったので、行は聴覚に集中させていた意識を解いて、水割りを空けた。こういう時、酔えない身は辛いと思う。三十代も半ばを過ぎたと見えるホステスが、何度断ってもカラオケを勧めてくるのもうっとうしかった。だいたい、こうした店に漂う空気そのものが、行には嫌悪の対象になっていた。

昔の記憶を呼び覚ます臭い。死ぬ間際の母や、父が夜ごと女たちと飲み明かす家に漂っていた腐敗臭が、うっすらと立ちこめているように感じられるからだった。体をだるくさせるだけの酒を喉に流し込み、弛みかけた記憶の蓋を閉め直そうとして、忘れかけていたもうひとつの記憶も思い出してしまった行は、自分のだらしなさに唾を吐きたい気分になった。

新しい絵筆を買ってくるなんて、どうしてあんなバカな約束をしてしまったのか。先任伍長と親しくなっておくのも悪くないと、あの時は考えたからか。いずれにせよ、約束は忘れたことにしておいた方がいいと行は判断していた。特定の人間と近づきすぎるのはよくない。これがきっかけで先任伍長の注意を引く結果になるのは愚の骨頂だし、故意に距離を置かなければ、自分自身、抑制がきかなくなってしまうという予感もあった。

筆を握り、スケッチブックと向き合った時のあの感触。久しぶりに感じたあの衝動には、それぐらい魔的な力がある。思いもよらないことだった。絵に対する衝動などは、意識のいちばん深いところで風化したと思っていた。周囲をやさしく包む世界――どうせすぐに消えてしまう、幻のような世界に依存する弱い自分とともに、とっくの昔に滅び去ったものと信じていた。狭い艦内で濃密な人間関係にさらされて、頭が悪性のウィルスに汚染されてしまったのかもしれない。これから大事な局面を迎えようというのに、こんなだらしないことで――。

「ね、先輩も行きましょうよ」

不意に肩を叩かれて、行は空のグラスに注いでいた目を上げた。どんな話がまとまったのか、すっかり店を出る支度を整えた田所たち四、五人のクルーを背に、菊政がすぐ後ろに立っていた。

「どこに?」と尋ねると、人差し指と中指の間に親指を挟み、ニタニタと笑う。「御坊市の方に、自衛官割引がきく店があるんだって」と言った嬉しそうな声に、行はうんざりした。

「おれはいいよ」

それこそ腐敗臭の巣窟だ。上陸のメインイベントなのだろうが、これ以上つきあう価値もつもりもない。「そんなこと言わないで行きましょうよ。ね、ね？」とすりよる菊政を無視して背を向けると、「ほっとけよ、菊政」の声が発した。

「行きたくねえって奴を無理に誘っても、シラケるだけだからよ」

座りかけた目の奥に険を潜ませて、田所は吐き捨てていた。背中を向けたままやり過ごそうとしたが、たっぷりアルコールを補給した巨体はカウンターにもたれかかり、ほんのり赤くなったまる顔を近づけてきた。

「変わった奴だとは思ってたけど、女にも興味がねえとはな。ひょっとしてこれか？」

手の甲を頰にあて、ニタリと笑う。顔を背けると、「シカトかよ」と元不良らしい反応が返ってきた。

「言っとくけど、おれはまだ昨日のオトシマエがついたとは思ってねえからな。忘れんじゃねえぞ。黙ってりゃ、おめえ詫びの言葉のひとつも……」

ガラスの割れる音が、続きの言葉を阻んだ。ぎょっと振り返った田所の肩越しに、いきり立つ茶髪のパンチパーマの男と、彼に胸倉をつかまれている見知った顔が見えた。

「こんガキッ！　調子くれてんやないぞ。わしが先に入れたっちゅうたら入れたんじゃ」

第四分隊の海士だと思いつく間に、パンチパーマが店を揺さぶる怒鳴り声をあげた。カラオケの順番で揉めているらしい。背後では似たような風体の若者が四人、睨みをきかせる姿がある。地元の漁師か、チンピラか。こちらとは別のグループを作って飲み歩いていた四分隊の海士たちは、その迫力にすっかり縮み上がっているようだ。ホステスたちは壁際に待避し、女店主だけが床に散らばったグラスの破片を拾って「みんな仲良く歌いましょ、ね？」などと呼びかけているが、パンチパーマは聞く耳を持たない。なにか言い返したクルーにますます腹を立てて、その体を壁に押しつけた。

小さく舌打ちした田所が、そちらに近づいてゆく。大柄の接近に一瞬動揺の気配を見せたパンチパーマたちは、すぐに威嚇の目を向け直して田所の頭からつま先までを睨みつけた。

「すんません、四日ぶりの上陸で浮かれてるんです。勘弁してやってくんないスか」

その視線を受け止めて、田所は低い声で言う。昨日の先任伍長の説教が耳に残っているのか、精一杯抑えた口調だったが、肩から殺気が滲み出てしまっている。海士を突き放したパンチパーマは、「上陸やと？」と言って仁王立ちの田所の前に立った。

「なにくだらんことヌカしてんじゃ、デブ。おのれらみたいな税金泥棒が酒飲もうなんざ十年早いわ」

息がかかるほど近づいたパンチパーマの目を見ないようにして、田所は「……そう言わないで、勘弁してやってくださいよ」と辛抱強く続ける。「やかましいわ。すっこんどれ」と返したパンチパーマは、同時に田所の肩口を思いきりつき飛ばした。

体勢を崩し、テーブルに尻もちをついてしまった拍子に、焼きそばの皿が落ちて派手な音を店内に響かせた。まずいな、と思った時には、「……てめえ、いい加減にしとけよ」のセリフが田所の背中から発していた。

「お、なんじゃデブ。やるか？」

「ここじゃ迷惑だ。表に出な」

爆発寸前の声で言うと、田所はすっかり赤みの消えた顔で出口へ歩き出した。青い顔の菊政がなにか言いかけたが、もう聞こえるものではない。「やばいな、どうしよう」とこちらを見る菊政を無視して、行はTシャツにだぶだぶの作業ズボンを穿いてぞろぞろ出口に向かうパンチパーマたちを注視した。

背だけはそこそこ高いが、胸板は薄いし、二の腕の太さもたいしたことはない。二人ばかり加勢してやれば十分に勝てる相手だと判じて、カウンターに目を戻した。誰かしら手を貸すだろう。これ以上の面倒はご免だと思い、最後尾の男が店のドアをくぐる姿を横目で見送った時、作業ズボンのポケットに突っ込んだ手が、なにかを握って膨らんでいることに気づいた。

ほんの一瞬でも、行の目にはそれがバタフライ・ナイフだとわかってしまった。面倒に関わるなと理性が叫ぶ一方、危険を察知した体は無条件で席を離れ、出口に向かって歩き出していた。

おれはバカだ、と思ったのが最後の正常な思考だった。「で、電話貸してください！」と叫んだ菊政の声が、背中に聞こえた。

*

晩飯を食った後は、ただでさえ上がらない事務仕事の能率がいっそう悪くなった。来月の勤務表を途中まで作ったところでいい加減うんざりした仙石は、ソファに寝転がって海幕人事課長自殺の新聞記事を読むうち、うたた寝に落ちていた。

事務机の上の普通電話が鳴ったのは、つけっ放しにしていたテレビの洋画劇場がクライマックスに差しかかった時だった。新聞に押しつけていた顔を上げ、慌てて受話器を取った仙石は、「はい、こちら《いそかぜ》CPO」の応答をしわがれた喉から絞り出した。停泊中は、バースに通っている電話線と艦のケーブルを繋げているので、外線が直接かかってくる。(せ、先任伍長！　菊政です、大変です)という声がすぐに返ってきて、仙石は重い頭をさすりながら「なんだ、落ち着いて話せ。なにがあった」と続けた。

べったりよだれがついてしまった新聞をたたみつつ、ふんふんと話を聞くうちに、落ち着いている場合ではないことがわかってきた。「すぐ行くから、おまえたちはそこを動くな」と言って電話を切った仙石は、寝室で仮眠を取っていた同じ停泊当直の掌砲長を叩き起こして、タクシーの手配を頼んだ。制服の上だけポロシャツに替えて、CPO室を飛び出していった。

分遣隊基地の門前に付けたタクシーに飛び込み、菊政の告げた店の名前を言うと、運転手は住所を聞かずに車を走らせ始めた。すっかり寝静まった由良町の商店街を抜けながら、仙石はあのバカどもめ、と胸の中で繰り返し呟いていた。

またしても田所と如月。あいつら、執行猶予の身だってことがわかってないのか。もう杉浦を説得する言葉もない。これで警察の世話になんかなった日には、懲戒補佐官会議にかけられて確実に停職処分だ。なんとか警察がくる前に処理を……と考える間に短い商店街は後方に流れ去り、タクシーは点在するネオンがかえって寂れた雰囲気を際立たせる飲み屋通りに到着した。

問題の店は小振りなテナントビルの一階にあり、野次馬の人だかりがその軒先(のきさき)を囲んでいた。一方通行の道路の片隅に、ひと目でそれとわかる警察の自転車が停まっているのを見た仙石は、絶望的な気分になった。

運転手に千円札を渡し、釣りをもらう余裕もなく車を飛び出す。人垣を割って最前列に出た仙石は、そこにあった光景に息を呑んだ。

四人……いや、五人。やはりひと目でチンピラとわかる風体の男たちが、それぞれ腹を抱え、頭を押さえて路上にうずくまっている。ほとんど外傷らしいものはないのに、全員立ち上がることもできないようだった。昨晩、田所を相手に異様な俊敏さを見せた行の顔が頭に思い浮かんだ途端、「先任伍長！」と呼びかける声が店の入口に聞こえた。

野次馬のひとりになっている菊政が、慌てた顔で向かいの方角を指さす。目を移すと、顔面に新しい痣をこしらえた田所と、それとは対照的に無傷の行が、年配の制服警官の前で俯く姿があった。

チンピラたちを起こし、隣のビルの壁際に座らせている若い警官が制止するのを無視して、仙石は「ちょっと待ってください！」と言いながらそちらに走り寄っていった。ズボンと紐で結んである身分証を示して名乗った仙石に、地元の駐在らしい年配の警官は「じゃ、あんたが責任者やね」と淡々とした反応を返した。

「ちょうどええ、警務隊の方に連絡しよ思うとったとこや」

どこの基地でも必ず組織されている警務隊は、言わば自衛隊内の警察だ。停職の二文字がますます大きくなるのを感じながら、仙石は「ご迷惑おかけして、申しわけありません」と腰を九十度曲げた。

「すべて自分の監督不行き届きが招いたことです。二人には重々よく言って聞かせますから、なんとか穏便に処理してはいただけないでしょうか」

「穏便に言うても……。この通り傷害の現行犯やからね」

制帽からゴマ塩の頭を覗かせた年配警官は、そう言って地べたに座り込んだチンピラたちを顎で示した。彼からすれば息子のような年頃の相棒が、路上に落ちていたナイフを手袋をはめた手で拾い、「これ、誰のだ。おまえのか」などと訊いている。その姿を振り返った仙石は、「ところであれ、お宅で教えてんのかね」と言った年配の声に、顔を前に戻した。

「え？」

「格闘技いうのかな？　こっちの細っこい方」

行を顎で示すと、巡査長の襟章をつけた年配警官は、おもしろがるような表情で続けた。

「わしらが来た時にはもう三人倒れとって、二人相手にやっとったんやがね。こっちのデカい方が手え出す間がないくらいやったわ。あっという間にこう、鳩尾殴って、顎を蹴りあげて……。ありゃ空手とかの類いやなかったな」

案の定だった。黙って俯いている行の横顔を窺うと、昨晩後部デッキで見せた少年らしい率直な目の色はどこにもなく、それまでと同じ、なにかをあきらめたような能面だけがあった。

奇妙な違和感、消えかけていた思いが頭をよぎった途端、「自衛隊で教えてんの？」と巡査長がのん気な声を出して、仙石は「とんでもない」と首を振った。

「海自が教えるのは簡単な護身術くらいですよ」

「さよか。まあなんにせよ、通報で来たからには手ぶらで帰るっちゅうわけにもいかんしね。悪いのは向こうのようやし、聴取が済んだらすぐ帰すから」

そう言うと、巡査長は行と田所の肩を抱いて野次馬の列を抜けようとした。仙石は「ちょっと待ってください！」の大声と一緒にその行く手を阻んだ。

「お願いします！　そこをなんとか、穏便に。二人の将来がかかってるんです」

「いや、そない言われても……」

「頼みます。この通り……！」

その場に膝をつき、額をアスファルトに押しつけた。考えてしたことではなかった。娑婆では小指の先ほどの価値もない先任伍長の肩書きを自覚している体が、自然にしたことだった。周囲の目を気にする余裕もなかった。

「先任……」と情けない声を出した田所に、「お、おい、あんた。そんなんされても困るわ。立ちなさい」と狼狽した巡査長が声を重ねる。仙石は石になって、そのまま動こうとはしなかった。

野次馬たちのざわめき声が聞こえる。「弱っちゃったなあ」と本当に弱りきった声を出した巡査長は、しゃがみ込むと地べたに押しつけた仙石の横顔を覗き込むようにした。

「わからんやないけど、こっちも仕事なんやから……」

「おれ、行きます」

刹那、行が口を開いて、仙石は顔を上げた。一瞬だけこちらと目を合わせた後、驚きに棒立ちになっている田所を尻目に一歩進み出た行は、巡査長の顔を正面に見た。

「手を出したのは自分ですから。田所士長は見ていただけです」

「おい、勝手に話を決めんなよ」

田所が肩をつかんで引き戻そうとする。それをやんわり払って、行は「事実ですから」と冷静に言った。

「明日の出港までには艦に戻れる。先に帰っててください」

「そういうわけに行くかよ……!」

「昇任試験、近いんでしょう?」

ぴたりと突きつけられた言葉に、田所が一歩退く。「アメリカに留学できるかもしれないって。ダメになってもいいんですか」と続けた行は、目を白黒させる巡査長を逆にせかすようにして、その場を離れようとした。

立ち上がることも、声をかけることも忘れて、仙石はその横顔を見上げた。格好をつけているのでもなんでもない。こいつは自分で決めたなにか、「掟」のようものに従って行動しているんだ。そんな直感が頭に閃き、頑なにそれを守り通そうとする背中を見て、かける言葉を失ってしまったのだった。代わりに「ちょっと待てよ!」と怒鳴った田所が、その前に立ち塞がっていた。

「お巡りさん、すいません。おれを連れてってください。ケンカ買ったのはおれなんスから」

両方の手首を合わせて、巡査長に突き出す。思わずたたらを踏み、後ずさった巡査長をじりじり追いながら、田所はまる顔を赤く染めて慣れない口上を切り続けた。

「こいつは今の、いやこれからの《いそかぜ》に必要な奴なんです。新しいシステム憶えるのに、こいつがいてくれないと困るんです」

「よせよ。すぐに帰れるって言ってるんだから」

行が言う。両手を突き出したまま、田所は「この先、停職処分になったらどうすんだよ」と怒鳴り返した。

「おめえがいなくなったら、誰がおれたちにシステムを教えるんだよ。すぐにまた別の奴が送られてくるとでも思ってんのか？　そんな甘いもんじゃねえって、知ってんだろうが」

そう続けて、田所は軒先まで後退してそれ以上さがれなくなった巡査長に振り返った。

「頼みます、こいつ悪くないんです。おれを庇っただけです。勘弁してやってください」と言うと、田所もその場に正座し、頭を地べたにつけていた。

不意に熱い塊がのど元までこみ上げてきて、仙石ももういちど額を地面に押しつけた。

「おいおい、あんたら……」と困り果てた巡査長の声が聞こえた後、周囲はしばらく森閑とした空気に包まれた。

どれくらいそうしていたのか。「……おい、おまえ。いい先輩たち持ったな」という声が頭上を行き過ぎて、仙石は顔を上げた。行の肩をぽんと叩き、こちらに向かって小さく頷いた巡査長は、次の瞬間には形相を一変させて、「おい、おまえら！」と壁際に並ぶチンピラたちを怒鳴りつけた。

「こんど悪さしたら問答無用やぞ。ええな?」

そして、縮み上がったチンピラたちを背に、「帰るぞ」と相棒の巡査に言った。散り始めた野次馬に混じって自転車に向かうその背中に、巡査は「ちょ、ちょっといいんですか?」と追いすがる。

「もう無線入れちゃってるんですよ」

「ええ。わしがちゃんと話す。……あいつらの名前と住所、控えたんやろな?」

チンピラたちを顎でしゃくった巡査長に、すっかり連行するつもりでいたらしい巡査はしぶしぶ引き下がっていった。自転車のストッパーを外し、こちらに引き返してきた巡査長は、「さ、ええ加減立ちなさい」となんの含みもない微笑を見せた。

呆然と事の成り行きを見ていた体を起こすと、田所と行も立ち上がって仙石の隣に並んだ。巡査長は「こんなん、わし弱くてな……」と後頭部を掻いてから、田所と行の頭を一回ずつ軽く小突いた。

「おまえら、あんまり隊長さんを困らせるんやないぞ」

もういちど微笑して、自転車に跨る。仙石が「ありがとうございます」と頭を下げると、それまで周りで見守っていた菊政たちも並んで、一斉に腰を曲げた。「おめえもやれよ」と言った田所に首根っこをつかまれ、お辞儀させられた行の気配を脇に感じながら、仙石は自転車の音が聞こえなくなるまで頭を下げ続けた。

先任伍長の雷を予感したのか、菊政たちは足早に《いそかぜ》に帰り、行と田所だけが仙石のもとに残った。雁首ならべて叱責を待つ二人を見ても怒る気にはなれず、熱した頭を冷ますために港まで歩いて帰ることにした。

三十分も歩けば海岸に出る。どんより湿った熱帯夜の空気に潮の匂いが混じり、シャッターを下ろした商店街をしっぽり包み込む中、仙石の後を田所が歩き、少し距離を置いて行が続く。誰もなにも話そうとせず、車の一台も通らない静寂に、寡黙な男三人の足音だけが響いていた。

「……あの」

その沈黙を破ったのは、行だった。立ち止まり、振り向いた仙石と田所の顔を見較べた行は、目を伏せてぼそりと続けた。

「ありがとう……ございます」

そして、再び歩き始めた。田所と顔を見合わせた仙石は、それなりに精一杯の感謝を表そうとした不器用な背中に苦笑して、その後を追った。

「ま、いいお巡りで助かったよ。うん」

いつもの調子を取り戻した田所が、気楽な声で言う。「まあな。でもおまえ……」と言いかけると、「まあまあまあ」とたたみかけて、歩く仙石にまとわりつくようにした。「罰当番でもなんでも喜んでやりますから。今夜のところはひとつ穏便に。ね？」

拝む仕種にウインクを付け加えたまる顔に、小言を言う気も失せた。「まあいい。今夜はおれも疲れたよ」と言うと、「じゃ、そこらで一杯ひっかけてきますか」のセリフが即座に返ってきて、仙石は「バカタレ」と応じながら先を歩く行の背中を見た。

誰も寄せ付けようとしない頑なな背中。自分で決めた「掟」に従い、そのためにたくさんの苦労を背負い込んで、耐え続けた末に結実した無表情――。先刻の直感がそんな想像を呼び起こし、それに対してなにも言えない、語るべきなにものも持ち合わせていない自分を再確認した仙石は、意外にがっちりしているTシャツの肩を黙って見つめた。なにがそうさせているのか。どうしてああも簡単に自分を投げ出すことができるのか。もっと楽な生き方だってあるだろうに、なぜ……。

「でもおまえ、マジで強いよな。なんかやってんのか？」

沈思の間に、仙石を追い越して行の横に並んだ田所の背中が言っていた。「……別に。テレビとかの見よう見真似で」と答えた行は、「そうは見えねえけどなあ」と頭の後ろで手を組んだ田所をよそに、突然足を止めた。

シャッターを下ろした店のひとつをじっと見つめている。「どしたよ？」と田所が尋ねると、行はちらとだけ顔をこちらに向けた。

「すぐ追いつきます。先に行っててください」

言うなり、シャッターを叩いて「すみません!」と呼びかける。仙石と顔を見合わせた後、「なんか買い物か?」と言いながら行に並んだ田所は、自分も一緒になってシャッターを揺さぶり始めた。

次から次へと突拍子もないことをやってくれる。やれやれと思いながらポケットにタバコをまさぐり、店の看板を見上げた仙石は、そこに画材店の文字を読んで、吐きかけた息を呑み込んだ。

ほどなくシャッターが半分だけ上がり、寝巻き姿の老店主が迷惑げな顔を覗かせた。口下手の行に代わって田所が深夜の非常識を詫び、戸惑う店主を尻目に強引に店の中に押し入ってゆく。一分と経たず、シャッターをくぐり抜けてきた行の手には、思った通りビニールで包装された絵筆が握られていた。

ぐいと差し出し、「これ……忘れないうちに」と言った照れ臭そうな顔に、こちらもなんだか気恥しくなった。「ああ。……ありがとな」と受け取り、仙石はズボンから財布を取り出しかけたが、手で制した行は「いいんです」と言っていた。

「よかねえだろ」

「その代わり、アイス二人ぶん奢ってもらえますか」

もういちど店主に詫び、シャッターから出てきた田所をちらと振り返って、行ははっきりそう言った。不意に身近な匂いを漂わせた顔を見つめて、仙石は「……わかった」の返事を搾り出した。

ほんの微かに笑みを浮かべると、行は再び歩き始めた。贈られた筆を胸のポケットにしまって、仙石もその後を追った。

さっきまで体にのしかかっていた虚脱感がなくなり、足が軽くなっていた。筆から発する暖かみが胸から全身に広がり、わだかまる思いを溶かしてくれたようだった。


翌日。相も変わらぬ真夏日の下、出港準備に追われる《いそかぜ》の喧騒(けんそう)から外れた仙石は、杉浦砲雷長とともに舷門に立った。

舷門は、上陸するクルーの出入管理を行うため、停泊時に舷梯の脇に仮設されるテント小屋で、艦の受付窓口の役割も果たす場所だ。その管理長である警衛士官の杉浦と、先任警衛海曹の仙石が出港作業の最中にわざわざ待機していたのは、これから特別な客を迎え入れるためだった。

ほどなく二トン積載の七三式トラックが二台、バースに乗り入れてきて、舷梯の前で停車した。助手席から降り、荷台の幌(ほろ)をめくっててきぱき荷降ろしを始めた海曹の制服に、海上(F)訓練指導隊(TG)の赤腕章が巻いてあるのを見た仙石は、腰の後ろで組んでいる手をしっかり握り、顎を引いて休めの体勢を正した。

これから《いそかぜ》に乗艦し、その訓練ぶりを指導・採点する連中。総計二十三名にのぼるFTGの面々は、六日後に予定された《うらかぜ》との遭遇戦演習の際には、審判の役目も果たすことになっている。大抵は十名前後のFTG乗艦が、今回はミニ・イージス・システムのチェックを兼ねて多人数乗ってくることは以前から聞かされていたが、仙石を驚かせたのは、彼らがトラックから降ろしている荷物の量だった。

二十三名ぶんの私物は別にして、木箱が十数箱に、人の背丈ほどもある鉄製ケースが七、八個。いったいなんだ？と横目で見下ろすうちに、責任者らしい幹部の制服が軽い足取りで舷梯を昇ってきて、舷門のテント小屋をくぐっていた。三佐の肩章に、杉浦と仙石は先に敬礼をする。

「FTG訓練科長、三等海佐溝口哲也以下二十三名。護衛艦《いそかぜ》の訓練指導を命ぜられ、ただいま着任しました」

「ご苦労さまです。ようこそ《いそかぜ》へ」

杉浦のしゃちこ張った口調に、溝口は長身の上にのせた口もとをわずかに緩めた。なにかが頭の隅に引っかかる感覚があったが、仙石は直立不動のまま、「よろしく頼む」と言った溝口とは視線を合わせないようにした。

「時に、荷物の置き場所は？」

「用意してあります。先任伍長が部屋に案内している間に、運ばせておきます」

「いや。せっかくだが、我々の手で運び入れたい」

唐突に堅くなった声に、仙石は動かしかけた足を止めた。精悍だが、どこか陰惨な印象を与える整った横顔を見て、なにが引っかかったのかわかったような気がした。

目だ。笑っても決して動かない、光のない目。日焼けしていない肌は、海に出ても艦内にこもりがちなFTGには珍しくなかったが、こんな目の人間は今まで見たことがない。思わず凝視してしまうと、「新しく開発されたばかりの射撃測定機具でね」と付け足した溝口の視線が、ちらりとこちらを見返した。

「貴艦のクルーを信用しないわけではないが、徹底管理を申しつけられているんだ」

「了解しました。それでは自分が倉庫までご案内いたします」

そう言って杉浦が先に立つと、溝口は目で軽く会釈してから艦内に消えていった。それぞれ荷物を担い、舷梯を昇り始めたFTGの面々がそれに続く。肩章は海曹から一尉までさまざまだが、航海中は客人として等しく士官待遇される。知っている顔のひとつもあろうかとひとりひとりの顔に注視したが、協力して要領よく荷物を運び込む横顔は、どれも初めて見るものばかりだった。

黙々とした態度は、やはり海自隊員とはどこか雰囲気が違う。わけがわからんと思いながらも、仙石は後ろに控える警衛海曹たちに舷門のテントを撤去するよう命じた。間もなく甲板上を錯綜（さくそう）するもやい索の引き込みが始まる。作業の障害になるものは早めに片付けておく必要があった。

＊

「出港用意。もやい、放て！」

復唱の声がブリッジに響き渡り、同時に航海科員が出港ラッパを吹き鳴らす。足もとから這い上がるガスタービン・エンジンのアイドル音を聞きながら、宮津は続けて「両舷、後進半速」を令した。

微かな慣性がかかり、船体がゆっくりバースを離れる。それまで寄せる波に揺さぶられるだけだった《いそかぜ》が自らの力で動き始めると、横揺れはおさまり、クルーの生気と機関が血流となって、舳先から艦尾まで駆け抜けてゆくのが感じられた。

陸と断ち切れ、艦に命が宿る瞬間。窓の向こうに離れてゆく港の光景を見、ふと暗い感慨に捕らわれそうになった宮津は、操艦に意識を集中してそれを忘れることに努めた。予測より早い潮の流れを知覚して、回頭時期を早めるよう横田航海長に命じる。

先行した《うらかぜ》は、既に水道を南下している。回頭を済ませた後、出港針路に定針して両舷原速を令した宮津は、編隊出港の体裁が整ったことを確認してから艦長席に腰を据えた。

ウイングで双眼鏡を覗いている信号員が、《うらかぜ》の信号旗が上がるたびに大声で怒鳴り、その横に立つ見張り員は、商船やフェリーなど行会船の発見に余念がない。何度となく見てきた出港風景に、また暗い感慨が重なりそうになった時、「旗艦からの信号！」と叫んだ信号員の声がブリッジに響いた。

「陣形を離れ、先に指示した通り行動せよ、です」

復唱する通信士の声を聞きながら、宮津は四百メートル先を行く《うらかぜ》の船体を見つめた。艦橋構造部の後ろにある巨大な煙突の上に、ガスタービンの熱排気が醸し出す蜃気楼の揺らぎがある。増速をかけているのだろう。《うらかぜ》はこのまま紀伊半島沿いに南下し、横須賀方面への帰投コースをたどる。遭遇戦に備えて、先に大島近海で陣を張るためだ。対して《いそかぜ》は、やや右に針路を取って沖合の訓練海域に向かい、六日間の個艦訓練を行う。その間、FTGの手を借りてクルーの錬成に努め、満を持して《うらかぜ》との遭遇戦に臨むというのが、第三護衛隊群が作成した年度業務計画の段取りだった。

昨晩は衣笠も阿久津も上機嫌で、料理屋での一次会が終わった後、五キロほど離れた御坊市の歓楽街まで足をのばして、帰艦したのは午前三時過ぎ。その間、酔ってますます馬の合うところを見せつけた二人をよそに、宮津はひたすら手酌の酒を流し込む時間を過ごした。

あの時を境に、いっさい酒に酔えない体質になってしまった。胸苦しさを忘れようと飲み続けた酒が、今頃になって頭を重くしていることに内心舌打ちして、宮津は距離を開けてゆく《うらかぜ》から目を逸らした。目の裏にちらつく衣笠と阿久津の曇りのない眼差しを消すため、「航海長、操艦」と大きめの声で令した。

「航海長、いただきました。両舷前進原速、赤黒なし。針路二三〇」

ジャイロ・コンパス・リピーターの前に立つ横田が応じる。ベテランの彼に任せておけば問題はない。いまのうちに士官室係に頭痛薬を持ってきてもらおうと、宮津はテレトークの受話器に手をのばしかけたが、

「お久しぶりです、艦長」

急にかけられた陰のある声に、手を止めた。いつの間に上がってきたのか、FTGの訓練科長がすぐ後ろに立っていた。

相変わらずの暗い瞳を見、溝口の名札をちらと見下ろした宮津は、軽く頷いて応えておいた。白の開襟制服を身につけた溝口の姿を、似合わないものだと思いつつ、士官室に繋がる受話器を持ち上げた。

＊

早めに昼食を食べ終え、次の当直に就く前にいったん居住区に戻ると、ばんばんとなにかを叩く音が耳に飛び込んできた。

確かめるまでもない、騒がしければそこに田所がいる。案の定、休憩所のテレビをひっぱたき、ノイズの砂嵐を映すブラウン管を相手に格闘している田所の背中を横目にしつつ、自分のベッドに向かった行は、「いい加減あきらめろよ」と隣で見ていた三分隊の二曹が言うのを背中に聞いた。

「だってさあ、今日の『いいとも』は広末が出るんスよ？　いつもならもうちょっと映ってるはずなのに……」

そう言うと、田所はテレビを裏返して調節つまみをいじり始めた。艦が地上波放送の受像圏外に出て、映像が途切れてしまったことが不満らしい。衛星放送が見られればまだマシなのだろうが、艦には米海軍と共用しているフリーサット衛星用のアンテナはあっても、娯楽用の衛星放送を受信するアンテナはない。「おととい、落っことした時に壊れたんじゃねえの？」と冷たい目を向ける二曹の横をすり抜けて、「ほんじゃあ、しょうがないからゲーム・タイムにしますかね」と喜色満面の声を出した菊政が間に割って入った。

両手にはプレイステーションを抱えている。無類のテレビゲーム狂である菊政は、他にもポケットサイズのゲーム機を持ち込んでおり、非番になるとベッドに寝そべってピコピコ電子音を鳴らすのを常にしていた。田所が「キリのいいやつにしろよ。どうせもうじき訓練始まるんだから」などと言いながら、早速コントローラーを手中にする姿を目の端に捉えて、行は私物のショルダーバッグをベッドから取り出した。

中に入っている荷物の重さを確かめ、肩に担ぐ。そのまま居住区を出ようとして、「あれ、それプレステ？」という菊政の声に止められた。

バッグの口から、荷物が少しだけはみ出していた。テーブルの上のプレイステーションとそっくり同じ形の荷物をバッグに押し込んで、行は「……ああ」と答えた。

「へえ、先輩もやるんだ」と言った菊政に、「意外と普通の趣味だな」と田所が重ねる。昨晩以来、確実に変わった自分の身の置き場をあらためて自覚して、行は二人から目線を逸らした。

「……でも、壊れてて。次の当直は後部デッキだから、直してみる」

どうにか取り繕ってから、居住区の戸口を出た。「風間に見つかんなよ」という田所の声が背中に当たり、胸にちくりと痛みが走るのを感じた。

まずいなと思う自分がいる一方で、それはそれでやりやすくなるからいいと思う自分もいる。いちばん厄介なのは、そんな理屈を押し退けて、こうして他人たちに仲間扱いされるのも悪くないと感じかけている自分がいることで――すっかりペースの狂ってしまった頭を整理できないまま、行は後部デッキに上がった。

真っ青な色が網膜を刺激し、波をかき分ける轟音が全身の毛穴を塞ぐようにする。前直の二分隊海士と短い交代の儀礼を交わし、ひとりになった行は、ひとつ小さな息を吐いてから、夜とは別世界の後部デッキの景色を見渡していった。

陸地は水平線の向こうに消え去り、周囲三百六十度には海の蒼茫しかない。三角波の波頭が陽光にきらめき、銀色の光の群れを青の中に踊らせていたが、もうそれを美しいと捉える神経はなく、床に置いたショルダーバッグの中から荷物を取り出した。

見た目は完全なプレイステーション。だがそのディスクカバーは衛星の通信回線とリンクするアンテナ板になっており、バッテリーも内蔵しているために、本物のプレイステーションよりかなり重い。近ごろの護衛艦クルーは暇潰しにテレビゲームを持ち込む者もいるという情報をもとに、大急ぎで作られたものだ。

地上波放送が届かないように、海上では艦の通信設備を使わない限り、電話も無線も通じない。孤立した状況下で、どうやって陸と連絡を取るかという問題は、このプレイステーション型衛星通信機の発明で解消した。東海から九州までの経度内なら、約六十度の仰角で良好に衛星回線と繋がるという説明を思い起こしつつ、ディスクカバーを模したアンテナ板を起こした行は、バッグの中からケーブルと接続された携帯電話も取り出した。本物のプレイステーションであるなら、コントローラーの差し込み口に当たるコンセントにそれをはめ込んで、準備完了。通話ボタンに指をかけて、ふと、ちくりとした痛みが再び胸を刺すのを感じた。

一昨日の晩、同じ場所に座ってスケッチブックを前にしていた自分の姿が、脳裏をよぎったのだった。いい加減にしろ、と行は自分の内奥に叫んだ。おまえは誰だ。なぜここにいる。これからが本番なんだってことを忘れるな——。一気にそれだけの言葉を並べ立てて、通話ボタンを押す。それだけで回線が開き、秘匿回線に繋がるデジタル・ノイズを聞いた行は、次の瞬間には《いそかぜ》のクルーではなくなっていた。

「〈アンカー〉より〈ケーブルホルダー〉。定時連絡を行う」

すっと血が下がり、いつもの冷静な自分が帰ってくる。そう、これでいい。そのためにおれはここにいる。すぐに（〈ケーブルホルダー〉了解。メリット、5）の応答が返ってきて、行は彼の雇用者に現在の状況を伝え始めた。

後部デッキは次の交代まで訪れる人もなく、海だけがその小さな背信を見つめていた。

第二章

1

午後八時三十分に成田を発ってから、一時間半と少し。機内サービスに立ち働くスチュワーデスの姿も少なくなり、エコノミー・クラスですし詰めになっている乗客たちの中には、毛布をかぶって寝息をたて始める者もいる頃合だった。

七列の座席を隔てた向こうでは、天井に据えられた三管プロジェクターがハリウッド製の恋愛コメディをスクリーンに映し出している。抑えた照明の中、座席灯をつけてシドニーの観光案内をぱらぱらめくっていた女は、隣に座る白人の男がタバコをくわえる気配を察して、「吸うの？」と眉をひそめた。

「いけないか？　ここは禁煙席じゃないぜ、ハニー」

縮れた赤毛の下の目をこちらに向けて、夫ということになっている男は流暢な日本語で応じる。中途半端な艶を含んだ声に、肌が粟立つのを感じた女は、「それ、やめて」と吐き捨てながら何度目かの嘆息をついた。

「あんたのオーデコロンの匂いで、ただでさえ吐きそうなんだから」

「吐きたきゃ吐けよ。嫌なのはお互いさまだ。おれだって、ジャップの女とハネムーンに行ったなんてことがバレたら、女房に殺されるんだからな」

ぬけぬけと言った後、不意に顔を緊張させた男の視線を追った女は、危うく声を出しそうになった。中央座席の通路側に座るこちらから見れば、右斜め前。毛布を手にしたブロンドのスチュワーデスが、窓側席に座る客の一人に話しかけているところだった。

三人ぶんの座席を専有し、両脇に荷物を置いて真ん中の席に座るサブジェクト・デルタにとっては、突然のことだったに違いない。驚いた拍子に《ネスト》の抽出レバーが引かれ、〝あれ〟が機内に噴出する光景が頭の中を駆け抜けたこちらをよそに、デルタはあっさりと毛布を受け取っていた。

ほっと息をつき、座席に沈み込んだのは隣の男も一緒だった。九ヵ月間の籠城生活を耐え抜いたデルタが、そんなやわな神経の持ち主であるはずもない。そう思い直し、あと八時間後にはシドニーに着陸するオセアニア航空二〇二便の乗客たちを見渡した女は、ふと胸が締めつけられる感覚を味わった。

斜め後ろの席に、熊のぬいぐるみを抱いて寝入る金髪の少女を見つけてしまったからだった。彼女も、その隣でペーパーバックを読む母親らしい婦人も、数席へだてたところに悪魔が潜(ひそ)んでいることを知らない。ほんの少しのきっかけで、最悪の殺人兵器の蓋が開くことを知らない。そう思い、それに対してなにもできない自分の無力を、女はあらためて実感した。

女は、６４５と呼ばれていた。無論、両親は彼らが付けた名前で呼ぶし、学生時代の友人や、つきあって二年になる恋人も、戸籍に記された通りの名前で呼んでくれる。しかし彼女の雇用者——防衛庁情報局(ダイス)——は、仕事を命じる時には必ず無個性な数字で被雇用者たちを呼ぶのを常にしていた。

最初は抵抗があったが、すぐに慣れた。彼女の職場では誰もが当たり前にしていることで、多くのＯＬがそうするように、彼女は雇用者から与えられる仕事をこなして月々の給料をもらい、一人暮らしの生活を賄っている。職場のしきたりに従うのはやむをえないことだったし、第一、それ以上に不愉快なことがこの仕事にはいくらでもあった。

赤坂——在日ＣＩＡ——の局員と新婚夫婦を装い、シドニー行きの旅客機に乗り込んだ監視対象者(サブジェクト)・Ｄ(デルタ)を監視(ウオッチ)する。原則的に海外旅行が禁じられている身に、オーストラリア行きは魅力のはずだったが、いつ暴発するかもしれない特殊兵器と、人種差別を言葉の端々に滲ませる脂下(やにさが)ったＣＩＡ局員が道連れでは、不愉快という表現でもまだ足りない。〝あれ〟を強奪し、都内の一角に籠城した北朝鮮工作員たちを指をくわえて傍観した挙句、ついには国外逃亡を許してしまった日米情報機関の無能を反芻しつつ、なに食わぬ顔で乗客の一人になっているサブジェクト・デルタの様子を窺うしかないのが、645の立場だった。

　オーストラリア行きの航空券とパスポート、荷物検査除外を約束する外務省特別通達書をせしめた七人の強奪グループは、籠城していた森村ビルを後にすると間もなく分散した。七人全員が〝あれ〟を収めた容器――《ネスト》を所持している以上、拘束の挙に出ることはできず、それぞれサブジェクトA(アルファ)、B(ブラボー)、C(チャーリー)、D(デルタ)、E(エコー)、F(フォックスロット)、H(ホテル)のコードを付け――ちなみに、G(ゴルフ)はこの事件のコード名であるG事案と重複するために抜かされた――、空陸両方から使える限りの手を使って追跡した日米情報機関を尻目に、六人はその晩のうちに関東圏を脱出。デルタだけが都内に残り、上野のビジネスホテルで三日間過ごした後、新東京国際空港に向かってこのボーイング747型旅客機に乗り込んだのだった。

　単独行動ならいつかは拘束・奪還のチャンスが生じると信じ、徹底マークを続けた645たちを嘲笑うかのように、サブジェクト・デルタは片手を《ネスト》に塞がれた状態で、食事や排泄、睡眠などの日常行為を完全にこなしている。手首に固定され、少しの衝撃で抽出レバーが引かれる《ネスト》を傍らに置いて、今も片手で食事を済ませたらしいデルタの気配を斜め前に感じながら、645は誰にともなく「……本物かな」と呟いていた。

　七人が所持する《ネスト》のうち、本物はひとつで残りはダミー。それは間違いない。それぞれ別の監視班が張りついている他の六人の情報も今は知りようがなく、なにもできないいら立ちに思わず口にしてしまった言葉だったが、赤坂の男は「度胸があるなら確かめてみろよ」と、ここぞとばかりに突っ掛かってきた。

「奴さんの頭をぶち抜いてさ。ハズレならおれたちの仕事は終わり。もし当たりだったら、乗客もろともあの世行きだ」

ＣＩＡとダイスの混成編制はどの監視班も同じだったが、自分が組んだこの男は恐らく最低の部類だろう。男の隣に座る白髪の老人が、ヘッドホンを耳に映画に見入っている姿を確かめつつ、６４５は「泳がせて、荷受け先を探るのだって仕事でしょう？」と口を尖らせた。

「どうかな。上の連中は、案外おれたちがそうするのを期待してるかもしれないぜ」

「どういうこと？」

「ここなら、〝あれ〟が噴き出しても収拾がつけられるってことさ。墜落して〝あれ〟がまき散らされる前に、『解毒剤』を撃ち込んでこの飛行機ごと焼き尽くしちまえば事件は解決。……今頃は、お宅んとこのイーグルか、うちのホーネットが照準(ロックオン)してるかもしれないぜ。この飛行機をさ」

簡単に言った男に、６４５はひやりとしたものが背中を伝わるのを感じた。日本本土から千キロ以上離れたここなら、確かにそうしたオプションも考えられる。自分たちの他にも十名の日米情報局員が乗り込んでいることを思い起こし、「そういう抜け駆けを防ぐために、市ヶ谷と赤坂の要員がペアを組まされているんでしょう？」と反論すると、男は哀れむような目をこちらに寄越した。

「じゃあさ、あんたは断言できるかい？　自分が乗ってるから、市ヶ谷は絶対にこの旅客機を墜とさないって」

三百人の乗客を巻き添えに民間旅客機の撃墜を決意すれば、自分たちの命など物の数にも入らない現実を教える声だった。答えになっていないことを承知で、「……『解毒剤』のレシピはうちにはないから」と言った６４５に同業者の悲哀を見たのか、男はため息混じりに「そんなもんさ」と言った。

「だいたい、人身御供はあんたの国の伝統だろう？」

「アメリカ人みたいに、その場の気分だけで生きてませんからね」

その言葉を唯一の反撃にして、６４５は口を閉じた。顔を前に戻し、メグ・ライアンがはしゃいでいるスクリーンを見た途端、人影が立ち上がるのを目の端に捉えて、息を呑んだ。

通路を挟んだ向こうで、サブジェクト・デルタが席を立ったところだった。背中にデイパックを背負い、左手には相変わらず《ネスト》をぶら下げている。緊張した様子など微塵もない、ごく自然な無表情がこちらに向かって歩いてくると、全身を硬直させた６４５のすぐ横を素通りして、後方に消えていった。

トイレのドアの閉まる微かな音が、ジェットエンジンの振動音に混ざる。止めていた息を吐き、額に浮き出た汗を拭った６４５に、「出番だぜ」と言った赤坂の男が肘でつつく素振りを見せた。

言われなくてもわかっている。そのために自分が抜擢されたのだ。デルタには、他のサブジェクトたちとは明らかに異なる特性がある。付かず離れずでその動向を監視する役は、このいけ好かないＣＩＡ局員を始め、他の男たちにできる仕事ではなかった。足もとに置いたショルダーバッグを肩にかけた６４５は、自分もトイレに用のある顔で席を立った。

通路に踏み出した瞬間、バンと後方でなにかが弾け、同時に発した閃光が薄暗い機内を照らし出した。反射的に目を閉じ、椅子の背もたれをつかんで倒れそうになった体を支えた６４５は、直後に猛烈な風が全身を包むのを感じて、ぞっとなった。

強風などという生易しいものではない、気流が渦になって体に巻きつき、後方に引きずり込もうとしているかのような感覚。わけがわからず、反射的に座席にしがみついた６４５は、甲高い風の唸り声と乗客たちの悲鳴の中で、「奴だ……！」と赤坂の男が呻く声を聞いていた。

天井から酸素マスクが一斉に垂れ下がり、明滅する照明が非常灯に切り替わる。シートベルト着用のサインが薄明の中に浮き立ち、スチュワーデスがなにごとか叫ぶ声が微かに流れたが、荒れ狂う強風の中で聞き分けられるものではなかった。吹きつける気流の中で薄目を開け、後方を振り返った６４５は、先刻までサブジェクト・デルタが座っていた座席の窓が粉々に割れ、そこから凄まじい勢いで機内の空気が吸い出される光景を見て、腹の底が凍りつくのを感じた。

食器皿や新聞、毛布が乱れ飛び、気圧の低い外界に吸い出されてゆく。その中に熊のぬいぐるみが混ざり、ぎょっと先ほどの少女の席を振り返ると、泣き叫ぶ小さな体を抱きしめ、座席に覆い被さっている母親の背中だけが見えた。

子供を庇うのに必死で、自分はシートベルトを装着していない。早く付けなさいと叫びたかったが、いま口を開けば、気管が風に塞がれて呼吸ができなくなってしまうとわかっていた。歯を食いしばり、通路に踏んばってどうにか体勢を立て直そうとした途端、機首が大きく下に傾いて、645は再び背もたれにしがみつくので精一杯になった。

急激な降下に機体が振動し、頭上の荷物棚の蓋が開いてバッグが散乱する。高度を下げて、機内の気圧を維持しようとしているのだろう。とにかく酸素マスクを口にあて、急降下にじっと耐える乗客たちの顔は、どれも恐怖と絶望に塗り込められている。その理由も原因もわからないまま、理不尽な死に追いやられる人間たちの顔。不意に激しい怒りがこみ上げてきて、645は肩にかけていたバッグを手繰り寄せた。気配を察し、止めようと手をのばしてきたCIAの男を振り払い、取り出したグロック17自動拳銃のスライドを引いて初弾を装填した。

気圧が安定してきたのか、多少勢いの衰えた風を顔に受けながら、座席の背もたれを支えに傾斜した通路を進む。目的がなんであるにせよ、窓を爆破したのはサブジェクト・デルタに違いない。本物であろうがダミーであろうが、デルタを無力化して《ネスト》の状態を確かめる必要があると本能的に判断した645は、無我夢中で手を動かし、足を動かし続けた。《ネスト》が本物で、この震動で抽出レバーが引かれてしまったら、すべては終わり――。ハイヒールを脱ぎ捨て、どうにか二つぶんの座席を進んだ時、これまでの衝撃とは較べものにならない強烈な閃光と爆発音が発して、645は床に膝をついてしまった。

爆圧に歪んだ空気が、サブジェクト・デルタが潜むトイレから発して、機体をぶわんと激震させる。直後に炎の熱波が押し寄せ、咄嗟に片手で目を庇った645は、次の瞬間には進むべき通路がなくなっていることに気づいた。

そこにあるのは虚空だけだった。尾翼を生やしたジャンボの胴体後部が、乗客たちをばらまきながら放物線状に落下してゆくのが雲間に見え、引きちぎれた床に辛うじて引っかかった座席が、それを追うようにつぎつぎ闇夜に放り出されてゆく。白人の老夫婦、日本人の新婚カップル、金髪の少女とその母親。気流の渦に搦め取られ、暗黒に吸い込まれてゆく無数の人間たちの顔が、645の最後の記憶になった。

中央から真っ二つに折れたオセアニア航空二〇二便は、やがて過負荷にさらされた主翼も失って、太平洋上空にその巨体を四散させた。

仙石と田所の土下座に、義理を感じているからというわけではない。ただ、よくも悪くも《いそかぜ》のクルーに受け入れられてしまったからには、ミニ・イージス・システム習熟者の触れ込みで送り込まれた者として、期待される役割を演じてみせなければならない。その方が自然だし、自然に見えてこそ、本来の仕事もやりやすくなるはずだ……と、思うようにしていた。

＊

「全部のスイッチを見る必要なんてない。ミニ・イージスではＦＣＳ－３がシステムを一元コントロールしてるんだ。ここのメインランプがグリーンになってれば問題ないさ」

送り込まれる前に、艦内の構造からシステム操作に至るまで、ひと通りの知識は詰め込まれている。対空ミサイル垂直発射装置（ＶＬＳ）の電源室で、ずらりと並んだキュービクルのひとつを開けた如月行は、菊政に動作確認の手順を説明しているところだった。

「でも射管長は、全部のスイッチが確実にグリーンになってるか確認しろって……」

「まだ新しいシステムがよくわかってないんだ。ひとつでもエラーがあれば、どのみちＦＣＳ－３は動かない。マニュアルにとらわれてばっかりいると、要領が悪くなる一方だ」

由良を出て三日、訓練の合間にシステム講義を繰り返している口からは、そんなセリフもすらすら出てくる。付け焼き刃の速成教育で言えることではないと思ったが、菊政は「そうか……！」と単純に感動してくれた。

「これなら発射訓練の動作確認も余裕をもってできますね」

「慌ててコケることもなくなる」

キュービクルの蓋を閉じながら言うと、照れ笑いした菊政は、「それ言わないでくださいよ」と行の肩を肘でついてきた。自然に緩みかけた頬を、おれはいったいなにをやってるんだの思いで引き締めた行は、キュービクルの上に載せておいた大学ノートを手に電源室を後にした。

「やっぱり実地に扱ってた人は言うことが違うよな」などと言いながら、菊政がその後に続く。またついてくるつもりらしい。どこにいても怪しまれないし、噂話も自然に耳に入ってくる代わり、自分がどこでなにをしていたか、いちいちクルーの記憶に残ってしまう。《いそかぜ》のクルーに溶け込みすぎたことの功罪の中でも、特に厄介なのがこの菊政二士の存在で、由良での一件以来ますますなついてしまい、暇さえあれば先輩、先輩とついてくるありさまだった。

居心地がいいような悪いような、曖昧模糊とした空気に流されて、なんとなくそれを許してきてしまった。本来の仕事をどこかおざなりにしてきた自覚のある三日間を省(かえり)みた行は、今度こそ追い払おうと決めて足を止めた。

振り返り、「あのな」と低い声で切り出す。悪意の欠片もないどんぐり眼を見据えた行は、「……でも一応、射管長たちの言うことには従っておけよ」と、まったく違うことを口にしてしまっていた。

「……その、折を見ておれの方からリコメンドするから」

「わかってますって。上の人は規則を守るのが仕事だもんね。おれたちはおれたちで要領よく工夫していかないと」

全身の力が抜けるようなふにゃっとした笑顔で、菊政は言う。おれはバカだ、の思いを嚙み締め直して、行は大学ノートを小脇に下層に続くラッタルを急ぎ足で下っていった。

「どこ行くんですか？　これから非番でしょ」

慌てて足を速めた菊政の声が、背中にぶつかる。行は「機械室」と振り向かずに答えた。

「ちょっと、スケッチさせてもらおうと思って」

「へえ。先輩、絵なんて描くんだ」

「ああ。暇潰しにね」

「おれも行っていいスか？」

「……いいけど。つまんないぜ」

ニコニコ顔でラッタルを下ってくる菊政の気配を背にしながら、行は嘆息とともに機械室へ向かった。

四基のガスタービン・エンジンを収めた機械室は、第三と第四の二つの甲板を貫き、三区画に跨るスペースを占有している艦内最大の施設だ。全体は三つの部屋に分かれており、第一機械室には主ガスタービン・エンジン、第二機械室にはスクリュー軸にエンジンの回転を伝える減速装置、第三機械室には巡航ガスタービン・エンジンと配電盤、発電機や補助ボイラーなどが置かれていた。

エンジンと上構の煙突を結ぶ太い排気筒をはじめ、錯綜する複数のパイプが蔦のように壁を這う中に、錆止めペンキで塗装された巨大な機械群が鎮座するさまは、鋼鉄の神殿といった趣を醸し出している。原速十二ノットで航行中の今は、小出力のマリン・スペイ巡航ガスタービン・エンジンのみが稼働しており、第三機械室の扉をくぐった行は、その吸気音を聞きながら造水装置の脇に腰を下ろした。

巡検も終わり、幹部たちが引き上げた機械室には当直の機関員たちの姿しか見当たらない。「三十分だけだぞ? 機関士に見つかったら、後がうるさいからな」と言った三分隊の士長が点検の仕事に戻るのを待ってから、酒保で購入した大学ノートを開き、鉛筆で大まかな構図を描き始めた。

撮影や模写はもちろん、その性能について口外することも許されない機械室のスケッチができるのは、田所が口利きをしてくれたからだ。クルーに溶け込みすぎた功罪の功の部分で、昨夜のうちに第一機械室の素描を仕上げた行は、今夜は第三機械室のエンジンや排気筒、スクリュー軸の配置を丹念に描き込んでいった。

事前に見た艦の青写真は頭に入っているが、実物を前に検討した方が、いざという時の行動をより確実に行える。その意味では、先任伍長に絵に興味があるという印象を持たれたのは正解だったなと行は思った。こうして艦内をスケッチしていても、誰にも怪しまれず、むしろ自然な行為と映る。禍を福に転じさせるのも、才能のうち。教官の言葉を思い出して曖昧な気分を消し、無心に鉛筆を走らせていると、「こんなとこ描いて、おもしろいんスか？」と言った菊政の声が響いた。

「ごつごつしたものがたくさんあるから、練習になるんだ」

用意しておいた答えを口にすると、隣で退屈そうにしている菊政は、「ふうん」とわかったようなわからないような声を出した。

「……ね、先輩しばらく呉の方にいるんでしょ？　下宿は借りないんスか」

「さあ。まだ考えてない」

「きついっスよ、護衛艦が家ってのは。《いそかぜ》って、結構いい人が多かったから我慢できたけど、最近なんか変な幹部がいっぱい配転されてきちゃったし、おれ、そろそろ借りようかなって思ってんです」

床にぺったり座り込み、靴裏をぱかぱか打ち鳴らしながら菊政は続ける。行は「そう」と言っておいた。

「母港にいる間は、やっぱり陸（オカ）の上で寝なきゃ。おれ、金貯（た）めたいからいままで我慢してたんです。ばあちゃんに庭つき一戸建て買ってやるって約束しちゃったから」

「ふうん」

「おれ、ガキの頃に親が離婚しちゃって、ずっとばあちゃんに育ててもらってたから。せめてそれくらいしてやんないとって思うんスけど……。金って貯まんないもんスねえ。ついつい飲みに行ったりなんかしちゃって」

自分には無縁な話だった。どう応えていいかわからず、鉛筆を動かし続けていると、「だから……いや、やっぱそうだな。やっぱやめよう」とひとり納得した菊政の声がエンジン音の中に混ざった。

「先輩さえよかったら、折半（せっぱん）で下宿借りようって言うつもりだったんだけど。やっぱやめときますわ。もうちょっと我慢して、早く金貯めます。ばあちゃんだって、いつまで生きてるかわかんないし」

「……そう」

「先輩は、家族とか元気なんスか？」

配電盤を描きかけた手が、止まった。弛緩（しかん）したところに不意に質問を突きつけられて、偽装経歴（カバー・ストーリー）を頭に呼び出す間もないまま、「両親は、死んだ。だいぶ前に」と言ってしまっていた。

「……それじゃあ」

「じいさんに育てられたんだ」

半ば自棄の気分で付け足し、止まっていた手を動かした。まったく不用意に自分の恥部をさらけ出してしまったいら立ちが筆圧に表れ、濃い線で配電盤を描き込むうちに、「じゃあおれと同じだ。まだ元気なんスか？」と菊政の声が続いた。

今さら取り繕う気にはなれず、行は「死んだ」と短く答えた。そう、だからおれはここにいる。あの瞬間、父が祖父を殺したとわかった瞬間にわき出してきた未知の物質――今は体内の根本に息づく、ひどく冷徹で躊躇のないなにかが、自分をここに導いた。そんな言葉が無意識に固まりかけ、「……じゃあ、寂しいっスね」と言った菊政がそれを霧散させた。行は「別に。普通だよ」と応えて絵に神経を集中させた。

「よかったら、正月とかうちに来てくださいよ。きっとばあちゃんも喜ぶから」

しばらく沈黙した後、再び口を開いた菊政は、そう言ってこちらを見た。思わず見返してしまってから、行は半分ほど仕上がった機械室のスケッチに目を戻した。

他人から家に招待された経験などない。「田舎だから、ろくなもんないけど。いつも二人だけでワビしく祝ってんです」と続けた菊政は、ノートに向けた行の顔を覗き込むようにした。

「なんにも遠慮することないから、ぜひ来てくださいよ。ね？」

感じたことのない痛みが胸を衝き、それから逃れるために、行は「……わかった」と口にしていた。曇りのない菊政の笑顔に、痛みがいっそうひどくなるのが感じられた。

＊

補給科事務室に、書類を取りに行った帰り道。隣の第三居住区を覗いてみた仙石は、目の前をかすめた拳骨に思わずひっくり返りそうになった。

消灯前の自由時間を思い思いに過ごすクルーたちの中、Tシャツにジャージズボンの格好でシャドーボクシングの真似事をしていたらしい田所は、たたらを踏んだ仙石に「あ、先任伍長。危ないじゃないスか、急に顔出したら」と悪びれもせずに言う。「危ないのはどっちだ、バカタレ！」とがなった仙石は、失笑をかみ殺しているクルーたちを横目に、ひとつ咳払いをした。

出航三日目の夜。何度か個艦訓練を行いつつ、ひたすら南下を続けた《いそかぜ》は、今は本土から約千キロ離れた大東諸島沖を抜けて、折り返し地点の北回帰線を目前にしている。単独の訓練航海としては異例の遠出だったが、ミニ・イージスのレーダー機能の限界を調べるためには必要不可欠な距離であるらしい。

緯度が低くなるにつれて外気温は高くなり、バテる者も出てくるのではないかと懸念していたが、この調子なら問題はなさそうだ。「こんなとこで拳骨ふり回してたら、みんなの迷惑だろうが。ちっとは自分の図体を考えろ」と言って、仙石は居住区を出ようとしたが、

「でも、ジムは潰されちゃったし。他にやるとこないんスよ」

汗をタオルで拭いつつ、田所が口を尖らせる。運動不足とストレス発散を兼ねて、《いそかぜ》では空き倉庫にサンドバッグを吊し、簡易スポーツジムとして使っていたが、今は一般クルーはもちろん、先任海曹でさえも立入禁止の場所になってしまった。溝口三佐たち海上訓練指導隊(FTG)が持ち込んだ大量の荷物の置き場にされたからで、どんな最新機材が入っているのか、扉に防衛秘密区画の貼り紙までする徹底ぶりだった。

それでなくても、この三日間でFTGの面々はかなりの不評をクルーから買っている。

「非常識なんだよな、だいたい。人の艦にあんなにいっぱい荷物持ち込みやがってさ」と田所が口火を切ると、居合わせた曹士たちは一斉に不満を吐き出し始めた。

「なんの測定器か知らないけど、使ってる様子ないじゃないスか」

「だいたい今度来たFTGの連中、なんか変ですよ。全然、艦に慣れてないって感じ。射撃担当の茅野(かやの)とかって二尉なんか、出航初日からゲロッちゃって。通路で蹲(うずくま)ってっから声かけたら、トイレはどこだとかって聞いてくんスよ？　ゲロ袋も用意してねえでやんの」

「トイレの場所なんて、どの艦でもだいたい同じはずなのにな」

「どいつもこいつも、なんか見てて危なっかしいんだよな。FTGって、各科のベテランのはずでしょう？」

「おまけに愛想は悪いし。訓練の時だって、うしろでぼけっと見てるだけなんだもんな」

こうなると歯止めが効かなくなる。どれも思い当たる節（ふし）がある話だったが、仙石は「わかったわかった」と大声を出して一同の口を封じた。

「文句は言いっこなしだ。ジムが使えなくて体力を持て余してんなら、訓練を増やすよう上申しといてやる」

「結構です！」と真顔で唱和する田所たちを背に、仙石は今度こそ居住区を後にした。

問題の倉庫は第三甲板にあった。ちょうど第一砲台の真下に位置するところで、先任海曹（CPO）室に戻る道すがら、仙石はその前で足を止めた。

〈注意　許可を受けないでこの倉庫に立ち入ることを禁ずる〉の貼り紙は、防衛庁が発布した秘密保全の訓令に則り、警衛士官の杉浦砲雷長がワープロで作成したものだ。秘密の二文字は、自衛官であるなら大なり小なりつきあっていかなければならないもので、ターターなどミサイル・システムやレーダーにしても、基本の部分はブラックボックスに覆われており、現場の隊員には窺い知れない構造になっている。そうした環境に長くいれば、教えられること以外には興味は持たない性根も自然と身についてくるものだが、先任伍長の立場として、自分の知らないものが艦に積み込まれていることへの不快感は、それとは別だった。縦横きっちり規定の長さにそろえられた、杉浦の几帳面な性格が漂ってくる紙片を腕組みして見つめていると、「どうした、先任伍長。難しい顔して」の声が不意に降りかけられた。

いつの間にそこにいたのか、第二甲板に通じるラッタルの途中に竹中副長の微笑があった。艦長に次ぐ《いそかぜ》のトップでありながら、常に曹士クルーと同じ視点に立つことを忘れない。誰よりも身近な空気を漂わせている幹部の飾らない顔に、仙石は多少慌てて「あ、いや」と脱帽敬礼していた。

「いったいどんな最新機材が入ってるのかなって、ちょっと」

「どうせたいしたもんじゃないだろう。上の連中は、なんでも大げさにしたがるからな」

風呂上がりにぶらぶら艦内を散歩していたといった風情の竹中は、いつもの飄々とした口調で言った。こちらの心情を慮ったさり気ない声に、仙石はあらためて竹中が《いそかぜ》に残ってくれた幸運に感謝した。

「しかし、FTGがあれだけ乗り込んでくると、士官室はさぞ賑やかでしょうな」

気を取り直した声で言うと、ちらとこちらの顔を窺った竹中は、「どうだかな」とため息まじりに返した。

「なにやらいけ好かん連中さ」

竹中にしては珍しい、歯切れの悪い声だった。思わずその顔を見ると、「それより、クルーの方はどうだ？」と言った明るい声が、微かな疑念を払うようにしていた。

「この間の応急操舵訓練じゃ、ずいぶんタイムが向上したじゃないか」

「ええ、だいぶ慣れてきたようです。新システムも、みんな積極的に覚えようとし始めましたし。横須賀から送られてきた海士が役立ってくれてます」

「如月とか言ったか。士官室係の時は、えらく無口だがな」

「気を遣ってるんでしょう。シャイな奴ですから」

誰とも関わろうとせず、淡々とした態度で雑多なクルーの中に紛れていた行が、今ではミニ・イージス・システム取扱い経験者としての責任を、十分以上に果たしている。頭の固いベテランたちに臆することなくリコメンドし、覚えの悪い海士たちには居残り勉強をさせる熱心さで、その合間に、大学ノートを片手に艦内をスケッチしているらしいという噂も、仙石の耳に入ってきていた。

由良での一件以来、行は確実に変わった。触れられないと思っていた不可知な本質が、不器用なやさしさをまとって一歩こちらに近づいてきた。護衛艦の歯車のひとつになって費やしてきた時間を、ひどく無為なものに感じかけていた仙石にとって、それは自分の存在が無意味ではないと教えられたような、これまでの人生を肯定してくれる出来事に違いなかった。

「ようやく新生《いそかぜ》もひとつにまとまってきたか。さすがは先任伍長、といったところかな」

そんな思いを表情に読み取ったのか、竹中が冷やかす。「いやあ、まだまだです」と頭を掻いた仙石は、ふと翳りを宿した竹中の微笑に、笑いを引っ込めた。

「……あのな。ひとつ訊きたいことがあるんだが」

閉ざされた倉庫の扉を凝視して、竹中はやや堅くなった声で言った。「はあ」と応じた仙石を見ようともせず、精悍な横顔にためらいの表情を滲ませて、続けた。

「あくまでも仮定の話だが、もし《いそかぜ》に……」

緊急放送のブザーが通路に響き渡り、その先の言葉を遮った。反射的に天井に埋め込まれたスピーカーを振り仰いだ耳に、当直通信士の抑揚のない声が飛び込んできた。

（艦隊司令部より緊急通信受信中。船務長、機関長、艦橋）

最低限の言葉だけを並べた放送に、副長兼船務長の顔を取り戻した竹中は「すまん、また今度」と言い置いて、即座にラッタルを駆け上がってゆく。隊司令を通り越して、横須賀の自衛艦隊司令部から直接、緊急通信が届くとは穏やかではない。間もなく令されるだろう特別配備を予測して、仙石も早足でＣＰＯ室に戻る道をたどっていった。

竹中が言いかけたことなどは、頭から消えていた。

＊

「状況を達する。本艦は現在、北回帰線上を南航中であるが、沖ノ鳥島沖にて消息を絶った民間旅客機の捜索を命ぜられ、現場に急行中である。現場着予定二三〇〇。現場着後は、生存者救命部署に準じて海上捜索を実施する。状況によっては内火艇の発進もあり得るので……」

艦内放送マイクを握る杉浦砲雷長の緊張しきった声が、カーテン越しに聞こえる。艦隊司令部から航空救難の指令を受けて、そろそろ十五分。オセアニア航空二〇二便が最後に緊急事態を送信してきたポイントへ急行すべく、デバイダー片手に最短コースを海図に記した横田航海長の仕事を確かめた宮津は、そこだけカーテンで仕切られている海図台を出て、艦橋の暗闇に目を凝らした。

竹中副長をはじめ、主要幹部が集まってそれぞれの受け持ち部署に指示を出し、送られてくる情報の整理に努めている。ぴんと張った緊迫の糸を肌に感じながら、宮津は当直の通信士に「ロメオはどうなってる？」と尋ねてみた。

ロメオ——応急出動艦は、地方隊の大型艦が当番で回す役で、災害が起こった際には一時間以内に出港できるよう、地方総監部のある各港で待機している。通信コンソールに取りつき、ヘッドセットに横須賀地方総監部から届く声を聞き取っている通信士は、「横須賀と呉の両方に警急呼集がかかりました」と心持ち青ざめた顔で答えた。

「出港にはまだ時間がかかるようです。硫黄島（いおうじま）からは救難ヘリが出動。那覇の五空群にも出動が令されました」

「保安庁も動いたようです。小笠原から救難艇が出港した模様。那覇と石垣からもヘリが上がりました」

隣で別系統の無線を傍受していた竹中が、そう言って含んだ視線を向けてくる。目で頷き、「SARの範囲内だからな」と応じた宮津は、「グアムやウェークの動きは入ってこないか？」と重ねた。

海上保安庁が実施している海難即応体制（SAR）では、隣接国との責任分担海域が明示されている。オセアニア航空二〇二便が連絡を絶った沖ノ鳥島沖百八十キロは日本の分担海域だが、付近を流しているグアム島とウェーク島駐留の米沿岸警備隊が出張ってくる可能性もないではなかった。片耳だけあてたヘッドセットに手を添えて、竹中は「いまのところは、なにも」と答えた。

「ん。ま、我々が一番乗りだろう。現場の気象状況は？」

この海域には、他の海自艦艇や海上保安庁の巡視船の姿はない。フェーズド・アレイ・レーダーの探知限界を調べるため、訓練海域を大きく外れて南航していた《いそかぜ》が、どこよりも早く現場に到着するのは間違いなかった。

「横総監気象部の観測では、風E三ノット。雲二、波おおむね一、うねり一。付近に低気圧はありません。統計によれば、海水温度は二十度前後」と即答した通信士の声を聞いた宮津は、「ベタ凪だな」と漏らして竹中を見た。

「墜落の状況如何によっては、生存者がいる可能性も……」

そこまで言った宮津は、「艦長」と背後からかけられた声に口を閉じた。FTGの赤腕章の上に、三佐の肩章を付けた溝口訓練科長の長身が闇に浮き立っていた。

いつの間にブリッジに上がってきたのか。「なにかお手伝いすることはありませんか?」と言った顔に刻まれた微笑が癇にさわり、「ない」と返した宮津は、正面の窓に映る夜の海と空に視線を据えた。

「君たちは君たちの仕事をしておればいい」

憮然とした声に、「では、お言葉に甘えて」と慇懃に頭を垂れた溝口は、きびすを返してブリッジを後にした。入口で待っていた同じFTGの部下に目で合図し、ラッタルを下ってゆく背中を横目で見送った宮津は、苦味の滞留する胸に深呼吸の息を吸い込んだ。

＊

マスト上に灯っていた赤い緊急船舶表示灯が消え、通常の白色灯火に戻ると、艦橋構造部の張り出し（ウイング）に設置された六十センチ探照燈が光の輪を海面に落とすようになった。泥色に濁った海の色が露になり、海面を滑る光の輪の中に一瞬、黒い塊のようなものが浮かび上がるのを目撃した仙石は、慌てて首にかけている双眼鏡（メガネ）を覗き込んだ。

それほど大きなものではない。なにかのぬいぐるみ……熊だろうか？　思う間に探照燈の光が移動してしまい、仙石は軽く舌打ちしてメガネから目を離した。ぽつぽつと海面を漂う漂流物が、足もとに何百人かを乗せた旅客機が沈んでいる現実を嫌でも実感させる。鉄帽（テッパチ）の下の顔を真っ青にした菊政を振り返ってから、もういちど気味が悪いほどベタ凪ぎの海に目をやった。

オセアニア航空二〇二便の墜落は明らかだった。激突の衝撃で泡立ち、微かに油の筋を浮かべている現場海域を日中に鳥瞰（ちょうかん）すれば、直径一キロを超える汚濁の波紋が見えるはずだ。遭難予想海域到着と同時に生存者救命部署を発動し、両舷にずらりと見張り員を並べた《いそかぜ》は、舵が利くぎりぎりの微速五ノットで、その波紋のただ中に分け入ったところだった。

いわゆる総員配置で、手の空いた者はみんな第一甲板に上がり、細かな機体の破片や、乗客の手荷物が散乱する闇の海面を見つめている。見張り員は前部、中部、後部の三つに班分けされ、それぞれ幹部が指揮する体裁が整えられてはいたが、こうした局面では実務慣れした曹士たちの方が強いものだ。最初は先頭に立って仕切ろうとした杉浦砲雷長も、先任海曹たちの指示でてきぱき動くクルーたちを前に居場所を失い、今は風間水雷士とともに後方で所在なげに立ち尽くしていた。

いつもなら肘をつつきあって笑う光景だったが、今は誰にもそんな元気はない。戦闘訓練時と同様、テッパチに救命胴衣の姿で舷をぐるりと取り巻いたクルーたちの顔は、どれも鉛を飲み込んだように青ざめている。無口が常態の行はともかく、田所さえも頬に緊張を滲ませて、じっと沈黙を保っているありさまだった。バラバラになった人の手足や首が、不意に浮かび上がってきた時のショックに備えるかのように。

風もなく、どんより湿った空気が滞留する海は油を引いたような静けさで、汚水を思わせる澱んだ海面には、そうした不穏な想像を掻き立てる気配が濃厚に漂っているのだった。艦尾の水温記録器を下ろして調べたところ、水温は二十二度弱。「この水温なら、低体温症で死ぬまでかなりの間がある。全員、目をよく開いてどんな些細なものも見落とすな。人の命がかかってるんだ」と指示を出したのは仙石だが、正直なところ、生存者がいるとは思っていない。漂流物がそれを暗示していた。空のバッグやぬいぐるみ、万年筆のキャップなどが、海底に沈んだ機体から浮かび上がってきたとは考えられない。墜落前に、空中からまき散らされたと見るのが自然だった。なんらかの原因で機体に穴が開き、その破孔から吸い出されたのだろう。つまりオセアニア航空二〇二便は、海上に墜落して大破したのではなく、空中で分解、おそらくは爆発したのだ。生存者がいるわけはない。

「大韓航空機の時と同じだな」

同様の結論に達したのか、若狭が耳元で言う。旧ソ連機が、領空侵犯した韓国の旅客機を撃墜した事件。あの時も《いそかぜ》は現場のサハリン沖に留まり、水中処分隊とともに数日間、捜索活動を行ったものだった。「ああ。こりゃ乗客の生存は絶望的だな」と応じ、そろそろ到着してもおかしくない救難ヘリコプターの気配を星空に探った仙石は、唐突に発した大声にぎょっと振り返った。

「サメだ！」

後部甲板からだった。ヘリの発着デッキになっている後部甲板は、第二砲台の後ろにテニスコート程度の広さの空地を備えている。その左舷側の一端に集まり、二十ミリ機関砲(バルカン)の指揮台に据えられた探照燈が光を落とす海面を見下ろしているクルーたちの姿を見た仙石は、若狭とともに走り出していた。

持ち場を離れて集まったクルーたちに並んで、丸く照らし出された海面を凝視する。十メートルと離れていないところに、子供の靴らしきものがぷかぷか浮かぶのが見え、一瞬、太平洋のど真ん中ではなく、ヘドロを蓄(たくわ)えた町中の川を見下ろしている錯覚に陥(おちい)りそうになった。汚水の膜を破り、特徴のある背びれがぬるりと浮かび上がってきたのは、その瞬間だった。

間違いない、サメだ。種類はわからなかったが、すぐに海中に没した背びれの大きさから判断して、体長三メートルはある。このあたりに棲息しているのか、海底から漂う血の匂いにひかれてやってきたのか。周囲の動揺がはっきり伝わり、自分も肌が粟立つのが感じられたが、先任伍長がクルーと一緒にびびっているわけにはいかなかった。「みんな落ち着け」と大声を出した仙石は、顔面蒼白で立ち尽くすクルーの目を一人一人見ながら続けた。

「サメも寝入りばなを起こされて驚いてんだ。そっとしといて、こっちは人間様の捜索を続けよう」

冗談めかした声に、笑いを返す者はなかった。絶対に生存者なんていない、早くこの忌まわしい海から離れよう。全員の目がそう言い、気圧されそうになったところに、「さ、みんな持ち場に戻れ」と若狭が助け船を出してくれた。海の底に展開されている地獄図を頭に描いてしまったのか、滅多に見せない真顔で生唾を飲み下している田所を背に、仙石も中部甲板の煙突の前に戻った。

持ち場を離れず、膨脹式救命筏のラック脇で闇に目を向けていた行の横顔にも、いつにない緊張がある。仙石はもういちど夜空を振り仰ぎ、一向に聞こえてこないヘリのローター音に耳を澄ました。たまたま近くを航行していた《いそかぜ》が、現場着一番乗りになったのは当然としても、いまだに海自も海上保安庁も現れないというのはおかしい。ここのポイントはブリッジが既に連絡しているはずだから、まっすぐ飛んでくればそろそろ到着してもよさそうなものだ。応援がくれば少しは活気づくのに……と思いながら黒一色の闇夜を見上げた仙石は、「小銃（ライフル）、用意しといた方がよかないか？」と囁いた若狭の声をすぐ側に聞いた。

その目は、サメが背びれを覗かせた海面に注がれて離れない。艦内には警衛士官が管理する武器庫があり、八九式小銃とシグサワー自動拳銃が収納されている。フカよけ布という、溺者救助時に使うクラシカルな道具もあるにはあったが、手っ取り早くサメを追い払うには、やはり小銃を使うのがいちばんだった。

生存者が発見された場合、サメを威嚇して遠ざけるのに役立つし、見張りに立つクルーたちに安心感を与える効果もある。「あの石頭がうんって言うかな……」と言いながら、仙石は武器庫の鍵を持つ警衛士官の杉浦を窺った。前部甲板にいる杉浦は、手すりのチェーンにもたれかかり、おっかなびっくりの様子で五メートル下の海面を覗き込んでいる。テッパチの被り具合を正し、仙石はそちらに向かおうとしたが、

「人だ！」

誰かの声が頭上に発して、体が凍りついた。ウイングで見張りについているクルーが、左斜め前方を指さしている。探照燈が光を投げかけ、二百メートルほど離れた海面にぼんやりと白いものが浮かび上がるのを見た仙石は、慌てて双眼鏡（メガネ）に目をあてた。

機体の破片、おそらくは尾翼の一部らしい物体が、黒一色の海面を背景にぼうっと浮かび

上がっていた。周囲に立つ波のうねりから比較すれば、少なくとも二メートル四方はある。

これまで発見した中でいちばん大きい破片だ。その一端に辛うじて取りつき、肩から上だけを海面から出している人の形が見えて、仙石は思わず口をあんぐりと開けた。

気を失っているのか、あるいは既に息絶えているのか。探照燈の光に照らされてもぴくりとも動かない背中を凝視し、よもや腰から下がなくなってるなんてことはなかろうな……と不吉な想像を逞しくさせるうち、誰かが「女だ……！」と呟く声が聞こえた。

うつ伏せになった顔を窺うことはできないが、海水に洗われた細い肩の線は、確かに男のものではなかった。女――それも若い女だ。もし生存者なら、まさに奇跡としか言いようがない。それまで沈黙に塞がれていた上甲板が俄かに騒然となり、ウイングの上には、報告を受けたらしい宮津艦長が顔を覗かせた。

専用のメガネで問題の漂流物を見据え、宮津はすぐにブリッジに取って返す。テッパチの下に被った無線のヘッドセットに、哨戒長の声が流れたのはそれから間もなくのことだった。

（一号内火艇、発進用意。乗員は至急中部甲板に集合）

奇跡の生存者の救助が令されたのだった。

すべての護衛艦がそうであるように、《いそかぜ》も左右両舷に一隻ずつ内火艇を搭載している。ディーゼル・エンジンを装備した七・九メートル級ボートで、定員は二十五名。一号、二号内火艇を略して、それぞれ一内、二内の通称で呼ばれた。

乗員の選定は、現場着前に既に済ませてある。杉浦を艇長に、若狭、田所ら第一分隊のベテランで固めた総勢十名。日ごろ訓練していることでも、いざ実際となるとやはり勝手が違う。誰もが唇をきゅっと結んだまま、舷側に吊された一内に乗り込んでいた。

ボート・ダビットと呼ばれる内火艇係留機が、艇をゆっくり海面に降下させてゆく。収納時は内火艇を抱える形でたたまれているかぎ爪状の係留フレームは、今は外側に展開して艇を降ろすクレーンの役割を果たした。内火艇の前後に金具で接合された揚卸索(あげおろしさく)が、係留フレームを経由して繋がっている揚艇機によってじりじりと送り出され、内火艇の着水と同時に停止する。クルーが息を呑んで見下ろす中、若狭が慣れた様子で揚卸索を外すと、ディーゼルの唸(うな)りを上げた一内はみるみる《いそかぜ》との距離を開けていった。

ボート・ダビットの脇に立って、仙石はその航跡をメガネの中に追った。生存者発見直後に後進をかけて艦の行足を止めたものの、俄かに吹き始めた微風のせいもあって、問題の漂流物は三百メートル後方まで流れていってしまっている。黒い海面に、白い航跡を刻みながら直進する一内を見送る間に、くぐもった無線のやりとりが鼓膜を震わせ始めた。

(ビーチキャッスル、ディス・イズ・ビーチボート。派遣隊発進、これより漂流物に向かう。オーバー)

（ディス・イズ・ビーチキャッスル。ラジャー、アウト）

ブリッジと内火艇の交話だ。ビーチキャッスルは《いそかぜ》のコールサインで、ビーチボートは内火艇のコールサイン。無線交話の最初と最後には英語を使うのが海上自衛隊の決まりで、使い馴らされた発音は、キングスでもアメリカンでもない、海自イングリッシュとでも呼ぶべき独特のものだった。

後はただ待つしかない。ほんの数十秒のはずなのに、無線が途切れてからの時間がひどく長いものに感じられる。深度四百メートル以上の外洋、しかもサメが遊弋（ゆうよく）する海。内火艇はサメにひっくり返されるほどやわな代物ではないが、それでも油断はできない。やはり小銃を持って行くようリコメンドすべきだったか？　しかし不安定な艇の上で小銃を使えば、漂流物上の生存者を誤射してしまう可能性もあり……。

暑さのためか、緊張のためか。汗が目に入り、仙石はいったんメガネを外して顔を拭った。固唾（かたず）を呑んで漂流物の方を注視するクルーたちを振り返り、ふと、背後の揚艇機の前に屈み込んでいる救命胴衣の背中が視界の端に入った。

行だった。一内の動向に気を取られるクルーからひとり離れて、揚艇機を熱心に眺めている。どこか不自然な様子が気になり、体を向けかけた仙石は、同じように行の背中を見つめる菊政の横顔に気づいた。

菊政もこちらの視線に気づき、一瞬だけ目を合わせると、よそ見を注意されると思ったのか慌てて顔を前に戻した。あらためて行に振り返ったが、もうその姿はなく、揚卸索のリールを内蔵した揚艇機だけが、ぽつんと闇の中に浮かび上がっていた。

（ビーチキャッスル、ディス・イズ・ビーチボート。漂流物上に生存者を確認。東洋人、女、十代後半から二十代前半。目立った外傷はない。これより回収し、帰艦する。オーバー）

再開した無線の声に、仙石は海に意識を戻した。漂流物に接触した一号内火艇をメガネで捜すうち、（ディス・イズ・ビーチキャッスル。看護態勢を整えて待つ、アウト）の返信がブリッジから発した。

「おい、生きてるってよ」「マジかよ……」と囁きあう声が、全員の胸中を代弁していた。「他にも生存者がいるかもしれん。よく捜せ」と言って私語を封じた仙石は、慌てて周囲に目を配り始めたクルーの中に行が混じっているのを見てから、引き返してくる一内をメガネのレンズで確かめた。

十人のテッパチの頭と、艇の中央に寝かされる生存者を乗せた内火艇が《いそかぜ》に接舷するまでに、看護長が担架を携えた衛生員を引き連れて上甲板に上ってきた。毛布にくるまれた生存者の顔を早く拝みたかったが、すぐに始まった揚艇作業に追いやられて、仙石はボート・ダビットから一歩離れた三連装魚雷発射管の脇まで後退した。

内火艇の舷に備えられたゴム製の防舷物が、《いそかぜ》の乾舷（かんげん）に当たってゴンと鈍い音を立てる。舳先に立った若狭が係留フレームから垂れ下がった揚卸索をつかみ、前部の固定金具に接続する。船尾でも同じ作業が行われ、一内のエンジンが停止すると、運用担当の分隊先任海曹が、「揚艇用意……始め！」の号令を出した。

ピッ、ピッと警笛が吹かれる中、海面から持ち上げられた内火艇がじりじりと上昇してくる。手すりから身を乗り出して、仙石はミサイル士の膝に抱えられている生存者の顔を覗き込んでみた。

色白の細面（ほそおもて）、というのが第一印象だった。整った鼻梁と、ぴったり閉じられた瞼（まぶた）を飾る長いまつ毛。ショートにした黒髪が濡れた頬にはりついているのが、どこか扇情的（せんじょうてき）な雰囲気を醸し出していた。二十歳そこそこだろう。首筋に指の長さほどの傷痕が見えたが、古傷のようだ。手足を少々すりむいている他は、怪我らしい怪我は見つからなかった。

たったひとり、暗い海を漂流していた奇跡の美少女。まるで物語の世界だと不謹慎なことを思い、年甲斐もなく生唾を飲み込んだ仙石は、突然わき起こった鉄の悲鳴に心臓をわしづかみにされた。

ギリギリ、ガタガタと不協和音を発しているのは、揚卸索を巻き取る揚艇機だった。まずいと思った瞬間、一内を吊す舳先のロープがずるりと垂れ下がり、艇が大きく前のめりに傾いた。

排水量四トンの内火艇に引っ張られ、《いそかぜ》の船体もわずかに傾いたが、一内の乗員を襲った衝撃はそれどころではなかった。舳先に立つ若狭が艇外に放り出され、危うく揚卸索をつかんで宙吊りになった後ろで、田所たちも舷に頭をぶつけて総崩れになる。その勢いで一内の船体が左右に激しく揺れ、艇内を転がった乗員たちの体重が船首の方に集中すると、衝撃に耐え切れなくなった舳先の揚卸索固定金具が、バチンと不気味な音を立てていた。

不協和音を奏で続ける揚艇機が、なおも揚卸索を巻き取ろうとする。船尾だけが持ち上げられ、ますます前傾の度合いを深めてゆく一内を見た仙石は、「揚艇機を止めろ！　早く」と叫んで、乾舷の中ほどで宙ぶらりになった一内を見下ろした。

なんとか艇内に這い上がった若狭が、全員に船尾の方に向かうよう指さしている。探照燈の光が降りかかり、衝撃に歪んだ舳先の固定金具がいまにも外れそうなのを見た仙石は、手をのばしても引き上げられる高さではないことも確かめて、乗員にいったん海に落ちてもらうかと考えた。その後で縄梯子を垂らして引き上げた方が、内火艇ごと回収するより手っ取り早い。傾いた艇内を這い、船尾に向かおうとする田所たちにそのことを伝えようとした仙石は、探照燈の光に浮かび上がった海面下に、黒い大きなものが横切るのを見て体を凍りつかせた。

サメだ。餌が落ちてくるのを予知でもしたのか、ぐらぐら揺れる一内の真下にぬっと現れた影は、四メートル近い巨体をひるがえして、再び《いそかぜ》の艦底にもぐり込んでゆく。全身の毛穴が広がり、一瞬なにも考えられなくなった頭に「早く引き上げろ！」の声が響き渡った。

杉浦だった。足もとを回遊するサメを見てしまったらしく、揚卸索を支えに立ち上がったその顔は、パニック一歩手前の形相を呈している。「立つな！　バランスが崩れるぞ」と怒鳴り返した仙石は、その勢いで総毛立つ神経をなだめ、おろおろするクルーを押し退けて走り出した。頭の中に甲板装備の配置を呼び出し、後部甲板に向かう。繋船桁の脇にある索具箱から一巻きのサンドレットを取り出し、肩に担いでボート・ダビットに駆け戻った。

サンドレットは先端に砂袋がついたロープで、他艦との接舷や洋上給油の際、相手側の甲板に投擲して使うもやい索の一種だ。屈み込んで手をのばし、乗員を乗り移らせようと空しい努力をしているクルーたちを割って前に出た仙石は、サンドレットの砂袋を一内に垂らした。受け取った若狭が、すかさず船首の抑鎖用クリートにそれを巻きつけるのを見てから、「手伝え！」と周囲に呼びかけて、ロープを引っ張り始めた。

揚卸索の外れそうな船首を固定して、乗員が乗り移れる高さにまで一内を引き上げる。乗員さえ助けてしまえば、空の内火艇の処理はなんとでもなると思い、滑り止めペイントで塗装された甲板に足を踏んばった途端、ぐんとロープが引かれた。

いかれた揚艇機が揚卸索を滑らせ、一内がさらに前に傾いたのだった。菊政たちが後ろに並んでロープを持とうとした矢先で、仙石はあっという間に体勢を崩し、舷から滑り落ちてしまっていた。

ふわりと体が宙に浮き、真っ暗な海が視界いっぱいに広がる。なんでロープを手放さなかった、と自分を罵ったのが最後の思考だった。黒い影、鋭い牙を蓄えた口が待ち受ける死の海が目前に迫り、頭が真っ白になった一瞬、鋭い衝撃が足首に走った。

同時にテッパチの庇(ひさし)が乾舷にぶつかり、カンと乾いた音を立てた。《いそかぜ》の横腹に逆さ吊りになった仙石は、咄嗟につかまれた足首を引っ張られ、そのままずるずると引き上げられていった。

腰まで甲板に引き戻されたところで、後ろ手に手すりをつかんでなんとか体を起こした。足首から手を放した行の顔が見え、どっと噴き出してきた冷汗を拭った仙石は、「……すまねえ」の声をどうにか搾り出した。

それには応えず、甲板に置かれたサンドレットのロープを手に取った行は、無言で内火艇の引き揚げ作業を開始した。菊政たちがその後ろにつき、綱引きよろしく、ロープをじりじり引き込んでゆく。しばらく目をしばたかせた後、首を振って正気を取り戻した仙石も、戦列に加わってロープを引っ張り始めた。

十数人ぶんの力に一内の船首が持ち上がり、乗り移れる高さになったところで、最初に田所が甲板に這い昇ってきた。艇内に残る乗員と協力して、まずは気絶したままの生存者を移乗させる。毛布にくるまれた華奢(きゃしゃ)な体が甲板に横たえられ、看護長が脈を取る間に、一内の乗員たちは全員《いそかぜ》への帰艦を果たしていた。

まだ血の気の引いた顔色が戻らない杉浦の指示で、引き揚げ作業はいったん中断されることになった。どのみち、揚艇機を修理しなければ内火艇の収納はできない。あと少しで大事故になっていた現実が今さらのようにのしかかってきて、仙石は額にべったり張りついた汗を拭った。

クルーに死傷者が出るなんて、最悪の悪夢だ。体の奥から這い上がってくる寒気を堪え、怪我を気づかう衛生員に無事を伝えた仙石は、気を取り直して行の姿を捜した。

あいつが足をつかんでくれなかったら、今頃はサメの胃袋に収まっていたかもしれない。疲れきった様子のクルーの中に行の横顔を見つけ、あらためて礼を言おうと近づきかけた仙石は、その険しい表情に思わず足を止めた。

じっと一点を凝視する目は、担架に載せて運ばれてゆく生存者に注がれている。鋭い視線は、ただ見ているというのではなく、そこに憎悪の対象を見出したかのようだった。

気になり、そちらに歩み寄ろうとすると、「先任伍長」と呼びかける声が背後にした。振り向いた目に、探照燈の光線を背にした溝口訓練科長の顔が映った。

救命胴衣を着こんだ作業服の袖には、律儀にＦＴＧの腕章が巻かれている。「さすがだな。よくやってくれた」と続けられた溝口の意外な言葉に、仙石は「いやあ……」と愛想笑いを浮かべた。

「危うくこっちがサメの餌になっちまうところで」

「だが、お陰で内火艇の乗員は助かった。唯一の生存者も」

表情のない目はそのまま、頰と唇だけで微笑を作ると、溝口は返答に窮した仙石に「感謝する」と付け加えて、艦内に戻っていった。なんなんだと思ったのも一瞬、仙石は行の方に向き直ったが、反対舷にでも行ったのか、その姿は既に見える範囲から消えていた。代わりにブリッジから下りてきた竹中副長らが、修理の始まった揚艇機を取り囲んでいる光景が見えた。

仙石もその輪の中に加わり、揚艇機のカバーを開け、揚卸索のリールを点検する分隊先任海曹の背中を見守った。「なんだ、こりゃ」の声が発したのは、作業が始まって一分もしないうちのことだった。

「こんなもんが挟まってりゃ、壊れもするよ」と言って海曹が差し出したのは、小さなリベットだった。小指の先ほどの鋲が揚卸索の吸い出し口から揚艇機の中に入り込み、ギアに挟まってリールを空回りさせていたらしい。

「いったいどういうことだ。揚艇機の点検番はなにを見ていたんだ」

いつの間に現れたのか、風間がキノコ顔を紅潮させて言う。「自分が今日の夕方に見た時には、こんなものは……」としどろもどろになる海曹の脇で、甲板索具の管理を任されている掌帆長の若狭が、「自分も確かめました」と冷静に重ねていた。

「少なくとも十八時まで、揚艇機に異状はありませんでした」

「だが現に我々はサメに食われるところだった。風に飛ばされて入るような代物じゃないぞ、これは」と杉浦。また面倒なことになってきたと思いながら聞いた仙石は、「誰かが故意に入れたとしか……」と続いた声に、思わず顔を上げた。

揚艇機の前に屈み込んでいた、行の背中を思い出してしまったからだった。まさか……の疑念が形になる前に、「まあまあ、砲雷長」と言った竹中が、杉浦の肩に手を置いていた。

「とりあえず無事に済んだんだ。原因究明は後にして、今は捜索を続けよう。じきにヘリも合流する」

反論しかけた杉浦を目で制し、竹中はこちらに振り返った。「交代でみんな休ませよう」と言った声に背筋をのばして応じながらも、仙石の頭の中には揚艇機を覗き込む行の姿が大写しになっていた。

ありえない。あいつがそんなことをする理由がどこにある。ただの偶然だ。何度も自分に言い聞かせ、その場を離れようとして、こちらに目線を送っていた菊政と顔を合わせた。蒼白な顔に、彼もあのとき行の背中を見ていたことを思い出した仙石は、その場に棒立ちになってしまった。

しばらく互いの目を覗き込んだ後、菊政は無理に笑みを浮かべて、共有する暗い想像を払うようにした。そんなバカなと無言で告げた目に、こちらもどうにか頰を動かして、仙石は汗ばんだ手にメガネを握り直した。

まばらに漂流物を浮かべる、澱んだ海を見渡す。胸の中を引き写したかのように、闇の海面はどこまでも黒々としていた。

2

舷側を囲うライフネットが展開されると、着艦標識の記された後部甲板は海上ヘリポートの役を果たすようになる。水平線上に盛り上がった積乱雲(せきらんうん)を背景に、一機のヘリコプターが接近してくるのを確かめた仙石は、メガネから目を離して背後の後部上構を振り仰いだ。パイロットに艦の動揺を伝える水平燈が正常に点灯していることを確認して、再び目に染みるような青空に目を戻す。航続距離を延ばすため、機体両脇に大型の燃料タンクを抱えた海上自衛隊の救難ヘリ・UH-60Jの特異なシルエットが肉眼でも見えるようになり、隣にいる若狭と二人、第二砲台の脇にまで後退した。

ミサイル護衛艦(DDG)の《いそかぜ》には、ヘリの格納庫もなければ発着艦指揮所(LSO)もない。パイロットは自分の目と腕だけを頼りにフリーデッキ・ランディングしなければならず、少しでも着艦状況をよくするために、《いそかぜ》では現在フィン・スタビライザーが作動していた。艦底両脇にひれのように生えているフィン・スタビライザーは、ヘリ発着の大敵である横揺れを軽減する装置で、これを動かしながら進路を風に立てて高速航行すれば、狭い飛行甲板に降りるパイロットの労苦がかなり軽減される。気流と闘いつつ、慎重に艦との相対速度を合わせたＵＨ‐60Ｊは、飛行甲板上でつかの間ホバリングした後、ゆっくり降下を開始した。

着陸脚（ランディング・ギア）のタイヤが甲板に接地し、甲板をゴンと打ち鳴らしたと同時に、機体側面のカーゴドアが開いて航空士がヘルメットの頭を覗かせる。ローターが発する強風の中、手を振って積載準備が整っていることを伝えた航空士に、こちらも手を振り返した仙石は、後ろで待機する田所たちに軽く頷いて見せた。

甲板に三つ並べられた担架を担いで、救命胴衣を装着したクルーたちの背中がヘリに向かってゆく。すぐに再離陸するため、風防越しに見える二人のパイロットは操縦桿（そうじゅうかん）を握ったまま動かない。回転し続けるローターの下、航空士だけが担架の積み込みを指示している。三つあるうち、上に毛布が掛けられた二つは、昨晩から今朝にかけてできる限り回収した漂流物。靴やハンドバッグ、衣類といった乗客の遺品がほとんどで、機体の破片もいくつか入れてある。残るひとつには黒い強化ビニール製の袋が載せられており、俗に死体袋と呼ばれるそれの中には、この墜落事故で唯一の生存者だったはずの少女が収められていた。

丁重にカーゴドアの中に積み込まれた死体袋を見、あの長いまつ毛の下にある瞳を見たかったものだ……と苦い感慨を飲み下していると、「せっかくの美人が、もったいない話だな」

と怒鳴った若狭の声が耳元に弾けた。ヘリのローターが唸る近くでは、大声を出さなければ会話ができない。返事をする前に、「こっちは本職の医者ってわけじゃないんだ」と不機嫌な声が背後に響いて、仙石は若狭とともに後ろを振り返った。

「頭を強打してたんだ。艦内の設備じゃ、どのみち手の打ちようがなかったよ」

風に飛ばされないよう、銀髪の上に被った略帽を顎紐で留めた看護長の憮然とした顔に、若狭は気まずそうに目を逸らした。仮眠の時間はあったはずだが、看護長は目を赤く充血させている。苦労の末、助け出した生存者の突然の死に、いちばん呵責を感じているのは彼かもしれない。高度な応急手当訓練しか受けていない身で、必死に治療を試みたのだろう看護長の短軀から視線を外した仙石は、積み込みを終えて再発艦の準備に入ったヘリに目を戻した。

容態が急変したのは、艦内の医務室に運び込んですぐのことだった。仙石たちが夜を徹しての捜索活動を続けていた最中の出来事で、生存者は結局いちども目を開くことがないまま、静かに息を引き取ったのだという。ターボシャフト・エンジンの吸気音をひときわ高め、離床していったヘリを見送りつつ、徒労に終わった昨晩を嘆息するしかないのが仙石の立場だった。

テールローターをこちらに向け、急速に離れてゆくUH-60Jの行く手には、他にも複数の航空機が飛び交う光景がある。海自の対潜哨戒ヘリや、白い機体に水色のラインが鮮やかな海上保安庁の救難ヘリ。報道の民間ヘリがその合間をちょこまか飛び、少し高度を取って、両翼のプロペラを轟然と唸らせた対潜哨戒機P－3Cや救難飛行艇US－1Aが飛行する。彼らの眼下には、無数の艦艇がひしめきあう墜落現場の海が広がっており、未明から始まった捜索活動がいよいよ本格化したことを伝えていた。

《いそかぜ》の現場着から、四時間もの間を置いて捜索隊が到着するまでに、大部分の漂流物は沈むか風で流されるかしてしまった。海面を覆っていた油膜も今は散ってしまい、青い海は凄惨な事故をまるごと呑み込んで、平素と変わらない顔を取り戻している。機体を引き揚げるまでには、かなりの時間がかかることを覚悟しなければならないはずだったが、《いそかぜ》にはもう関係のある話ではなかった。呉からは水中処分隊も到着し、関東以西の全管区から集まった海上保安庁の巡視船と、海自の海底探索のプロが集結した海に《いそかぜ》の居場所はなく、回収した漂流物をヘリに引き渡した後は、もとの訓練航海に戻るよう命じられていたからだった。

遅れを取り戻そうとするかのように、せかせか動き回るヘリや艦艇が遠ざかるのを見ていると、寝不足の頭から欠伸（あくび）がこみ上げてきた。交代で二時間ずつ仮眠をとったとはいえ、誰も彼も疲れきっている。今日はせめて、午前中の訓練は休みにしてもらいたいものだと思う間に、ライフネットを閉じた飛行甲板から田所が駆け戻ってきた。他の海士たちに艦内に戻るよう指示した田所は、自分は担架を担いだ手をごしごしこすり合わせて仙石の隣に並んだ。

「あー、ヤな感じ。死体ってあんなに軽くなっちゃうんだ」

　げっそりした声に、仙石は思わず若狭と顔を見合わせた。そんな話は聞いたことがない。「そうだったか?」と聞き返すと、「ひょいって持てちゃう感じっスよ」の即答が返ってきた。

「昨夜持ち上げた時には、もっと重かったような気がしたんだけどなあ……」

　宙吊りになった内火艇から直接、生存者の少女を引き上げたのは田所だった。ふうむと意味深な息をついた若狭は、両手を組みながら「もしかしたら、死体は入ってなかったのかもしれんな」と真顔で応じていた。

「ええ⁉」

「生き返って、まだ艦内をうろついてるんだぞ、きっと。私を海から救い上げてくださった田所士長はどこですか……なんて言いながらな。通路に濡れた足跡があったら要注意だ」

「やめてくださいよ……! シャレになってないっスよ」

　本気で顔を青くしている田所に、仙石も「いいじゃないか。美人だったし」と言ってやった。「そういう問題じゃないです!」と頰を膨らませた田所は、鼻息荒く艦内に戻る道をたどっていった。

「心配すんな。死体がなかったら、ヘリが大慌てで引き返してくるよ。事の経緯は、上がちゃんと連絡してるはずだからな」

その背中に言ってから、仙石も艦内に戻った。艦橋構造脇の水密戸をくぐりかけて、若狭の思案顔が甲板に立ち尽くしたままなのに気づいた。

「どうした。さすがの掌帆長も疲れ気味か?」

「いや……。その、上なんだけどな。なにか変だと思わないか?」

促されて艦橋構造の中に入った若狭は、第二甲板に下るラッタルに向かいながら言っていた。仙石は「なにが?」と聞き返す。

「昨夜のことにしてもだ。FTGの連中がしゃしゃり出てくる必要なんかなかったはずだ。二内の乗員はちゃんと選定してあったんだぞ?」

いら立ちの滲んだ声だった。仙石はラッタルを下りきったところで足を止め、その顔を見返した。

仙石が仮眠に入った直後、二号内火艇が発進したという話はもちろん聞いていた。再び漂流者らしきものが海上に発見されたからで、事前に決まっていた派遣隊員を押し退け、二内乗員に名乗りをあげたのは溝口たちFTGの面々だった。

役立たず、ただ飯食いの汚名を返上しようとしたのかどうかは定かでないが、彼らはいっさいクルーの手を借りずに二号内火艇を降ろし、回収に出かけていった。もっとも漂流者と見えたのはただの機体の破片で、いくつかの遺留品を回収した防水袋だけを手土産に、引き返す羽目になったのだが。

「一内がトラブった直後だったし、おれが直接、揚艇機の操作をするって言ったんだ。なのにそれも断って、発進から引き揚げまでぜんぶ自分たちだけでやりやがった。客人の仁義ったって、ここまでクルーを無視するやり方を認めるなんて、艦長たちもおかしいと思わんか？　だいたい、連中が見たっていってる漂流物にしても、クルーは誰も確認してないんだ」

「……どういうことだ」

「わからんから聞いてるんだ。捜索隊の一陣が到着したのだって、おれたちが現場に着いて四時間近くも経ってからだぞ。こっちがちゃんと通報してれば、P‐3Cなら一時間以内に飛んでこれたはずだ」

初任幹部がばたばたと通路を駆けていって、二人はいったん口を噤んだ。通路の左右に人の気配がないことを確かめてから、仙石は若狭をラッタルの陰に押しやった。

「でも、もし通報してなかったら、艦長たちもただじゃ……」

「そいつはわからんぜ。事故現場を捜してうろうろしてたって言えば、時間はどうとでも粉飾できる。艦隊司令部がモニターしてる艦の全地球測位システム（GPS）の信号は、けっこうアバウトな代物らしいからな。こっちの動向を逐一、監視してるってわけじゃない」

ラッタルの鉄階段に片手を置いて、若狭は簡単に言った。長年の相棒の意外な一面に、仙石はすぐには応じる言葉がなかった。

「上がなにをどう報告してるかなんて、わかったもんじゃないってことだ。いっぺん海に出ちまえば、艦は単独行動が基本だからな。今みたいに個艦訓練をやってる間は、特に」

「でもな、それを言い出せば……」

「わかってるよ。上を信用できなくなったら、艦の規律や命令系統が混乱して収拾がつかなくなる。だけどな、大規模な人事配転があってから、幹部の間になにか不透明な空気が流れているのは間違いない事実だ」

まっすぐな目に、仙石は今度こそ言葉を失って視線を逸らした。同じ思いを抱いていながら、正面から取り合おうとしなかったこれまでを反芻し、自分にはそんなふうに物事を概観する頭はなかった、任官されてからこっち、上から下りてくる仕事をただこなすだけの毎日だった……と、場違いな感慨にとらわれもした。

揚艇機の前にいた行のこともある。結局、自分はなにもわかっていないし、わかろうとさえしていなかったのではないか。すべてがうまくいっていると思い込み、さすがは先任伍長とおだてられて浮かれていた自分が、ひどく矮小なものに感じられた。

「……おれは《いそかぜ》が好きだ。あんたのことも信用してる」

沈黙の間に、若狭が言っていた。仙石はその顔を見ることができなかった。

「だから、裏でこそこそしてる連中を見過ごすことができないんだ。防衛秘密に口出しするつもりはないが、この艦でなにが起こっているのか、おれたちには知る権利が……」

そこで若狭が言葉を切ったのは、ラッタルの向こうにある戦闘情報指揮所(CIC)の鉄扉が開いたからだった。書類を片手にした竹中副長が顔を見せ、こちらに気づくと「よう、ご苦労さん」と闊達(かったつ)な声をあげて近づいてきた。

「悪い。ちょっと熱くなった」

竹中に一礼した後、若狭はそう言って軽く肩を叩き、CPO室の方に戻っていった。まだ整理のつかない頭で、仙石はとりあえず竹中に踵を揃えて見せた。

「遺体と漂流物の引き渡し、無事終わりました」

「ああ、CICのモニターで見てたよ。横総監から今朝の新聞のファックスが届いた。後で食堂の掲示板にでも貼っといてくれ」

そう言って竹中が差し出したB4大の紙には、朝刊の一面が縮小印刷されていた。〈豪旅客機　太平洋上で遭難〉の大見出しの下に、〈乗客二百九十四名のうち、日本人乗客百四十八名〉〈乗員、乗客の生存は絶望か〉の文字。事故現場の写真はまだなく、オセアニア航空が所有する墜落機と同型のボーイング747の資料写真が、代わりに掲載されている。「まったく、災難だよな」と言った竹中の声に、仙石はちらりと目を上げた。

「今日は一日、訓練を休むようにとの艦長のお達しだ。明後日からは《うらかぜ》との遭遇戦に備えて三直制に移行するから、今のうちにクルーを休ませといてくれ」

演習中は四直交代から三直交代に切り換わり、通常航海直より多い人員を配置につける。交代のサイクルが早まり、勤務がきつくなるのを見越した宮津艦長が、昨晩のねぎらいも兼ねて臨時の休日を設けたのだろうとわかったが、それで胸のわだかまりが解消されるものでもなかった。「了解しました」と応じた仙石は、背中を向けかけた竹中を「……あの」と呼び止めた。

「捜索隊の出足がずいぶん遅かったようですが、なにやってたんですかね」

「ああ……。他にも漂流物の散乱してる海域があって、そっちの捜索に回ってたらしい。結局、おれたちのいた方が本当の墜落地点だったようだがな」

不審の欠片もない返答だったが、それが事実なのか、事前に用意された周到な嘘なのかを判断することはできなかった。「……そうですか」と言って目を伏せた仙石に、「たまに遠出すると、ろくなことがないよな」と竹中はいつもの笑顔を見せた。

「ま、厄落としだと思って、今日はしっかり休んでくれ」

そのままラッタルを昇ってゆく。仙石は「副長」と、もう一度その背中を呼び止めた。

「昨夜、なにをおっしゃろうとしてたんですか？」

すっかり忘れていたのに、急に思い出したのは自分でも意外なことだった。「仮定の話だが、もし《いそかぜ》に……って」と付け足した仙石は、「……さて、なんだったかな」と応じた竹中の背中が、微かに揺れるのを見た。

「いろいろあったんで忘れちまった。思い出したら話すよ」

ほんの少し、作為のこもった笑顔をこちらに向けて言うと、竹中はラッタルの残りを駆け上がっていった。ますます重くなった胸のわだかまりを抱いて、仙石は薄暗い通路を歩いた。


その足で最下層の第四甲板に下りた仙石は、第三居住区に向かった。昨晩の疲れを引きずったまま、非番直の体をベッドに横たえていたクルーに訓練休みを告げると、歓声とともに全員が布団をはね飛ばしていた。

休みと聞けば元気になるのは、どこの世界も変わらない。さっそくゲーム機を持ち出し、テレビとの接続を開始した菊政たちを横目に、仙石は行の姿を捜した。なにをどう話したらいいのかわからないまま、とにかく会わなければという思いだけが先行してのことだったが、芋洗いの居住区にその顔を見つけることはできなかった。三段ベッドの列を見回し、寝そべって雑誌を読んでいる田所を見つけて、「如月は？」と尋ねてみた。

「当直じゃないんスか？　さっきまでいたけど」

アザラシよろしく、巨体を中段のベッドに押し込んでいる田所は、顔だけこちらに向けて応える。「……そうか」と言ってから、仙石はベッドの柱に軽く寄りかかった。

「なあ、兵長。あいつ最近、変わったところないか？」

「変わったところって？」

「その、なんていうか、他の奴と違ってることをしてるとか……」

「ああ、それならあるっスよ」

簡単に応じた声に、「なんだ」と勢い込むと、田所は深く考える様子もなく口を開いた。

「新システムのことをみんなに教えたり、艦内の絵を描いたり。見せてもらったけど、メチャメチャうまいっスよ。先任伍長に強力なライバル出現、て感じっスね」

的外れな答えに気勢をくじかれ、仙石はがっくり首を垂れた。

「いや、そういうんじゃなくてな。その、変わった行動だよ。なんか変なことを言ったりやったり、そういうのはないか？」

「そんなこと言ったら、あいつもともと変だから。いちいち気にしてたらきりがないっスよ。先任伍長も知ってるじゃないスか」

器用に身をひるがえしてベッドから這い出してくると、仙石とほぼ同じ目線になった田所は続けた。

「まあ、最近は慣れてきたけど。つきあってみれば、それほど悪い奴じゃないっスよ。族にもあんな奴いたから、おれなんとなくわかるんです」

「……そうか」

「どうしたんです。なんかあったんスか？」

「いや、別になんでもないんだ。ちゃんとうまくいってるのかって、少し気になったもんでな」

なにを説明するわけにもいかず、仙石は言葉を濁した。「ふうん」と応じて顔色を窺った田所は、「意外と心配性なんスね。そんなおっかねえ顔して」と肉厚の頬を緩めた。

不安や迷いをその場で溶かしてしまう、若者らしい率直な笑みに、こちらの頬も緩んだ。自分も昔はこんなふうだったとほろ苦い思いを抱いて、「あと二十年もして、おまえも先任伍長って呼ばれるようになればわかるよ」と言ってやった。

「おまえらは、みんなおれの子供みたいなもんなんだ。……中には不肖の息子もいるけどな」

そう言って田所の額を小突いた瞬間、波浪の動揺とは明らかに異なる震えが床から這い上がってきた。条件反射で天井を見上げた仙石は、ぴたりと動きを止めたクルーたちの間に、ざわとした緊張が走るのを肌で感じ取った。

一瞬の沈黙の後、ドシンとなにかを落としたような音が艦尾の方向から発した。それまで耳に馴染んでいたエンジン音が咳き込み始め、動揺するクルーを押し退けて通路に飛び出した仙石は、機械室の前にうっすら煙の幕がかかっているのを見てぎょっとなった。

隣の補給科事務室から補給長たちが飛び出してゆく。サイレンが鳴り響き、(機関トラブル発生)のアナウンスが流れたのはその直後のことだった。

（応急操舵部署発動、応急操舵部署発動。要員は至急配置につけ）

哨戒長の声がスピーカーから流れる。どす黒い不安が首をもたげるのを感じながら、仙石は咄嗟に走り出した。

＊

（やられたのはスペイの方だけです。少々煙を噴きましたが、火は出ていません。早急にエンジン・カットしたのが幸いしました）

スピーカーから聞こえてくる酒井機関長のだみ声に、ブリッジに集まった幹部たちは一様に安堵の息を吐いた。エンジンが煙を噴いたと聞いた時には血が凍りつく思いだったが、故障したのが巡航用のマリン・スペイだけなら、とりあえず航行に支障はない。機関破壊、火災発生を覚悟していた胸をなで下ろしつつ、宮津は「原因はわからんのか」の声をマイクに吹き込んだ。

（目下調査中ですが、潤滑油タンク内に水のような不純物が混ぜられていた形跡があり、それが機器の作動不良を招いたものと思われます）

トラブル発生と同時に機械室に下りた酒井機関長は、部内幹候に入学するまでは機関科一筋の道を歩んできた男だ。おそらくは間違いのない推測を聞かされて、宮津は無意識にマイクを握る手に力を込めていた。

　ありえない事故。機関士役も経験している身にはそれがわかる。誰かが故意にそうしなければ、密閉された潤滑油タンクに水が混ざるなどありえない。同様の思いに至ったらしい竹中と目を見交わした宮津は、「そうか」と努めて冷静な声を出した。

「復旧にはどれくらいかかる？」

（エンジン・カバーを開いて、中を点検、清掃する必要があります。どんなに急いでも、今夜半ぐらいまでは……）

「わかった。オリンパスだけでも巡航速度は維持できるな」

　COGAG（Combined Gasturbine And Gasturbine）方式機関は、巡航用と高速用のタービンを二基ずつ搭載し、最大戦速の時にのみ両タービンを併用するシステムだ。巡航タービンが使用不能でも、高速タービンのマリン・オリンパスが生きていれば通常航海には問題がない。（は。対地速度(SOA)二十ノットはいけます）と応じた酒井に、「よし、適当なところに錨(びょう)を打つ。修理に全力をあげてくれ」と重ねた宮津は、マイクを置いて幹部たちに振り返った。

「航海長、錨地(びょうち)の設定を頼む。ここからなら北硫黄島あたりがいいだろう」

　復唱した横田航海長がチャート・ボックスに向かうのを見てから、ブリッジの窓外に広がる海原(うなばら)を見渡した。墜落現場を離れ、北航を開始してから三時間と少し。進路を東に取り直せば、約六時間の航走で小笠原近海――錨泊可能な浅瀬にまでたどり着くことができる。艦長席に戻り、このところ吸う本数が激増しているタバコを口にくわえかけると、さり気なく脇に立った竹中が「よろしいのですか？」と、宮津にだけ聞こえる声で言った。

「荒れそうな空模様だ。海のど真ん中でガブられたら、修理どころではなくなる。ここはいったん腰を落ち着けた方がいい」

晴れ渡った典型的な夏空だが、水平線を飾る積乱雲の中ほどには黒い陰りが見えた。

「……は」と応えた竹中が、不安を捨てきれずにいるのを察した宮津は、「まだ時間はある」と言ってその目を見つめた。

「《うらかぜ》との遭遇戦には百パーセントの出力で臨まねばならんからな」

そのひと言で口もとを引き締め、引き下がった竹中を背にした宮津は、「応急操舵やめ。部署復旧だ。それから艦内に状況を通達」と立て続けに指示を出した。他にも群司令と隊司令に対する故障報告の起案、後方幕僚への仮泊報告と、やることは山ほどある。俄かに慌ただしくなったブリッジの空気を感じながら、宮津は今度こそタバコをくわえた。ライターを取り出そうとしたが、すっと横合いからのびた手に、胸ポケットをまさぐる指を止めていた。

「ネズミが動き出しましたかな」

ライターを点火させながら、溝口訓練科長が言っていた。楽しむような目から視線を外し、「誘っておいて、よく言う……」と呟いた宮津は、顔を背け、ポケットから出した自分のライターでタバコに火をつけた。微笑の亀裂を顔に刻んだまま、溝口はライターを引っ込める。

「幹部とはいえ、貴官はこの艦に間借りしている身だ。あまり気安くブリッジに足を踏み入れてもらっては困る」

立ち働くクルーがこちらを見ていないことを確かめてから、宮津は前を見たまま言ってやった。もったいぶった仕種で一礼し、「心得ましょう」と返した溝口は、するりとその場を離れていった。紫煙を吸い込んで、宮津は足音が遠ざかってゆくのを背中に聞いた。

＊

応急操舵部署が解かれ、通常航海直が復旧してから六時間後。午後三時ちょうどに、《いそかぜ》は北硫黄島沖に仮泊した。

島岸より約三百メートルで、深度は三十五メートル、底質は砂。理想的な錨地に主錨を打った《いそかぜ》は、海底にがっしり食い込んだアドミラルティ型アンカーと、錨鎖の重量に繋ぎ止められて、百五十メートルの巨体を波間に固定している。もっとも錨泊の一時間ほど前から立ち始めた三角波に揺さぶられ、その船体は小刻みにローリングをくり返してはいたが。

投錨作業終了後は、エンジンの清掃と点検にあたる機関科員を除いて、クルーは引き続き休養を取ることとされていた。修理が終われば入れ替わりに休めるとばかり、油まみれでしゃかりきになって働く機関科員たちの様子を機械室に確かめた仙石は、夕飯を済ませた後、画材道具を手に後部デッキへと向かった。

錨泊中の艦は、風や潮に流されてアンカーバース——下ろした錨鎖の長さを半径とする円——の中を動き回る。それに不愉快なローリングの反復が加われば、ベテランの船乗りでも酔ってしまうもので、艦内はビニール袋を片手にしたクルーの青い顔が目立ち始める頃だった。例によってまったく平気な体で通路を歩き、洗面所で筆洗い用の水を補給した仙石は、戸口を出たところで意外な顔と出くわした。

「やあ、先任伍長」

微笑した宮津艦長の顔は油で汚れ、作業服にも黒い染みがこびりついていた。滅多に顔を合わせない雲上人(うんじょうびと)との突然の対面に、仙石は「は、は……！」と直立不動になった。

「ちょっと機関の手伝いにな。昔の癖で、ついはりきってしまった」

艦橋構造の城を出て、機関科員同様、油まみれになっている体をそう説明すると、宮津は屈託ない笑顔で「クルーには迷惑な艦長だな」と付け足した。現場にやかましく口を挟んでくる艦長はいるが、それが余分なプレッシャーをクルーに与えてしまうことまで配慮できる者はそういない。仙石は、「いえ、そんなことは。若い連中には励みになります」と世辞を抜きにして言っていた。

「しかしよく揺れるな」

「沖合は今ごろ大波でしょう。早めに錨を打っていただいて助かりました」

三角波に持ち上げられ、時おりギリギリと鉄の軋みをあげる艦内の天井を見上げながら言うと、宮津ははにかんだように微笑してから、仙石が小脇に抱えているスケッチブックに目を止めた。「それは、画材道具かな」と言った声に、仙石は自分でも顔が赤くなるのがわかった。

「は……。手慰みでして」

「噂は聞いているよ。機会があったら、ぜひ作品を見せてもらいたいな」

「は、はい。お見せするほどのものじゃありませんが」

俯き加減でどうにか答えた仙石に、「明日からまた忙しくなる。今日はゆっくり休んでおいてくれ」と重ねた宮津は、ブリッジに戻る通路を歩いていった。脱帽敬礼して見送った仙石は、その行く手に田所の背中が現れるのを認めた。

食堂から出てきた田所は、「あー、気持ち悪りい」などと呟きつつ、胃のあたりをさすっている。宮津が「船酔いか？　兵長」と丸い背中に呼びかけると、ん？と面倒そうに振り返った不機嫌顔が、みるみる硬直していった。

「あ、か、艦長！　おはようございます！」

慌てて気をつけをしながら、午後六時の時刻を忘れて大声で言う。微笑して、宮津は聞かなかったことにしてくれたようだ。

「昨夜はご苦労だった。酔いがひどいようだったら、上甲板に出て遠くを見ているといい」

「はい！　もう平気です。ありがとうございました！」

ガチガチの敬礼をした田所は、仙石が見ていたことに気づくと、途端に顔をニマニマさせた。船酔いも忘れた様子で、「今の聞きました？　おれのこと兵長だって」と言いながら近づいてくる。

「ああ。ちゃんと覚えてくださってるんだな」

「初めてですよ、おれらのことまでちゃんとわかってる艦長なんて。ああいう艦長なら、おれもなってやってもいいな」

腕を組み、さも感服したというふうに何度も頷く頭を、「こっちがお断りだよ」と小突いてから、仙石は洗身室の先にある後部デッキに向かった。宮津が優れた艦長であると再確認したところで、胸のわだかまりが解消するわけではなく、それを心苦しく思いながら、デッキを隔てる水密戸を開いた。

茜色(あかねいろ)の光が目に飛び込んできて、室内の明かりに慣れた体をくらくらさせた。西に傾いた太陽はちょうど水平線に差しかかったところで、暗いオレンジに照らされ、複雑な波の縞模様を浮かび上がらせる海が、この時はひどくもの悲しい光景に見えた。鉛色に鈍った海面を見つめ、じっと立ち尽くしている如月行の背中を見た仙石は、「邪魔するぜ」と言いながら後ろ手に水密戸を閉めた。

海鳥が群れ集う北硫黄島を見渡し、「こいつは絶景だな」と独りごちてから、仙石は床に腰を下ろして画材道具を広げ始めた。微かに顔を動かしただけで、行はなにも言わなかった。

「おまえは描かないのか？　最近、また描き始めたんだろ」

努めてなに気ないふうを装って聞くと、「当直中ですから」の声が即座に返ってきた。

「へ、あてつけか？　せっかく久々に陸が見えたってのに」

スケッチブックを膝に載せ、鉛筆で下絵を描く。行は背を向けたまま、振り返る気配もなかった。一度は繋がりかけたなにかが再び離れてしまったことを実感しつつ、航走中に描いている習い性で五分足らずの間に下絵を仕上げた仙石は、紺色の絵の具をパレットに垂らし始めた。

『おれだって疑いたくないし、第一、信じられないんです』

艦尾に寄せ、静かに弾ける波音に、先刻聞いた菊政の声が重なってゆく。エンジントラブルがひと段落し、部署復旧して間もなく、相談があると言って仙石のもとにやってきた菊政は、二人きりになったCPO室でそう切り出していた。

『でも、如月先輩はあの時、間違いなく揚艇機になにかしてた。先任伍長が気づく前から、おれ見てたんです。ポケットからなにか取り出して、揚艇機の前に屈み込んで……。普通見間違いだって思ってた。だから忘れてたんだけど、今度は機械室でトラブル……。普通じゃ起こり得ない事故だって聞いて、そしたら機械室でスケッチしてた先輩のこと思い出しちゃって……。おれ、どうしていいかわかんないんです。先輩の目を見れなくなっちゃったんです。そんなことするわけないって思おうとするんだけど、あの時の目がどうしても頭から離れないんです』

あの時？　聞き返した仙石に、菊政は由良のスナックで大立ち回りを演じた時だと答えた。

『あっという間に全員やっつけて、お巡りとかが駆けつけた時。おれが後ろから呼びかけたら、すごい怖い目でこっちを見た。なんか物でも見るみたいで、おれ、冗談じゃなくて、殺されるんじゃないかって一瞬、思った。その後、すぐにおれだって気づいて、いつもの顔に戻ったんだけど。そうしたらなんだか、今度はすごく悲しそうな目をして……』

わかるような気がした。行は確かに内奥になにかを隠し持っている。あるいは飼っているというべきか。常人には窺い知れない、攻撃的ななにかが、あの無表情の奥にはひそんでいる。そしてそれを人に見られるのを恐れている。

それが行の不可知の本質なのだろうか。そう考えて、いや、それは違うと仙石は思い直す。牙を剝いた後、なんの躊躇もなく自分の体を投げ出し、田所の拳を受けたり、進んで警察に出向こうとしたりした破滅的なまでの潔さ。自ら決めた掟に従い、その結果を自分ひとりの心と身体で受け止めてきた、その堅さの奥に秘めたなにかがあるはずだ。そうでなければ、こんなに人の気持ちを揺さぶりはしない。菊政はその時、涙さえ浮かべていたのだ。

『おれ、ばあちゃんにいつも言われてた。おまえはお人好しで、のんびりしすぎてるって。そんなじゃ世間を渡っていけないって。ここのみんなはよくしてくれるけど、心の底ではやっぱりお荷物だって思われてるの、わかってた。そういうのって、ちょっとした目付きとかでわかるじゃないですか。でも如月先輩にはそういうとこが全然なかった。少し困ったみたいな顔して、ちゃんとおれの話を聞いてくれた。わかったようなこと言って、無責任に相槌を打つ他の人たちよりも、ずっと……おれにはやさしい人に見えた。

だからこんなの嫌なんです。はっきりしたいんです。もちろん、先輩がそんなことするわけないって思ってる。でも、もしそうだったとしても、それにはちゃんとした理由があるはずだ。それを知りたいんです。おれの口からは聞けないけど……』

菊政はそう言って、後はうなだれるだけだった。仙石は他言無用を念押しして、居住区に戻るよう言うしかなかった。

そうして行が当直になるのを見計らい、この後部デッキにやってきたのだが、どう切り出したらいいのか皆目見当もつかない。正面きって問いただしても無駄ということだけはわかっている。堅い殻に覆われた不可知、一瞬だけ素顔を見せ、再び閉じ籠もってしまった不可知に、どう近づけばいいのか——。

「絵の具、垂れてますよ」

不意に発した行の声に、遊離していた心が肉体に戻った。筆から滴った絵の具が画用紙に染みを作っているのを見て、仙石は慌てて止めた手を動かし始めた。

「やっぱ、調子が出ねえな。天才が近くにいるとプレッシャーがかかっちまっていけねえや」

白々しいごまかしの言葉を並べると、行は「自分は別に天才じゃありません」と背中で応えた。話の糸口を逃すまいとして、仙石は「そうかねえ」の声を間を置かずに重ねた。

「おれにはそうとしか見えねえけどな。兵長だって褒めてたぜ、艦内のスケッチ」

「あんなの絵じゃない。見たものをそのまま描いてるだけです。練習すれば誰だってあのくらいは描ける」

「そういうのをな、天才の傲慢って言うんだぜ」

「おれはもう描くのをやめたんです」

聞いたことのない、強い調子の声がそう言って、仙石は口を閉じた。少しだけ顔をこちらに向けた後、手すりに近づいた行は、両手をそのチェーンの上にのせた。

「……先任伍長は、なんで描いてるんです？」

三分の一ほど水平線に隠れた夕陽を見つめて、朱色に染まった横顔が言う。初めての質問に戸惑い、「なんでって……。暇潰しだよ」と答えると、「それだけですか?」と重ねた顔がまっすぐこちらを見た。

なにかを確かめる目だった。しばらく見返してから、顔を俯けた仙石は、無意識に心の奥底をまさぐった。

「……さあな。うまく言えねえけど、紛らわすためかな」

自然に口が動き、そう言っていた。黙って先を促す行から視線を逸らして、仙石は自らの心の内側を見据えた。

「昔は違ってた。単純な風景の中にある、こう、なにか本質みたいなものを写し取ってやろうって、そんなふうに思いながら描いてたんだ。でもな、おれにはそんな才能なんかありゃしない。とっくの昔にわかってたのに、飽きもせず描き続けてたのは……そうしてる間は、いろんなことを忘れられるからだろうな」

「忘れる……」

「ああ。この歳になるとな、解決できない、忘れるしかない悩みや不満ってのが、たんまりできちまうもんなんだ。仕事のこととか、家のこととかな……」

他人になってしまった頼子の横顔が浮かび、続いて、艦首で飾りになっているターターの形が脳裏に像を結んだ。呆気なく崩れていった、自分の人生の輪郭。この航海が終わった後、おれはいったいどこに帰るんだろう？　ふと考えてしまってから、「若いおまえには、わからん話だろうな」と締め括って、仙石は筆をペットボトルに差し込んだ。

とんだお笑い種だ、と思った。先任伍長づらをぶら下げて、クルーの不審な行動を質しにきたつもりが、逆に自分の愚痴を聞かせてしまうとは。結局、おれはなにをやっても中途半端ということか。ペットボトルに差し込まれた贈り物の筆を見下ろし、溶けた絵の具が中の水を濁らせてゆくのをぼんやり見つめた仙石は、行が手すりのチェーンをギッと揺らす音を聞いた。

「……忘れたり、紛らわしたりするために描くんじゃ絵は描けない。そんな絵は人の胸を打つことはしない」

それをきっかけにしたように、行は口を開いた。仙石はオレンジの光に縁取られた背中を見上げた。

「怒り、喜び、悲しみ、なんでもいい。自分の胸の中を覗き込んで、そこにある思いのたけをぶつける。そうしなければ、なにもつかみとることはできない。……人の心は、とても弱いから」

チェーンをぎゅっと握りしめ、遠くを見つめる横顔が続ける。仙石が立ち上がると、

「……だからおれは描くのをやめた」と言った声が風に流れた。

「胸の中にあるのは、見たくない、思い出したくないものばかりだから……」

手すりをつかんだ手が、白くなるほど握りしめられていた。その肩が微かに震え、耐え難い痛みをじっと堪えているかのような後ろ姿に、仙石の胸にも言いようのない痛みが走った。

おれの半分も生きてない身体に、おまえはいったいなにを受け止めているんだ。その疑問が渦を巻いたが、口に出すことはできなかった。中途半端な自分に、そんな資格はない。そ

れだけを痛感して、誰も寄せつけようとしない背中を見つめた。

「……なにがあったか知らねえけど、どうでもいいじゃねえか。昔のことなんて」

手をのばし、行の肩に置きかけて、果たせずに仙石は拳を握りしめた。じっとその場に佇んで、行は動こうとしなかった。

「おまえの人生はまだ始まったばっかりなんだ。思いはこれからどんどん貯めていけばいいさ。兵長や菊政……みんなだっているんだ」

微かに顔が動いたが、表情を読み取ることはできなかった。一歩近づきかけて、再びためらってしまった仙石は、無言で画材道具の片付けを始めた。

すぐ目の前にありながら、絶対的に遠い背中を向けたまま、行は暮れてゆく海を見つめていた。「……邪魔したな」と言い残して、仙石は後部デッキを後にした。

（戦闘配食、通路開け）

艦内スピーカーの声が告げる。戦闘訓練のために閉鎖されていた隔壁の水密戸が一斉に開放され、烹炊員が携帯食を各部署に配って回る、中休みの時間の始まりだった。無電池電話のヘッドセットを外し、ひとつ伸びをした仙石は、後ろでコンソールに向き合っている田所に扉を開けてこいと言いかけて、口を閉じた。

振り向いた目に、とっくの昔に扉を開けて、通路で配食を待ち侘びている背中が映ったからだった。まったく、こういう時ばかりは素早い。反対側の座席にいる射管員の三曹と苦笑顔を見交わして、仙石は覗き窓の向こうに見える艦首に目を戻した。

機関修理を終え、夜半に抜錨した《いそかぜ》は、今は小笠原諸島を後にして一路大島沖を目指していた。明後日の夜に迫った《うらかぜ》との遭遇戦演習に備えて訓練も再開され、今日は午前から午後までぶっ通しの戦闘訓練。FTGの面々が訓練に参加し、人的余裕ができたことから、射管員の三曹に加えて田所もターターに配置された。

一日の休養が効果を上げたのか、ここまではなかなか好成績を修めている。今日はターターの出番もあり、矢継ぎ早に出される想定に従って発射管制をしていれば、胸のわだかまりに思い悩む暇もなく、久々に心地好い疲労を味わっているのが今の仙石だった。

あれからは事故もなく、行と菊政も平素と変わりなく行動している。変に気をまわし過ぎだったかな……などと思う間に、ボイルした缶詰飯と紙コップの茶が運ばれてきて、ターター管制室での昼食が始まった。

「お、鳥飯だ。ラッキー」と言いながら、田所はさっそく濃緑色で塗られた無愛想な缶詰の飯を頬ばっている。うんざり顔で箸を動かしている三曹が、「よくまあそう喜んで食えるもんだな」と呆れきった声をかけた。

「うまいじゃないスか。戦闘食の中でも、鳥飯はソーセージと並び称される名作ですよ」

「味付ハンバーグは？」

「あれはヤバい。ドッグフードの味がしますからね。あれと福神漬の缶詰を敵国にばらまけば、向こうは絶対ビビりますよ。自衛隊の連中はすげえもの食ってる。こんなもの食っても戦える奴らに、勝てるはずがないって」

「そうかなあ。おれはハンバーグ好きだけどなあ」

配置中に食べる飯には、野外キャンプのような雰囲気があるものだ。いつもよりよく喋り、よく食う田所たちに苦笑しながら、仙石は「うまいのは結構だが、食いすぎて腹を壊すなよ」と口を挟んだ。

「そりゃ菊政でしょ？……あ、そういや聞きました？　あいつが幽霊見た話」

「あ、おれ聞いた。女の幽霊が司令室にいたってんだろ？」

初めて聞く話だった。「なんだ、そりゃ」と言った仙石にニヤと笑うと、田所は低い声で話し始めた。

「昨夜、あいつブリッジの下まで行って、司令室のドアがちょっとだけ開いてんのを見たらしいんスよ。今は司令が乗ってないから、誰も使ってないはずじゃないスか。それで覗いて見たら、あの死んじゃった生存者の女が……」

手首をだらりと下げ、すり寄るようにしてきた田所から身を逸らして、仙石は「またいい加減なことを……」と横目で睨みつけた。

「おまえ、死体袋が軽かったとかって話をしたんだろ」

「おれはなにも言ってないっスよ。あいつが勝手に……」

「でもさ、風呂上がりのシャンプーの匂いがしてたってのは、なんかリアルだよな」

三曹が言う。訓練中の事故で死傷者が出たり、遭難者の遺体を収容した艦では、この手の怪談が隆盛することがよくある。笑い飛ばせば済む話だったが、この時は奇妙に胸が騒いだ。仙石は、「菊政、なんだって司令室の方になんか行ったんだ？」と、話に夢中の田所に尋ねた。

司令室は、艦長室と並んで艦橋構造部の最下層、01甲板にある。両脇にずらりと士官寝室が並ぶ通路の奥で、司令不在の今は掃除も週に一回限り。士官室係にでもならなければ、一般クルーが足を踏み入れる場所ではない。三曹と顔を見合わせた田所は、「そういやそうだな。なんでだろ」と首を傾げた。

「士官室係やってる如月に用があったんじゃねえの？　ずいぶんなついてるみたいだからな」

三曹の声に、かなり思い詰めていた様子の菊政の顔を重ねてしまった仙石は、急に重くなった胃袋に茶を流し込んでいた。

＊

「幽霊？」

思わず聞き返してから、宮津は夜食のうどんを啜っている酒井機関長を見た。陰鬱な赤色灯を映した禿頭が、薄暗い士官室でそこだけ浮かび上がって見えた。

「ええ。そんな噂がクルーの間に広がってるそうです」

残りの汁を飲み下して、酒井は無表情に言う。一日通しで行った戦闘訓練で、まずまずの成績を修めた夜。普通なら盛り上がってもおかしくない夜食の時間だったが、FTGの面々が同席するようになってから、士官室の空気は日に日に重くなってきている。この時も誰もなにも返そうとせず、あえてその話題を持ち出した酒井の真意を察した宮津は、壁際に立っている士官室係の白い給仕服をちらと見てから、適当な言葉を返そうと口を開きかけたが、

「最新のミニ・イージス艦に、幽霊か」

テーブルに肘をつき、おもしろそうに口もとを歪めた溝口が言う方が早かった。士官室の空気を澱ませる元凶は、先任士官らが集まるテーブルの一端に座を占め、始終マイペースを

崩さずに振る舞っている。憮然とする一同の沈黙がますます空気を重くし、「不謹慎ですよ」と言った杉浦砲雷長の声が、それを破った。

「明日、CPOの方からよく注意させます」

「まあいいじゃないか。狭い艦内に押し込められて、みんな刺激に飢えてるんだ。害にならない限り放っておけばいい」

いつものように歯をせせりながら、竹中が予定調和のセリフを吐いたところで、食事の終了を察した士官室係がワゴンに載せたコーヒーを運んできた。

宮津から順に、慣れた手つきで配膳してゆく。肘をつき、じっとその様子を窺っていた溝口は、自分の番になったところで「君はどう思う？」と、士官室係に問いかけた。

コーヒーにのばしかけた手を止め、宮津は溝口の脇に立つ如月行の横顔を見た。「幽霊。信じるか？」と重ねた溝口の顔を見ようとせず、コーヒーカップを置いた無表情は、「自分は、見たもの以外は信じません」の答えを返した。

機関の音だけが遠くに聞こえる士官室で、その声は奇妙に大きく響いた。一瞬の静寂の後、溝口の笑い声がそれに応じた。

「いい答えだ。軍人はそうでなくてはな。……しかし、ここのところ奇妙な事故が多いのも事実だ。揚艇機のトラブルや、機関の故障。まるでなにかに祟られているようだとは思わないか？」

挑発的な溝口の声と視線に、行はちらりと目を動かした。配膳の手を休めずに、「……よくわかりません」と言っていた。

「座敷わらしを知ってるか？」

構わずに、溝口は続ける。横田航海長の前にコーヒーを置いてから、行は初めて溝口と視線を合わせた。

「子供たちが遊んでいると、いつの間にか仲間がひとり増えている。ところが知らない顔は見当たらない。子供のひとりの顔を借りて、座敷わらしがもぐり込んでいるからだ」

士官室の全員が聞き耳を立てる中、しばらく溝口と向き合っていた行は、止めていた配膳の手を再び動かし始めた。「幽霊はいなくても、この艦には座敷わらしが乗っているのかもしれんな」と続けた溝口を無視し、全員にコーヒーを配り終えたところで、もう一度その顔を振り向けた。

「どちらにしろ、自分には興味ありません」

組んだ手の上に顎をのせ、溝口は「だろうな」と微笑する。一礼してから、行はワゴンを押して初任幹部たちのテーブルに移動していった。

溝口は黙してその背中を見つめている。執拗な視線は、この孤独な影を宿した士官室係が、艦内に悪戯（いたずら）をして回る座敷わらしだと確信しているようだった。まさかの思いと納得の思いが拮抗する胸を抱いて、そうなのか？　と宮津は質す目を向けた。微笑で煙に巻いた溝口は、ブラックのコーヒーを音を立てて啜っていた。

＊

（達する。こちら副長。魚雷実射訓練は、予定通り本日一三〇〇（ヒトサンマルマル）より実施する。魚雷員は訓練開始時刻三十分前までに、所定の配置につくこと）

スピーカーから流れた竹中の声に、仙石は若狭と顔を見合わせた。第一砲台の台座脇に立っている今は、伊豆諸島に近づいてから急にガブり始めた海を直接見渡すことができる。ざっと目測しただけでも、波の高さは三メートル以上。うねりもかなり高い。これではフィン・スタビライザーの減揺（げんよう）効果も期待できないだろう。台座内の倉庫で索具点検していた手を止めて、若狭は「この荒れ模様に強行か」と、浅黒い顔をしかめた。

「ああ。魚雷の揚収に苦労しそうだな」

応じた途端、高波に突っ込んだ船体が大きく前のめりになり、仙石は思わず開け放してある倉庫の扉に手をついた。実射訓練に使用する訓練魚雷は、一定距離を航走したあと自動的に浮上するようプログラムされている。一本に千万単位の金が注ぎ込まれている魚雷を回収するため、使用後は内火艇を降ろしての揚収作業が待っていたが、前後左右に艦が揺さぶられる中では手間どることが予想された。「ま、上がやるってんならしゃあねえな」と続け、修正だらけのクルーの配置表に目を戻した仙石は、若狭に入浴時間帯変更プランの説明を続けた。

いよいよ明日に迫った《うらかぜ》との遭遇戦演習に備えて、艦内は既に哨戒配備が敷かれている。少ない人員での三直交代は思ったより厳しく、効率よく食事や休憩ができるよう、それぞれ日課に従事している各班長たちに変更プランを説明して回り、クルーの総意として幹部に上申するのも、仙石の仕事のうちだった。

点検の手を休めずに説明を聞いた若狭は、二、三質問しただけですぐに同意を示した。今度は隣の揚弾室にいる掌砲長のもとに赴こうとした仙石は、艦橋構造脇の水密戸からぞろぞろ甲板に上がってきたクルーたちの姿に足を止めた。

同じ台座内にある教練弾格納所に、訓練魚雷を取りにきた魚雷員たちだった。敬礼しつつ、急ぎ足で横を通り過ぎてゆく救命胴衣の一団の中に、昨日から気にしていた顔を見つけた仙石は、「菊政」と呼びかけた。

ぎくりと立ち止まった菊政は、ばつの悪そうな顔を振り向けると、恐る恐るの様子で近づいてきた。「おまえさ……」と言いかけた仙石に、「幽霊の件、ですか？」と先回りして、上目遣いにこちらを見た。

「幽霊はどうでもいい。なんで司令室になんか行ったんだ？」

昨夜は訓練終了後も雑務に追われ、話したくてもその暇がなかった。なにかをじっと飲み下し、俯いている菊政を見下ろした仙石は、「如月に用があったのか？」と重ねてみた。首を横に振っただけで、菊政は顔を上げようとしなかった。「なあ、別に怒ってるわけじゃねえんだ」と続けて、仙石はテッパチの下の顔を覗き込むようにした。

「ただ理由が知りたいんだよ。あんなとこ、おまえに用のある場所じゃねえだろ？」

ぎゅっと拳を握って、菊政は無言を通した。初めて見せる強情な面に少し驚きながら、仙石は「……如月のこと、見張ってたのか？」と、唯一考えられることを言った。

思わずといった感じでこちらを見た菊政は、目を合わせたのも一瞬、また顔を伏せていった。しばらくの沈黙をおいて、「確かめたかったんです」の声がその口から発していた。

「プレステの入ったバッグ持って、いつもどこに行っちゃうのか」

「プレステ？」

「ゲームの機械です。壊れてるらしいんだけど、いつもバッグの中に入れてて、時々いなくなっちゃうもんだから。一昨日の晩、黙ってついてってみたんです。そしたらブリッジに上がるラッタルのところで見失っちゃって……」

行の不可解な行動を探り続けていた菊政の告白は、相談を受けていながら、なにもできなかった自分の不甲斐なさを突く針だった。「それで、司令室の方まで捜しに行ったわけか」と痛みを噛み締めながら言うと、頷いた菊政は、その時の戦慄を頭の中に再現したのか、両肩を縮み上がらせるようにした。

「ドアの隙間から明かりが漏れてたもんだから、覗いてみたんです。そしたら……。あれは絶対、あの生存者の女だった。風呂から出てきたみたいに髪が濡れてて」

司令室には、確かに専用の風呂がある。蒼白な顔が嘘を言っているとは思えず、なにかしらぞっとする感触を抱いた仙石は、「ドアを開けて、確かめなかったのか？」と尋ねた。再び顔を俯けて、菊政はその問いには答えようとしなかった。

「そりゃ無理か。おれだって、とりあえず逃げ出してただろうからな」

冗談めかした声にも応じず、菊政はじっと暗灰色に塗られた甲板を見つめる。格納所から出てきた魚雷員たちが、運搬車に積まれた訓練魚雷を押しながら横を通り過ぎてゆき、最後に続いた魚雷員長の一曹が、怪訝そうな目をこちらに向けた。のんびり屋の部下が、また先任伍長に叱られているとでも思っているのか。手を振って先に行くよう示した仙石は、「……これは、誰にも話してないんですけど」の声が、俯いたテッパチの下から流れるのを聞いた。

「一緒に人がいたんです」

ぼそりと言った菊政に、ひとつ生唾を飲み下した仙石は、「……誰が？」と聞き返した。少し逡巡の間をおいた後、菊政は思いきったように顔を上げた。

「ＦＴＧの……溝口三佐が」

怪談とは別種の硬質な衝撃が体をつき抜け、仙石は声をなくした。それを不信の態度と受け取ったのか、菊政は「本当です！」とたたみかけてきた。

「三佐の方はベッドに腰かけてて、一瞬だけだったからよくわかんないけど、なんか知り合いみたいな感じで……。部屋の中は暑くって、こもった熱気が隙間から流れてました」

司令不在の部屋は空調を入れていない。この暑さの中でドアを閉め切っていれば、熱気がこもるのは道理だった。だから少しだけドアを開けていたのか？　と考え、いちいち辻褄が合う話にざわざわ肌が粟立つのを感じた仙石は、「それで、どうした。なにか話してたのか？」と菊政に詰め寄った。

「いえ……。別にこっちの方を見たとかじゃないんですけど、なんか気づかれたような感じがして、すぐ逃げちゃったもんで」

申しわけなさそうに目を伏せた菊政に「……そうか」と応じて、仙石はＶＬＳのミサイル発射口が並ぶ向こう、晴天下に聳える艦橋構造の威容を見上げた。のっぺらぼうの四階建てビルといった風情の艦橋構造は、その最上階にだけブリッジ用の窓が穿たれている。屋上に据えられたフェーズド・アレイ・レーダーのレドームはここからは見えず、突き出たマストの先端だけが、上部指揮所の遮風壁（しゃふうへき）の上に覗くのを窺うことができた。

この中にあの女がいる？　しかも溝口三佐と一緒に……？　なにをどう考えたらいいのか見当もつかず、ただ鋼鉄の城塞を見つめる間に、菊政が「それで、おれ考えたんです」と口を開いていた。

「あそこにあの女がいるんだったら、幹部は全員、知ってるってことですよね？　通路沿いの寝室は、副長や砲雷長たちが使ってるわけだから」

「……ああ」

「だったら、上の方がみんなしてなにかを隠してるってことじゃないですか。で、もしそうなら、これは如月先輩ひとりがどうこうって話じゃないって思ったんです。《いそかぜ》全体がおかしなことになってるんだって。だから、女の幽霊の噂を流したら、上がなにか反応してくるんじゃないかって……」

ひどく理路整然と言った菊政に、仙石は驚きを通り越して呆れた。菊政にそんな行動力と頭があるとは思いもよらず、自分は今までいったいなにを見てきたのかと、不意に足もとをすくわれた気がしたのだった。

不可知の塊である行はもちろんのこと、唐突に離婚話を持ちかけてきた頼子といい、幹部に対する冷めた観察眼を披露した若狭といい、どれだけ一緒にいても、他人を完全に理解することはできないというわけか。今さらのように感じ入り、つまるところ自分は、護衛艦クルーとして○か×かという判断基準を通してしか他人を見ていなかったのだと、苦い自覚にとらわれもした。

「……やっぱ、信じられないっスよね。こんな話」

黙ってしまった先任伍長に、菊政は肩を落として言う。「いや、そんなことはねえさ」と言って、仙石は染み出してくる弱気を内奥に押し戻した。

「おまえがそう言うなら、おれは信じる。おまえはつまらん嘘をつくような奴じゃないからな」

完全に理解できないなら、せめてわかる範囲で他人を信頼してゆくしかない。自分にはそれくらいしかできないと思いながらも、先任伍長の立場として、仙石は「ただし」と付け足すのも忘れなかった。

「クルーの安全を預かるのがおれの仕事だ。勝手な行動を許すわけにはいかん」

取り戻しかけたいつもの笑顔を消して、菊政は再び肩を落とす。仙石はその目を正面に見つめた。

「おまえが見た通りだったとしても、それにはなにか理由があるはずだ。おれたちが首を突っ込んじゃならない理由がな」

「防衛秘密……ですか？」

「わからんがな。とにかく、この件に関してはこっちから探りを入れてみるから、おまえはもう近づかないこと。いいな？」

若狭たちにも言って、今晩中に幹部の誰かと話し合う必要がある。防衛秘密のベールを剝ぐ気はないが、立ち入れない事情があるならあるで、明確な説明を受ける権利が自分たちにはあるはずだった。演習前夜に面倒な話だが、先送りできるレベルの問題でないことを肝に銘じて、仙石ははっきりそう言った。「はい」と応じた菊政は、まだ納得しきれない顔をこちらに向けた。

「でも、なんか腹立ちますね。おれたちの艦で勝手なことして……」

「気持ちはわかるがな。それで先走りして、クビなんてことになったら元も子もないだろ。故郷のおばあさんだって悲しむぞ。一戸建て買ってやるって、約束したんだろう？」

祖母の話に、ぎゅっと唇を噛み締めた顔が今にも泣き出しそうになった。「さ、もう行け。魚雷員長たちが待ってるぞ」と言って背中を押し出すと、菊政はしょんぼりと甲板を歩いていった。

艦橋構造脇の通路に向かう背中は、周囲でうねっている波に持っていかれそうなほど、力の失せたものに見えた。見兼ねた仙石は、「菊政」ともういちど呼びかけていた。

「でもちょっぴり感心したぞ。おまえけっこう頭いいな。情報本部でスパイが勤まるんじゃねえか？」

振り返った菊政は、「おれだって、いつまでもお荷物じゃありませんからね」とにっこり笑って見せた。「そりゃそうだ」と返した仙石に敬礼し、少しだけ元気になった様子で魚雷発射管の方に駆けてゆく。見送ってから、仙石は重いため息と一緒に掌砲長のいる揚弾室へ向かった。

《いそかぜ》の魚雷発射装置、六八式三連装短魚雷発射管は、中部甲板の左右に一基ずつ装備されている。三本の発射管を俵状に積み上げた形をしており、発射管制は戦闘情報指揮所(CIC)からの遠隔操作。VLSに装填するアスロック弾と並んで、対潜戦闘の中核を成す装備だった。

今、左舷側に設置された発射管は舷外に九十度旋回しており、先端のカバーが外れると、圧縮空気に押された訓練魚雷がワインのコルクを抜いたような音とともに射出されていった。水飛沫を上げて海中に没した後、自らのプロペラの力で浅海底を航走してゆく。

魚雷発射管の上、舷側まで張り出した艦対艦ミサイル・ハープーンの発射台に立つ仙石は、海上で待機していた一号内火艇が魚雷を追って走り出すのを見てから、足もとの上甲板に整列している魚雷員たちに目を戻した。訓練魚雷を放った後、艦は揚収のために機関を止め、惰性で魚雷の浮上ポイントにまで回り込む。前進する力がなくなれば、船体は波に翻弄されるばかりになって、前後左右に揺さぶられる甲板に足を踏んばって立つ魚雷員たちは、誰も今にも昼食を戻しそうな顔をしていた。

例外は列の最後尾についている如月行だ。魚雷員不足のため、杉浦砲雷長の指示で三人の第一分隊員たちとともに揚収作業に駆り出された行は、テッパチの下の顔を引き締め、うねりの立つ海上をじっと見つめている。列の中ほどに立っている菊政のテッパチも見下ろし、頭の中を錯綜するさまざまな情報を整理しようとした仙石は、すぐにそれをあきらめて水平線まで続く雲の列を見上げた。

　行の不審な行動、揚艇機の故障、機関トラブル。生きてこの艦に潜んでいるかもしれない生存者の女と、溝口の海上自衛官らしからぬ目。すべてがバラバラで、非現実的で、捉えどころがない。幹部と直談判するにしても、いったい誰に持ちかけたらいいのか。やはり竹中副長か？　と思い、いや、墜落機捜索の夜以来、竹中も見えない壁を自分との間に置くようになったではないかと思い直す。杉浦は論外。横田航海長たち部内幹候出のC幹にしても、宮津学校出身という連帯感で互いを結び合っているせいか、こちらとの間に一定の距離を置いていて、どこか近づき難い雰囲気がある。幹部と、自分たち曹士の住む世界がはっきり二つに分かれているのが護衛艦だが、この隔絶感はそれとは明らかに種類の違うものだ。

　そう考えてゆけば、確かに今の《いそかぜ》の状態は普通じゃないと、仙石はあらためて実感した。寄り合い所帯に見えながら、底で一枚岩になっている幹部の世界。次第にまとまりながらも、投げ込まれた不可知の石が不穏な波紋を広げる曹士たちの世界。その界面に立ちながら、どちらも把握できずにいる自分。わかっていても、どうすることもできない。クビを覚悟で、いっそ艦長に当たってみるか？　宮津艦長なら、あるいは……。

　そんな思いを巡らせる間に、訓練魚雷を曳航した一号内火艇が帰ってきた。CICから甲板に上がってきた水雷長と風間水雷士が、魚雷員たちに揚収用具の再チェックを命じる声を聞きながら、仙石は艦の動揺に合わせて上下する水平線を見据えた。

うねりがかなりきつい。訓練魚雷は短魚雷と同じ二・五メートルの長さで、重量は約一トン。揚収には内火艇用の揚艇機を使うが、この揺れでは引き揚げの際に魚雷が振れ、舷にぶつかってしまう危険があった。装備に傷を付ければ、報告の電信と始末書の山が《いそかぜ》を埋め尽くすことになる。緊張にこわ張った風間の顔を手すりから見下ろし、ドジりなさんなよと内心に呟いた時、水雷長が「控え索とれ！」の号令を出した。

甲板から二本のロープが垂らされ、内火艇の乗員が身を乗り出して、海面に漂う訓練魚雷の前後にそれを固定する。揚艇機の揚卸索とは別に、甲板上に立つ魚雷員が保持する控え索は、揚収される訓練魚雷を前後から引っ張って揺れを抑制するためのものだ。前部の控え索を菊政が、後部を行が取り、揚艇機のウインチが巻取りを開始すると、二人とも甲板に足を踏んばって控え索を引き始めた。

魚雷員長の吹く笛の音に従って、訓練魚雷がゆっくり海面から引き揚げられる。上昇に合わせて、行と菊政がそれぞれの控え索を引き込んでゆき、前後に動揺する艦のために何度か引きずられそうになったものの、無事に舷側まで魚雷を持ち上げることに成功した。後はボート・ダビットのクレーンを収納位置に引き込み、甲板上に持ち上げられた訓練魚雷を運搬車の上に下ろせばいい。若狭の操作で再び揚艇機が動き始め、四本のロープでしっかり固定された魚雷は、人の頭の高さほどまで上昇したところでいったん停止した。

大きめの台車といった体の運搬車を押して、魚雷員のひとりが引き揚げられた魚雷の下側につく。艦が動揺しているため、その魚雷員はブレーキをかけた運搬車を押さえてその場にいろと魚雷員長に命じられたようだ。再び笛の音が響き渡り、魚雷がゆっくり運搬車の上に降下してゆく。うねりに艦首を持ち上げられた《いそかぜ》が、船体を大きく後ろに傾けたのはその瞬間だった。

ぐん、と後ろに引っ張られた魚雷を押さえて、菊政が懸命に控え索を引っ張る。風間がすぐ後ろで「しっかり押さえろ!」と叫んでいたが、手伝って一緒に引っ張ろうという発想はないようだ。リコメンドの怒声を浴びせたいところだったが、いま下手に叫んで注意を乱せば、逆に事故を誘発しかねない。ぐっと堪えて手すりから身を乗り出していると、今度は船体が大きく前に傾き始めた。

うねりに乗り上げた時、必ず起こる反動だった。魚雷も前に傾き、行の控え索にその重量がかかる。腰を落とし、ぐいとロープを引っ張った行の姿は、菊政よりよほど要領を得た体勢と見えた。水雷長が揚艇機の停止を指示し、魚雷員長が慌てて行の補助に入ろうとする。ぎりぎりと船体が軋む音を立て、自分も手すりをつかんで足を踏んばった仙石は、その刹那、聞き慣れない音を耳にした。

チ……と微かに鳴った音は、音というより気配に近い。空気が破れたような感触を想起させる音に、思わず周囲を見回した仙石は、「逃げろ!」の声が足もとに発するのを聞いた。ぎょっと上甲板を見下ろした目に、尻もちをついている行の姿が見えた。その手には先の切れた控え索が握られており――押さえを失った訓練魚雷は、宙吊りの巨体をブンと前に振り出していた。

一トンの重量に慣性が加わり、揚艇機の揚卸索と魚雷を結んでいたフックが引きちぎれる。自由を得た魚雷は振り出された勢いで甲板上に飛び、その先には菊政が立ち尽くす姿があった。

まだ控え索を握ったまま、菊政は呆然と突進してくる魚雷を見ていた。二秒にも満たない時間に起こったことで、次の瞬間には、魚雷はハープーンの発射台を支える柱に激突した。鉄と鉄がぶつかりあう衝撃と大音響が足もとを揺るがし、仙石は弾かれるように倒れた。慌てて身を起こし、手すりから頭を出して下の様子を確かめ、目の前が真っ暗になった。柱にめり込んだ訓練魚雷。その下に、だらりと投げ出された菊政の右手と右足が見えた。弾頭と柱の間に挟まれ、潰された頭は見えなかった。代わりに甲板上に転がったテッパチが見え、ゆっくり広がってゆく血溜まりが、なんの役にも立たなかった鉄製ヘルメットを濡らしてゆく光景が、網膜に焼きついていった。

「看護長を呼べ！　早く」と叫んだ水雷長の声は、ほとんど悲鳴に近い。自分も行かなければ、と頭の片隅で声がしたが、腰が抜けてしまったように体が動かず、仙石はしばらく手すりをつかんだままじっとしていた。

クルーが死んだ。おれの艦で、この《いそかぜ》で、クルーに死者が出てしまった。その現実がじわじわと全身に染み渡り、一瞬、すべての音が消えた。呆然と見下ろした目に、真っ青になって立ち尽くす風間、走り出す魚雷員長、なにか叫んでいる若狭の顔が見え、最後によろよろと立ち上がった行の顔が見えた。

切れた控え索を握って、その目は悄然と甲板に横たわった訓練魚雷を見つめている。ロープの切断面に目をやり、ぐっと歯を食いしばった行は、こちらの視線に気づいたのか顔を上げた。

自分がどんな顔をしているのか考える余裕もなく、仙石はその視線を受けた。一抹の感情の揺らぎを宿した無表情は、なにかを訴えかけるような瞳を向けたのも一瞬、すぐに顔を伏せてその場を歩き出していた。

顔を動かしてその姿を追う力もなく、立ち上がれるようになるまでの数秒間、仙石は切れた控え索が転がる甲板をただ見つめた。

3

「……だいたいの状況はわかった」

低い声に、どんより重い空気が微かに揺れた。仙石はぼんやりと目を上げて、正面に座る宮津艦長の顔を視界に入れた。

四つの長テーブルを向き合わせ、会議場の体裁を整えた士官室では、他にも主要幹部がそろって寡黙な顔を並べている。宮津の隣で議事進行を務める警衛士官の杉浦砲雷長を始め、竹中副長、横田航海長、酒井機関長が上座に並び、直角に組み合わされた別のテーブルに溝口訓練科長らが座る。彼らに見据えられ、下座のテーブルにつくのは事故現場に居合わせた者たちで、中央に座るのが魚雷実射訓練の指揮を執っていた水雷長と、風間水雷士。今にも泡を吹いて倒れそうなほど緊張している風間の脇では、索具類の管理責任者である若狭掌帆長が憮然とした顔を正面に向けており、その隣にいつもの無表情を崩さない行、そして仙石が並ぶ。午後の訓練は中止になり、沈鬱に包まれた艦内はすべての動きが止まってしまったようだったが、足もとから伝わってくる機関の小さな稼働音が、《いそかぜ》が原速で北航し続けていることを教えていた。

死亡事故の一報は、隊司令から群司令を経て、すでに自衛艦隊司令部にも伝えられたはずで、今後の対応が決定されるまでの間、艦長を議長にして催された緊急事故調査会議が、関係者と目撃者の証言をひと通り聞き終えたところだった。

「掌帆長。くり返しになるが、索具の点検は万全だったのだな?」

沈黙を破って、宮津が言う。正面を見据えたまま、若狭は「はい」と間を置かずに答えた。

「実射訓練が強行されると聞いて、あらためて揚艇機を含めたすべての用具を点検いたしました。隅山二曹と今井士長がともに点検に当たっています」

あえて強行という言葉を使った若狭に、幹部たちの頬が一様にぴくりと動く。海が荒れている時に訓練を行った結果が、菊政の命を奪ったのではなかったか？　押し殺した静かな怒りを皮の下に留めて、若狭は無言でそう語ったようだったが、それはこの場合、重要な問題ではなかった。ロープさえ切れなければ、訓練魚雷の揚収は無事済んでいたはずなのだ。案の定、「しかし、現実に控え索は切れた」と杉浦が反撃の口を開いた。

「原因はなんだと思うか？　掌帆長」

杉浦を横目に、宮津が静かに尋ねた。目を伏せて、若狭は「それは……わかりません」と答えた。

「ただ、磨耗や疲労で切れたものでないことだけは確かです。断面に微かな焦げ跡が付着していることから、焼き切ったもののようにも見えるのですが……」

もやい一筋できたベテラン海曹の言葉に、会議場の空気がざわと震えた。思わずといったふうに身を乗り出した横田航海長が、「それは……何者かが故意に索を火で炙って、切れやすくしたということか？」と全員の思いを代弁する。「いいえ」と若狭。

「それにしては焦げた面が小さすぎます。たとえば……熱したナイフのようなもので切断すれば、あのような切断面になるかと」

出席者たちは互いの顔を見合わせ、士官室は隣の者と勝手な推測を話し合うひそひそ声で満たされた。仙石はなにも考えられずに、血の感触の残る自分の手のひらを見つめた。

担架に移した時、菊政の体はまだ温かかった。人なつっこい笑みを浮かべていた顔が、ぐしゃぐしゃに潰されてしまったにもかかわらず、その手は今にも握り返してきそうなほど温かかった。別にこれが初めてというわけではない。《いそかぜ》の前に乗務した《あまつかぜ》でも、砲熕兵器の暴発でクルーに死者が出たことがある。だが菊政は、ほんの一時間前には笑っていた。いつまでもお荷物クルーじゃないと若者らしい気概を見せて、元気に甲板を駆けていったのだ。その光景が頭から離れず、全身の毛穴を塞いだ痛恨に、仙石は内心に叫んでいた。

飛んできた魚雷を、どうして避けてくれなかった。おまえがいなくなったら、故郷のおばあさんはこれからなにを楽しみに生きていくんだ。死に顔さえも見られず、たったひとりの肉親を失った老人に、おれはなんて言って詫びればいいんだ……？

「クルーの持ち物をあらためる必要があるかもしれませんな」

不意に発した溝口の声に、仙石は俯けていた顔を上げた。ざわめいていた会議室がぴたりと静かになり、竹中が「どういうことだ？」と険悪な目を向けた。

「クルーの誰かが火で炙ったナイフを持ってないか、調べろとでも言うのか？」

「そうは言いません。ただ、掌帆長は事前に点検を行ったし、水雷長も揚収の前にもういちど索を調べたと言う。となれば、最後に控え索を持っていた者の証言が、重要になってくるのではないかと思いましてね」

　全員の目が、切れた控え索を保持していた海士——行に集中する。薄笑いを口もとに刻んだ溝口の目に、カッと頭に血が上る音を聞いた仙石は、「ちょっと待ってください……！」と席を蹴った。

「では如月一士が細工をしたとでも言うんですか⁉　彼は菊政二士とはいちばんの親友だったんですよ？　それを……」

「感情論はやめよう、先任伍長。わたしは消去法で考えられる可能性を言っているだけだ。人が死んでは、座敷わらしの悪戯とも言っていられないのでね」

　平然と返して、溝口は「そうだろう？　如月一士」と結ぶ。意味がわからずに行を振り返った仙石は、膝の上に置いたその手が微かに握りしめられるのを見た。

「親友と言うが、情はうつろいやすいものだ。しつこくつきまとわれれば、疎ましさが憎悪に変わることだってある。先入観は危険だよ」

　冷笑するような溝口の口調に、頭の中でなにかが切れる音がした。気配を察した若狭が、抑えろというふうにこちらを見たようだったが、気にする余裕はなかった。たとえ幹部だろうが、許せない。その衝動に駆られて、仙石は蛇の目を向ける溝口に近づくべく、テーブルに手をかけていた。

　押されたテーブルがギッと床を鳴らす。溝口の蛇の目が、受けて立つかのごとくすっと細められる。ざわめきが士官室に溢れ、「ここは会議の場だ！」と声を荒らげた宮津がそれを静めた。

我に返った思いで、仙石は動きを止めた。初めて逆鱗を示した宮津は、三十年間のキャリアをドブに捨てかけた先任伍長を目で諌めてから、「発言は挙手をもって、議長の許可を得てからするように」と、いつもの冷静な声を出した。

「それから訓練科長。貴重なクルーを失って、今は全員気が立っている。不用意な発言は慎んでもらいたい」

続いた宮津の声に、「は、申しわけありませんでした」と応じて、溝口はじっとこちらに据えていた視線を外した。ひとつ深呼吸してから、仙石も顔を背けて椅子に座り直した。なにが座敷わらしだ。おまえの方がよっぽど怪しい。もし本当に生存者の女を幹部ぐるみで匿っているなら、秘密を知った菊政をおまえが殺したんじゃないのか……？　腹立ちに任せてひと息に考えてから、しかしと仙石は思い直す。あの場に溝口はいなかった。若狭と水雷長がチェックした控え索に、細工する間はなかった。それができたのは、唯一……。

膨らむ疑念を抑えることができず、仙石はそっと隣に座る無表情な横顔を窺った。揚艇機のトラブルの時も、機関故障の時も、行は確かに現場に出入りしていた。そして今度も。その行動を探ろうと、後を尾け回していた菊政を行が疎んだのだとしたら？　魚雷揚収員に配置されたのを千載一遇のチャンスにして、直前に索に細工をしたのだとしたら……？

バカな、あり得ない。慌てて首を振り、仙石は視線を前に戻した。控え索が切れたからといって、魚雷が菊政を直撃する保証はどこにもない。きっちりタイミングを見計らってロープを切断するなど、できるはずがない。それは溝口にしても同じだ。だいたい、もしあの女を匿っているのだとしても、それが防衛秘密であるなら菊政に口止めをすれば事は足りる。海上部隊の指揮官として、宮津にはその権限がある。殺す必要なんかありはしない。あくまでも事故、不幸な偶然が菊政の命を奪った……。

「先任伍長！」

強い声に、仙石は物思いから立ち返った。何度も呼びかけていたらしい杉浦が、訝る目をこちらに向けるのが見えた。

「どう思う？　持ち物検査を実施すべきと思うか？」

会議はその一点について話し合われていたのだろう。集中する視線を見回してから、仙石は咳払いして口を開いた。

「仲間が死んで、クルーは動揺しています。今はその沈静化に当たるのが先決ではないかと思います」

持ち物検査をして、クルーを被疑者扱いするなぞとんでもない。冷たい視線を向ける溝口をちらりと見ながら答えると、宮津が「わたしも先任伍長と同じ意見だ」と即座に言っていた。

「事故の原因は、いずれ調査隊が明らかにするだろう。司令部が今後の断を下すまで、艦内は第三哨戒配備のまま待機。各員はこれまで通り平常の課業に従事することとする」

ひとりひとりの目を見ながら、宮津は静かに続けた。

「辛いのはみんな同じだ。亡くなった菊政二士のためにも、今は一刻も早い艦の正常化に努めよう」

低い声で言ってから、「以上だ。他になければ、会議はこれで終了する」と宮津は結んだ。

竹中の号令で起立、敬礼、分かれの儀式が行われた後、一同は三々五々士官室を後にした。

わらわらと艦内に続くラッタルを下ってゆくクルーの中に行の姿を追った仙石は、「如月」とその背中を呼び止めた。ラッタルの途中で立ち止まり、こちらを見上げた目を見つめて、「その……気にすんなよ」の声を絞り出した。

「ただの事故なんだからな。FTGのボケが言ったことなんか無視しろ」

仙石の目をしばらく覗き込んだ行は、やがて「はい」と返して表情のない目を逸らした。そう言って自分の疑念も消そうとした心中を見透かされたようで、仙石は残りのラッタルを下ってゆく行の背中を、かける声もなく見送った。

＊

第三居住区に戻ると、いつもの喧噪はなく、非番のクルーたちが意気消沈した顔を俯ける光景だけがあった。休憩場のテーブルに置いてあった菊政のプレイステーションがなくなっているのを見てから、行は奥のベッド区画に歩いていった。

自分のベッドに戻ろうとして、菊政のベッドの前に人だかりができていることに気づいた。数人のクルーが見守る中、第一分隊の分隊先任海曹が、菊政の私物をまとめてバッグに収めているところだった。静寂の間に、「死んじまうなんてな……」と誰かの呟き声が流れた。

「おれは、あいつに花札の貸しがあったんだぜ……」

上段のベッドの裏に挟んであった女性タレントのピンナップ、無数のゲームソフト。菊政の痕跡が片付けられてゆくのを見下ろし、湿った声でそう言った三十代の海曹は、涙を見られまいとしたのか、乱暴に人垣をかきわけて居住区を出ていった。互いの目を見交わす気力もなく、クルーは悄然と無人のベッドに目を戻した。

「……明日の演習、どうなんのかな」

誰かが言う。「中止に決まってるよ」と、別の声が応じた。

「このまままっすぐ横須賀に入って、調査隊の調べが済むまで埠頭に釘付けさ」

「遺体はどうなる？」

「そのうちヘリが迎えにくんだろ？　当分は騒がしくなるぜ、きっと」

「あいつんち、ばあさんしかいないんだろ？　保険に入ってたのかな。国から出る補償金だけじゃ、やってけないぜ」

ぼそぼそと交わされる言葉のひとつひとつが、まだ修復の終わらない胸の疵に刺さり、出血を促すようにする。ぎゅっと拳を握り、聴覚から意識を離した行は、自分のベッドに目をやった。

枕許に押し込んである、私物のずだ袋を注視する。なんとか荷物検査は免れたものの、このままではいずれ露見してしまうだろう。どこか適当な隠し場所はないか……と艦内の構造を頭に呼び出す間に、ぽんと肩が叩かれた。

咄嗟にはねのけようとする衝動を堪えて、行は背後を振り返った。すぐ後ろで、田所が無表情にこちらを見下ろしていた。

「罰当番、行こうぜ。今日で最後だろ」

その場の雰囲気などなんとも感じていないかのように、ひどく素っ気ない口調で言う。ケンカの罰として、先任伍長に命じられた甲板掃除。まだその時間ではなかったが、田所の目に含むものを感じた行は、黙ってその背中に続いた。

今日の掃除場所は第一機械室だった。高速用タービンの置かれた機械室は、巡航中の今は使用されておらず、二基のマリン・オリンパス型エンジンが静かに眠る空間には、点検に立ち回る機関員の姿がちらほらあるだけだった。

隣接する第二機械室から響いてくる減速機の唸りを聞きながら、行は黙々とモップを動かすことに専念した。「おれ苦手でさ、ああいう雰囲気」と田所が口を開いたのは、汚れを吸い取ったモップをバケツの水に浸した時だった。

「なんか腹立つんだよな、勝手なこと言ってる連中の顔見てると。死んじまったんだぜ、あの菊政が。さっさと荷物かたづけて、この先どうなるとかなんとかさ。まるで物がなくなったみたいじゃねえか。冗談じゃねえよ。あいつはおれたちの仲間だったんだ」

独白のように喋りながら、モップを動かす手に必要以上の力をかける。装った平穏の下で、田所が誰よりも衝撃を受けていることの証明だった。行は無言でモップの先を絞った。

「ひでえ話だよ。海が荒れてんのに、魚雷の実射なんかやりやがって。菊政は幹部のバカどもに殺されたようなもんだ」

穏やかでない言いように、行はちらとだけ目を上げた。手を止めて見返した田所は、気まずそうに顔を俯けてから、またモップを動かし始めた。

「……そりゃ、全部が全部バカだとは言わねえけど。でも、基本的におれたちの命は安いからな。人数じゃなくって、員数で数えられてんだ」

奇妙に多弁になり、被害妄想的な傾向を強める。怒りや悲しみといった感情を押し殺し、自分は平気だと偽っている人が見せる典型的な姿だった。訓練キャンプの時に何度も見たな……と思ってしまった行は、無意識に自分の内奥に目を向けた。

まだ血を流している新しい疵の周囲に、無数の痂（かさぶた）を蓄えた心の外郭がある。凝固し、醜い石ころのようになっている胸に触れて、痂のひとつをそっと剝がしてみた。

他の訓練生たちとともに、キャンプに送り込まれた日の情景が瞼の裏に再生される。あの日、教官と呼ばれる大人たちは、まだ右も左もわからない訓練生全員に一匹ずつ子犬を配った。三ヵ月にわたって行われる訓練の間、名前を付けて常に一緒に行動しろと言う。行に与えられたのは生後間もない雑種犬で、小さい体にぷっくり太い足を生やし、鼻の頭にピンクの斑（ぶち）があるのが特徴的だった。白いからシロと適当に名前を付けた行は、それからはどこに行くにも必ずシロを連れていくようになった。

訓練は苛酷なものだった。基本は運動部の強化合宿と変わらないが、これに寝ない訓練や食べない訓練が付け加えられる。さらには潜入、襲撃、爆破の三要素に必要な知識の修得から、あらゆる種類の解錠技術と格闘術の体得。子供の頃から父親に枕を蹴飛ばされていた行には、深夜に突然たたき起こされ、二十四時間連続で山中を駆け回らされる生活もさほど苦にならなかったが、訓練生全員が敵同士になる模擬戦では、何度か音をあげそうになった。

一週間の行程中、与えられるのは一日分の糧食だけで、後は草木やヤモリを腹に入れて空腹をごまかし、同じく森に潜伏（アンブッシュ）している訓練生たちとペイント弾で殺し合う。成績が悪ければ容赦なく脱落させられるので、みんな必死だった。最初の三日で五人を仕留めた行は、残りは沼地にアンブッシュして、近づいて来る敵だけを狙うようにした。

日が落ちれば零度近くになる寒さの中、全身にカモフラージュ用の腐葉土を被って湿った地面に伏せ、首筋から入り込んだミミズが背中を這い回るのをじっと我慢していると、なにもかも投げ出して大声で叫びたい衝動に駆られることもあった。そんな時、支えになったのは胸元に入れているシロの温もりで、わずかな干し肉を分け合い、礼のように顔を舐める小さな舌先の感触が、行をぎりぎり狂気の淵から引き戻してくれた。

自分と異なる体温と肌を合わせていれば、生きていることが実感できる。精一杯鼓動しているシロの心臓が、逃げるな、生きろと教えてくれる。空腹に耐えかねて糧食を一人占めした挙句、自分の子犬を山中に捨ててしまった者もいたが、その者は一週間の行程を無事生き抜いた末、脱落者の烙印を押された。小さな命と苦楽を分かち合い、その温もりをかけがえのない宝と感じられた者だけが次のステップに進み、誰もが自分の分身のように子犬を可愛がり始めた頃、最後のテストが行われた。

自分の子犬を殺して、食う。それが最終テストの内容だった。取り乱し、教官に殴りかかった者は、腕の骨を折られて最初の脱落者になった。残った訓練生たちは無言のまま、三ヵ月間、片時も離れずに過ごした自分の相棒を見つめた。押し殺した嗚咽の声が響く中、行もシロの顔を見下ろした。

なんの疑いもない黒い瞳を向けて、シロはぱたぱたと尻尾を振った。笑うのは人間だけというのは間違いで、この時、シロは微笑んでいた。少なくとも行にはそう見えた。しばらくその瞳を見つめてから、行はシロの耳の付け根を撫でた。それがシロのいちばん好きな撫でられ方なのだった。そうして、もう一方の手を喉にかけてから、持ち上げてひと息に捻った。

ク、と微かな息を漏らして、シロは絶命した。立ち去ることも手を下すこともできず、顔を俯けている訓練生たちの中で、行は最初の合格者になった。やがて追従する者が出始め、最終テストの場は子犬の悲鳴や吐息、訓練生たちの嗚咽で騒然となっていった。

行は泣かなかった。まだ温もりの残るシロの体をナイフで捌き、焚き火で炙って食った。味はわからなかった。ただ機械的に口を動かし、自分の分身であった小さな命、無償の信頼を寄せていた命を飲み下して、文字通り身体の中に取り込んだ。教官は、子犬の血と肉はおまえたちと一体になった、そのことを死ぬまで忘れるなと言った。

これからおまえたちは多くの試練に直面する。身を引き裂かれるような孤独感、精神を破壊されるほどの罪悪感に苛まれることもあるだろう。その時、今日のことを思い出せ。おまえたちは子犬を殺したんじゃない。自分の中にある良心と感情、そこから滲み出る弱さを殺して、食ったんだ。人間らしさを捨てたのではない。己の感情を征服したのだと思え。心なき者に力を使う資格はないが、時にはその心が任務遂行の障害になることもある。それがおまえたちの生きてゆく世界だ。信頼を勝ち取った後に騙し、裏切り、場合によっては血を流させる。誰も信じられないし、助けてもくれない。暗く冷たい世界に身を置いて、なお人としてあり続けることができるのは、己の感情を完璧に支配した者だ。弱さを食らい、感情を飲み込み、良心を血肉としたおまえたちだ。ひとつの命を犠牲にして、おまえたちは人を超える力を手に入れた。子犬たちの無垢な目に賭けて、それを決して無駄にするな——。が、そんな言葉はしょせん訓練課程のプログラムに則ったものでしかなく、行の心に響きはしなかった。行が教官たちの命令に無条件に従ったのは、そこが自分の行為の結果、たどり着いた場所であるとわかっていたからだ。

父殺しという行為が、牢獄の代わりにこの訓練キャンプに送り込まれるという結果を招いた。だったらそこで生きてゆくしかない。それがどんなに苦しく、さらに苛酷な結果を呼び寄せるものであっても、逃げずに立ち向かわなければならない。その覚悟が、行を優秀な工作員に仕立てたというのに過ぎなかった。

警察の目を掠めて、自分の身柄を確保した者たち。彼らがなにを目論み、なにを命じようと構わない。ただ、逃げるわけにはいかない。逃げてしまえば父や母と同じになる。生きながら腐敗臭を漂わせ、いずれ死が訪れるのを待つだけのゴミになってしまう。父の頭を砕いた、その結果がこの暗い世界に身を浸すことだと言うのなら、耐えるしかない。それが「掟」だ。今までもずっとやってきたことだ——。固めた決意を振り返り、だからおれはここにいると結論した行は、それを最後に思考を閉じた。シロと同じ、疑いのない眼差しを向けていた菊政の顔を頭から追い出し、道端に土下座した先任伍長や田所の姿も消し去って、曖昧な空気を取り払うことに努めた。

神経を弛緩させ、全身を温めて、凍っていた血を溶かすような空気。昔、母と二人で暮らしていた部屋や、祖父の離れに漂っていた匂いを思い出させる空気。《いそかぜ》に乗り込んでから、自分の周囲を包み込んでいる曖昧な空気が、決断をためらわせる元凶だった。最初の血が流された今、もう残された時間はわずかしかない。一刻も早く、最終行動に取りかかる必要がある――。

「おまえ、なんで海自なんかに入ったの?」

その途端、田所が不意に声をかけて、行は危うくバケツを倒しそうになった。慌てて手で支えてから、モップを動かし続ける田所の丸い背中を見上げた。

「……海とか、好きなんで」と答えると、田所は「それだけか?」と不満げにこちらを振り返った。絞ったモップを再び床に下ろしながら、行は「兵長こそ、なんでです?」とはぐらかす言葉を出した。

「おれ? おれは簡単さ。他に行くとこなかったからだよ。族やめて、本職のヤーさんになる度胸もなかったし。ぶらぶらしてる時に、地連のおっさんに声かけられてさ。ま、陸上で塹壕(ざんごう)掘るよりはマシだなと思って」

遠い昔を振り返るような顔で言った後、モップの柄をまた動かし始めた田所は、「とんでもねえ間違いだったけどな」と付け足した。苦笑混じりの声に、行もちょっとだけ頬を動かしておいた。

「でもさ、よかったと思ってんだ、今は。これ知ってるだろ?」振り返り、田所は胸の徽章（きしょう）を示した。「防衛記念章。先任伍長が推薦してくれたんだ。このおれが表彰されるなんて、ガキの時に『虫歯がないで賞』ってのをもらって以来だぜ。おまけに昇任試験に受かったら、米軍で研修だって……。なんか夢みたいだよ。笑っちまうよな。親からも見放されてたおれが、国の金でアメリカに留学するなんてさ」

そう言って笑うと、田所は「……多分、おれにはここ以上の居場所はねえよ」と言って、背中を向けた。どう応じていいのかわからず、行も黙って目を逸らした。

「だけど、おまえは違うんだよな。なんかおれたちと雰囲気が違うんだよ。幹部ってわけでもないし、なんていうのかな、その、みんなでなんかやろうってタイプじゃないんだよ。芸術家っぽいっていうか」

要は、浮いているということか。内心に呟いて、行は他意のない田所の背中をちらとだけ振り返った。言われるまでもない、自覚はしている。どだい、自分は潜入（アンダーカバー）向きの人材ではないのだ。「……そんなこと、ないです」と絶望的な抵抗を言ってから、行は床を濡らすモップの先に目を落とした。

「別にいけないって言ってるわけじゃないんだぜ? だけどおまえには、絶対におれたちにはないものがある。絵を描けるんだってそうだ。こんなとこで燻ってる必要なんかないんじゃないかって、思ってさ」

俯いたこちらを気にして、田所は言い訳のように続ける。仙石も同じことを言っていたと思い出し、本当にバカな真似をしてしまった……の後悔をあらためて噛み締めた行は、もう目を閉じても細部まで思い浮かべられる第一機械室の光景を見渡した。

大学ノートにスケッチして、事前に見た図面と現物の照らし合わせをしたお陰だったが、今にしてみれば、それも再燃した絵心を抑えることができずに、自分を騙してやってしまったことなのではないかと気づく。愚かなことだ、と行は自分を罵った。また絵が描けるようになるとでも思ったのか？　先任伍長に言った通り、おれにはもうその資格がないのに……。そんな思考を固める間に、「そう言うとおまえ、このくらい誰にでも描けるっていつも言うけど」と重ねた田所の声が、低い機関音の中に混ざった。

「おれは、磨けばすごい奴になるんじゃないかって思ってる。画家でも、漫画家でもさ。それを認めないで、普通のふりしてるってのはさ、逃げてんだよ」

「逃げてる……？」

思いも寄らない言葉が頭の中に弾けて、行はその場に棒立ちになった。逃げてる？　このおれが？　逃げないと決めたから、ここでこうしているのに……？

「そうだよ。人間、天分ってのがあるんだ。おれの天分は、先任伍長みたいにミサイルのエキスパートになることだけど、おまえのは違う。それを寝かしたままにしてるなんて、もったいねえじゃねえか。おれは、自分の天分を生かすためならどんな苦労だって平気だ。才能がないとかなんとか言って、とりあえずの逃げ場に隠れたりはしねえ」

目を合わせて言いきると、田所は天井を見上げた。煙突に繋がる排気筒が這う下で、その顔はひどく大人びて見えた。

「いたんだよ、族にもそんな奴が。すげえ頭よくってさ。なのに家が気に入らねえからって、おれらとつるんで……。バカな奴らばっかりでも、あいつには他の居場所がなかったんだろうな。そのうち事故って死んじまったよ。その気になりゃ、いろんなことができただろうにさ」

言った後、軽く首を振ってから再びモップを動かし始めた田所は、「逃げっぱなしのまま、あの世行きだ」と結んだ。別の世界の話だと思いながらも、投げ込まれた言葉が思考の渦の中心から動こうとせず、行は棒立ちのまま、モップの柄を握る自分の手のひらを見つめた。父を殺し、シロを殺し、その後もいくつかの命を摘み取ってきた手。逃げていると言うなら、なぜおれはここにいる……？

「そりゃあさ、おまえがいてくれた方が助かるよ。でも、それよりもいつかおまえが大物になってさ、テレビとか新聞に出て、おれはあいつの友達なんだって自慢できるような、そういう奴になってくれた方がいいな。おれの周りにいねえもん、そんな奴」

無言のこちらをよそに、田所は言っていた。振り向いた笑顔に胸の痂を剝がされるように感じた行は、合わせてしまった目をすぐに逸らした。

仙石といい田所といい、どうしてそこまで無条件に人を信じようとするのか。菊政のように、ひたすら人が好いからというわけではないだろう。それなりに世の芥に交わり、人の裏側を覗いてきたはずの男たちが、それでも他人を信じ、希望を繫ぐことができるのは、自分たちにはそうするしかないと割り切っているからか。それで裏切られたとしても、最初から誰も信じられないよりはいいという想い、傷つくことを恐れない強さがあるためか——。

もしそうなら大バカだと行は思った。そんなの、地雷地帯を無防備に、大手を振って歩くのと同じだ。地に伏せて状況を見定め、ナイフの切っ先で地面を抉り、少しずつ這い進んでゆくのが正しいやり方だ。臆病と呼ばれても構わない。それで今まで生き残ることができた。別に逃げているわけじゃない。おれは逃げないからここに来たんだ。今さらどうしようもない。これまで通り、すべてを憎んでいればいい。ここに自分を送り込んだ連中、この艦のクルーたち。周囲の世界すべてを嫌えば、痛みは消える。いつもの自分に戻って、冷静に行動を起こせるようになる。

祖父が謀殺されたと知った瞬間、体の奥底から湧き出してきた未知の物質。父を殺せと命じ、それを為した時から、自分と不可分のものになった冷徹な意志が、すべきことを心得ている。才能と呼べるものが自分にあるのだとしたら、それこそがそうだ。自分をこの世界に引き込んだ連中も、そう言っていたではないか。絵なんて関係ない。先任伍長は、過去なんかどうでもいい、おまえの人生はまだ始まったばかりだと言ったが、それは誤りだ。おれには結果と向き合う人生しか残されていない。胸は痂だらけでごわごわになっていて、新しく思いを貯めることもできない。曖昧で、いつかは消えてしまうものと関わっている余裕なんかない。頼れるのは自分の力だけ、他にはなにもないんだ。それなのに——それなのに、どうしてこうも胸が痛む……？

鳴り響いたブザーの音が、沈思の時間を終わりにした。田所と二人、モップを動かす手を止めて天井を見上げた行は、（艦長より達する）の声がスピーカーから流れるのを聞いた。

（群司令より、演習続行の決定が下された。《うらかぜ》との遭遇戦演習は、予定通り明日没を以て開始される。各員は第三哨戒配備のまま待機。なお、遭遇戦の本質は会敵すなわち戦闘である。明日没の開始時刻が設定されているものの、それ以前に戦端が開かれないという保証はなく、また《うらかぜ》がおとなしく大島沖に布陣しているとも限らない。不幸な事故の後ではあるが、各員とも気を引き締め、外周監視を厳となせ。以上）

宮津艦長の声が話し終えると、放送の切れるブッという音が機械室の空間に響き渡った。「……冗談じゃねえ」と言った田所の低い声が、それに続いていた。

「演習続行だぁ？　上の連中はいったいなにを考えてんだよ……！」

こちらを振り返り、吐き捨てた田所の顔は見なかった。モップを壁に立てかけた行は、そのまま機械室を後にした。

呼び止める声を無視して、水密戸を閉める。いよいよ敵が本格的に動き始めた。ためらっている時間も余裕もなくなったということだ。頼れるのは、自分だけ。その言葉だけを胸の中にくり返し、他のすべてを忘れたつもりになった行は、居住区に戻る通路を歩いていった。

*

「納得のいく説明をしてくださいと言ってるんです。このままでは、クルーの気持ちも収まりません」

精一杯抑えたつもりでも、声が震えるのを止められなかった。任官されてから三十年、これほど頭に血が上ったことはない。演習続行の放送が終わらないうちに、殴り込む勢いで艦橋構造に向かった仙石は、士官室から出てきた竹中に詰め寄ったところだった。

「命令を納得する必要はない。従うのが我々の仕事ではないのか？」

押し黙り、じっとこちらを見据える竹中の横で、杉浦が不快げに口を挟む。「あんたと話してるわけじゃない」と睨みつけた仙石は、たじろぐ杉浦の顔から竹中に目を戻した。溜め込んできた不信感が、ここに至ってついに爆発した感じだった。目の裏に焼きついた菊政の血の色が、下士官としての分限も吹き飛ばしてしまい、仙石は「副長、わかってるでしょう？」とさらに詰め寄っていた。

「人が死んだんですよ。遺体を乗せっぱなしで訓練続行なんて、そんなバカな話は金輪際ないんだ。すぐに寄港して、調査隊の立ち入り検分を待つのが当たり前のはずでしょうが。いくらこれが大事な演習だっていっても、どうしても明日やらなきゃならんってことはないはずです。せめて遺体を降ろしてからでないと……」

「……すまない、先任伍長。自分には話す権限がない」

おまえには知る権限がない、の巧みな言い回しだった。ようやく口を開き、目を逸らした竹中から一歩退いた仙石は、「防衛秘密だってんですか、これが？」と呆れ返った声を出した。

「冗談じゃねえ。そんなメチャクチャな話があるもんか」

「口が過ぎるぞ、先任伍長」と杉浦。これ以上、上官に唾を吐けばどうなるかわかっているな？　の脅しを滲ませた目と声だったが、構うつもりはなかった。「じゃあ菊政を、肉や魚と一緒に冷蔵庫にでも放り込んどけってんですか⁉」と怒鳴り返して、仙石は竹中だけを正面に見つめた。

「艦の運用や訓練計画に口を出すつもりはねえです。でも自分には、クルーの安全を守る義務がある。わけのわからねえ理由でクルーを危険に曝そうってんなら、それが幹部でも容赦はしませんぜ。懲戒会議にかけてくれたっていい」

賭けだった。ここで竹中が短気を起こせば、自分は問答無用で解任されて一巻の終わり。だが以前、なにかを告白しかけた竹中の横顔を見ている仙石には、簡単に斬って捨てることはしないはずだという一縷の望みもあった。無言の目をじりじりした思いで見つめる数秒が過ぎ、疲れ果てたように嘆息を漏らした竹中は、ためらいがちな目を向けた。

「ここで先任伍長にすべてを話したとする。あなたのことだ、他言無用を念押せば、絶対に秘密を守り通すだろう。だがそうなれば、今度は掌帆長たちが黙ってはいまい」

一語一語を搾り出すように言った竹中に、不意打ちを食らった思いで仙石は目を伏せた。竹中は辛そうに続きの言葉を紡いだ。

「幹部と一緒になって、無茶な演習続行を支持する先任伍長に信頼はおけない。そう言われれば、掌帆長にも話さざるを得なくなる。そうやって結局、秘密は秘密でなくなってしまうんだ。誰かが、非難されるのを覚悟で歯止めをかけていない限りな」

返す言葉がなかった。「恨んでくれていい。それも幹部の仕事のうちだと思っている」と付け足した竹中に、頭に上り詰めた血が急速に下がってゆくのを感じたが、ここで引き下がれば、同じことのくり返しになってしまうとわかっていた。最後の意地で顔を上げた仙石は、「……では、ひとつだけ教えてください」と、真摯な目を向ける竹中に言った。

「この航海中、司令室に出入りしている者の正体を教えてください」

微かに顎を上げ、息を呑み込んだのは杉浦も同じだった。「……月曜の朝に、掃除の係が入ったはずだが」と答えた竹中に、「ごまかさんでください」と返した仙石は、同種の動揺を顔に刻んだ竹中と杉浦を交互に見た。

「自分はそこで寝起きしている者のことを言ってるんです。あの航空救難の夜から」

血の気の引いた二人の顔が、菊政が遺した言葉をなによりも雄弁に実証していた。互いの目の底を覗き合った後、わずかに瞳を揺らした竹中は、「そんな者はいない」とかすれた声で答えた。

「誓えますか？《いそかぜ》の副長として」

まっすぐ目を逸らさずに、たたみかける。口もとを引き締めて、竹中もその視線に応じた。行き届いた空調に関わりなく、互いの額を汗が伝わる。杉浦は耐えきれずに顔を背け、やがて竹中が口を開こうとした刹那、「もういい。副長」の声が頭上から発した。

振り返ると、ブリッジに通じるラッタルの途中に宮津艦長が立っているのが見えた。なにかを確かめる目が注がれ、反射的に踵（かかと）を合わせて背筋をのばした仙石は、ゆっくり残りの階段を降りてくる艦長の足音を聞いた。

「これ以上の嘘を重ねさせて、副長の誇りを傷つけたくはない。わたしが代わって話そう」

「しかし……」と身を乗り出した杉浦を手で制して、宮津の目が仙石を正面に見据える。直立不動のまま、仙石は礼儀と反感が半々の思いで、その目を見ないようにした。

「見込んだ通り、君は実直で優秀な先任伍長だった。同じ艦に乗れて嬉しく思う」

「僭越ながら、自分も艦長をそのように思って尊敬しておりました。ですが……」

「わかっている。その実直さが、この航海では君の不幸になった。我々にとっても……」

そう言って顔を伏せた宮津に、仙石はちらとだけ目を動かした。浮き出る脂汗を拭うこともできず、気をつけの姿勢を維持していると、「すべてを話そう」と言った宮津が不意に顔を上げた。

「だがそれは、秘密の重さを君も共有するということだ。覚悟はいいかね？　信じてきたものが、打ち砕かれる苦痛を味わう結果になるぞ」

大げさな言葉で、やたらに人を脅かすような人間でないことはわかっている。生唾を飲み下してから、仙石は「自分には、この艦で起こっていることを知る義務があります」と答えた。

「懲罰も覚悟の上です。お教えください」

確かめる目が再び注がれ、今度は仙石もそれを見返した。穏やかな相貌とは別世界の、虚無的な瞳がじっとこちらを見つめ、この人はこんな目をしていたか？　と肌が粟立つのを感じた途端、「……いいだろう」の声が発した。

「ついてきたまえ。あらためて会わせたい人物がいる」

踵を返し、宮津は士官寝室が両脇に並ぶ通路を歩いてゆく。わき出してくる不安を深呼吸でごまかしてから、仙石もその後に続いた。
通路の先には艦長室と司令室がある。引き返せない一線を踏み越える予感が足を重くするのを感じながら、仙石は薄闇に溶けてしまいそうな宮津の背中を追うことに努めた。寡黙に見送る竹中と杉浦の目が、なぜか自分を哀れんでいるように見えた。

案の定、宮津は艦長室ではなく司令室の扉を開けた。死んだはずの女が、溝口と一緒にいたという部屋。戸口の前で立ち止まった仙石は、もういちど深呼吸してから室内に足を踏み入れた。

八畳ほどの空間に、ベッドと執務机、簡単な応接セットが置かれており、壁には室町時代に描かれた日本画のレプリカが掛けられている。海外の賓客を乗せた時の受けを狙ったのか、前に座乗していた司令が残していったもので、ビジネスホテルのシングル・ルームといった風情の部屋を見回した仙石は、背後に突き刺さる視線を感じてぎょっと振り返った。

戸口の脇に立っていた溝口は、扉を閉めてからあらためてこちらと視線を合わせた。驚いたのも一瞬、探るような視線にむっとなった仙石は、執務机の椅子に腰かけた宮津に問う目を向けた。宮津は俯いたきりこちらを見ようとせず、代わりに溝口が近づいてきて、「先ほどの会議では、失礼をしたと思っています」と薄い唇を開いた。

「自分の立場では、ああいう態度を取らざるを得ませんでした」

先刻の会議とは打って変わった丁重な声に、思わず「……いえ」と一礼してしまった。「どうぞ」とソファを勧めた溝口に、「このままで」と返した仙石は、司令室の真ん中に立って、明らかに海上自衛官ではない素顔を覗かせたFTGの訓練科長を見据えた。

「まず、先に懸案をひとつ解決しておこうと思います。あまり驚かないでやってください」

仙石の目を正面に受け止めた溝口は、不意に顔を動かして「いいぞ」と背後に呼びかけた。部屋の隅にある専用浴室の扉が軽い音を立てて開き、その向こうに立つ人の姿を見た仙石は、覚悟はしていてもよろけそうになった。

電気の消えた暗い浴室の戸口に、女が立っていた。海曹用の青い作業服を身につけ、にこりともしない白い細面をこちらに向けている。頬にかかったショートカットの髪、神秘的な長いまつ毛は間違いなくあの生存者の女だったが、その瞳と目を合わせて、仙石の中には奇妙な違和感だけが浮き立っていった。

想像とまったくかけ離れた、冷たい瞳。どこかで見た……と考え、すぐに溝口と同じ瞳をしていると気づいた仙石は、あらためて二人の顔を見較べた。心の奥まで見透かし、それでいて向こうからはなにも漏らさないガラス玉のような目。二十歳と見当していた年齢が一瞬に五、六歳あがり、呆然とその顔を見つめる間に、「わたしの部下です」と説明した溝口の声が降りかけられた。

「任務で、あの旅客機に乗り合わせていました。墜落時に席を離れていたのが幸いしたようですが、助かったのは奇跡としか言いようがない」

冷たい中に一分の温かみを宿した溝口の視線が注がれると、女はその横に並んで軽く頭を下げた。内火艇引き揚げのトラブルをどうにか収めた時、わざわざ礼を言いにきた溝口の顔が思い浮かんだが、それでなにを納得できるものでもなかった。なぜとどうしてで破裂しそうな仙石に、溝口は説明を続けた。

「艦内に潜伏しているスリーパーの目を欺くためには、死んだということにするよりなかった。看護長はじめ、幹部の方々に骨を折っていただいた上、わたしのミスであなた方にもいらぬ気苦労をさせてしまった。すまないと思っています」

幹部が総出で彼女の死を演出し、空調の止められた司令室の暑さをしのごうと、少しだけ扉を開けた溝口の失態が、菊政に彼女を見られてしまうという結果を呼び込んだ。そのことはわかったが、それだけで、話の半分も理解できずに目をしばたかせた仙石は、女がベッドに腰を下ろすのを見つめた。

頭痛がするのか、絆創膏の目立つ手で頭を押さえている。どんな僥倖で助かったのか知らないが、高空から飛行機ごと海面に叩きつけられたのだ。見た目の怪我は大したことがなくても、本来は入院治療が必要なところだろう。「墜落のショックで、軽い失語症にかかっています。ご容赦のほどを」の声を平然と出した溝口に、なにかしらぞっとするものを感じた仙石は、離れたい衝動を堪えてその顔を見た。

「あんた方は、いったい……」

「わたしの息子を殺した者たちだ」

その声は、背後から発した。苦いものを嚙み潰した顔になった溝口を背に、執務机の前に座る宮津を振り返った仙石は、暗い目をじっと床に注いでいる艦長の横顔を見た。

「……殺された？　でも、息子さんは確か……」

「交通事故は、もっともわかり難い暗殺方法なのだそうだ。そうだったな、溝口さん？　そろそろ正体を明かしたらどうだ」

溝口を見据え、吐き捨てるように言った宮津は、再び顔を俯けていった。しばらくの沈黙の後、「返す言葉もありません」と低く呟いた溝口は、向き直った仙石に懐から取り出した身分証を提示して見せた。

防衛庁防衛情報本部・主任調査官の文字の隣に、目の前にあるのと同じ顔の写真。形式は自衛官の身分証と変わらないが、ＩＤナンバーは英字まじりで、桁が極端に多い。女も同様の身分証を掲げ、一歩身を退くようにした仙石は、「情報本部って……その、諜報関係の？」と、思いついたことを言った。

「はい。特に我々は、電波傍聴や暗号解読に当たる情報自衛官とは一線を画し、公安的な捜査活動も行う者です」

混乱の冷めない頭に、「ダイスというのだそうだ」と言った宮津の声が吹き込まれる。そいた。
の言葉が咀嚼されるより前に、さっと顔を厳しくした溝口が、「艦長」と抗議の目を向けて
「不用意な発言は、このさき仙石曹長の行動の自由を制限する結果にもなる。お控えいただ
きたい」
「かまわんだろう。我々はもう一蓮托生だ。海幕長から直接この話を持ちかけられ、隊司令
をも欺いて君らを乗せた時からな」
そう言って、宮津は再び顔を背けた。とてつもない根の深さを感じ、「……ダイス」と無
意識に呟いた仙石は、あきらめたように息を吐いた溝口に目を戻した。「同じ自衛官という
ことになってはいますが、性質はまったく異なります。汚れ役の引き受け手と思ってくださ
って結構です」と言って、溝口は多少気を取り直した顔をこちらに向けた。
「FTGの名を騙って乗り組んだわたしの部下は、すべてそこから派遣された者です。海上
自衛官らしからぬ振る舞い、さぞお気に障られたことでしょう。お許しください」
「許すもなにも……。あんたの言ってることはさっぱりだ。そのダイスの人が、この艦にな
んの用があるってんです」
「北朝鮮が送り込んだスリーパーを狩り出し、テロ計画を未然に防ぐ。それが我々の任務で
す」
それまで感情のなかった溝口の瞳に、硬質な怒りが宿った瞬間だった。さっきも聞いた言

葉だと思いつつ、「スリーパー？」と聞き返すと、ダイスの主任調査官はすっと目を細めた。

「眠れる者。日ごろは完全に普通の一市民として生活し、必要時にのみコントローラーによって操られる工作員のことです。かつてはソビエト、現在は北朝鮮が、そういった類いの人間を日本国内に大量に獲得している。無論、在日朝鮮人というわけではありません。スリーパーになるのは、当局からまったくマークされていない日本人です」

まるっきり、これまでの人生とかけ離れた話だった。それと《いそかぜ》がどう関係しているのか、尋ねようとした仙石を目で封じて、溝口は説明の口を開き続けた。

「協力者を獲得する場合、そのやり口はヤクザと変わりありません。思想的に自ら転ぶ者もいますが、ほとんどはその者の弱みにつけ込んだり、騙したりして、引き返せないところまで自分たちの側に引きずり込むのが常道です。多くは北が欲している情報に近づける者で、いちど協力してしまったが最後、断れば警察に突き出すと脅されて、死ぬまでコントローラーの奴隷に成り下がることになる。しかしスリーパーは違います。彼らの多くは幼年期からマインド・コントロールを受け、工作員としての技能を徹底的に教え込まれます。大抵は親の代から引き継がれていて、韓国籍を獲得していながら、実は北の密偵を一家ぐるみで続けているという者たちもいる。が、それより厄介なのは、さまざまな事情で親の庇護(ひご)を失い、北の手に掠め取られた子供たちです。

施設を脱走した者。あるいはなんらかの犯罪に手を染めてしまった者。地下社会を通じて、北のコントローラーはそういった者たちの情報を絶えず集めている。そして適性ありと判断すれば、警察に先んじて彼らを保護し、訓練キャンプに送り込むのです。キャンプの所在地は一ヵ所ではなく、いまだ一度も手入れが成功した試しはありませんが、本国から教官を招いて、本格的なゲリラ戦術を教えているようです。我々のレンジャー課程よりもはるかに非人道的で、容赦のない訓練プログラム。彼らはそこで教育を受け、一流の工作員の技能を身につけてから社会に帰ってくる。その後の進路はさまざまです。普通の企業に就職する者もいれば、周到に偽造された経歴をもって公務員になる者もいる。我々も調査の手を怠っていないつもりですが、残念ながら万全とは言えません。中には自衛隊内部への潜入を成功させた者もいる」

そんなバカなと思いながらも、鳥肌が立つのを止められなかった。独自の思想体系を持つ隣国が、日本にも有形無形の闇の手をのばしていることは、新聞紙上で何度も目にしている。どだい、この《いそかぜ》を一番艦とした全護衛艦のイージス化にしても、北朝鮮のミサイル騒動によって始まったものだ。無縁ではない、むしろ自分はそのパワーゲームの渦中にいる身だということを今さらのように自覚して、仙石は、「……この艦に、そのスリーパーが？」の声を搾り出した。

「確かな情報です。海幕人事課長の自殺が、その事実を裏づけもしました」

東京で線路に飛び込んだ人事課長。確か沢口と言ったか？　新聞記事を頭に呼び出す間に、「良心の呵責……」と呟いた宮津の声が、再び背後に発した。

「弱みを握られて脅された挙句、そのスリーパーを強引に本艦に配転させたのだそうだ。一見すれば、正当な理由をもってな。本艦が出港して、もう手の届かないところに行ってしまったとわかった時に、耐えきれなくなったんだろう」

いまいましげにそう言った宮津は、ふと遠くを見る顔になってから、「気持ちはわからんでもない」と続けた。

「わたしも、君たちや隊司令たちを騙し続けていることをいつも胸苦しく思っていた。たとえそれが、凶悪なテロ計画を未然に防ぐためだと聞かされていてもな」

海上自衛官としての実直さが、宮津に人一倍の呵責を感じさせていたことは想像に難くなかったが、思いやる余裕は仙石にはなかった。強引な配転、正当な理由といった言葉が、頭の中で爆発的に膨脹していたからだ。

強引な配転――在籍地で揃えるのが当たり前の曹士クルーを、あえてよその地方から引き抜くこと。正当な理由――その者が、艦に新しく搭載したシステムの扱いに長けているということ……。

「まさか……」

「揚艇機のトラブル。機関故障。そして菊政二士の殺害。すべてそのスリーパーが仕組んだことです。彼のコントローラーに命じられて」

溝口が重ねる。衝撃に揺さぶられる中、仙石は「コントローラー……？」とおうむ返しにしながら、その顔を見た。

「操る者。この場合、我々を一年前から恐怖の底に突き落としている男です。名前はホ・ヨンファ。北朝鮮偵察局始まって以来の恐怖と称される、最悪の工作員」

逸らさない目に、深く押し殺した怒りが渦を巻いていた。冷たい猜疑や、冷笑の皮の下に隠されていた溝口の本質。同じ国防業務に携わりながら、訓練で良い成績を上げるのが仕事の自分たちとは異なり、水面下でくり広げられる闘争を実際に生き抜いてきた男だからこそ見せられる、純粋な怒りの目だった。

この男は、本当のことを言っている。無条件に思ってしまった後、それが苛酷な現実との直面になると気づいた仙石は、黙って次の言葉を待った。漏れかけた感情を深呼吸で押し留めて、溝口は続けた。

「ホ・ヨンファが、この艦を自らのテロ計画に利用するために配下のスリーパーを送り込んだ。《いそかぜ》の航路上で民間旅客機を爆破したのも計画のうちです」

「爆破……⁉　じゃ、あの墜落事故も……」

「事故ではありません。同じヨンファの部下が、自らの死と引き換えに為したことです。彼女がそれを目撃している」

ベッドに座る女は、仙石と目を合わせるとはっきり頷いて見せた。声が出せないぶん、その目には溝口よりも強い怒りが宿っているようだった。

「彼女が追っていたサブジェクト……監視対象者は、ある物を手にしていた。ヨンファが在日米軍から強奪したもので、我々が〝あれ〟と呼称している特殊兵器です」

溝口が続ける。次から次へと出てくる聞き慣れない単語に戸惑いながらも、仙石は頭をフル稼働させて整理することに努めた。

「都内に九ヵ月ものあいだ籠城していた強奪グループは、オーストラリア行きの手はずと引き換えに籠城を解き、日本を離れた。我々の手の及ばない海上で機を爆破し、折りあらば《いそかぜ》に乗っているスリーパーに回収させるつもりだったのでしょうが、それはあくまでも可能ならばといった程度のものでしょう。本命の受け手は、ヨンファに同調している本国人民武力省の一部勢力が差し向けた小型潜水艇です。墜落と同時に、発信機を頼りに回収したと見て間違いありません」

「潜水艇？　北朝鮮の潜水艇が、こんなところに？」

冷戦終結でかなり削減されたとはいえ、世界の海を遊弋（ゆうよく）する米海軍の原子力潜水艦は依然健在だし、日本と韓国も日本海を舞台に対潜訓練をくり返している。旧式ディーゼル・エンジンの騒音をまき散らし、シュノーケルを上げて充電しなければ潜行を続けられない北のオンボロ潜水艇が、監視の目をかい潜（くぐ）って太平洋に出られるとは思えなかったが、溝口は、「彼らの機動性と特攻精神を甘く見てはいけない」と真顔で言っていた。

「屍の山を築いて大海を渡ろうとする輩です。探知されないためには、乗員の生存環境を無視して何日も海底に留まるくらいのことはやる。あの晩、保安庁への通報を後回しにしていただいて、我々もできる限り海上を捜索しましたが、〝あれ〟を発見することはできなかった。事前に待機していた潜水艇が持ち去ったと見るのが自然です。今頃は、そう遠くない場所からこの艦を追尾しているはずだ。そしてスリーパーの連絡があり次第、ひそかに乗り込んで《いそかぜ》を占拠する」

「そんな……まさか」

「そうですか？　先任警衛海曹のあなたなら、艦にどれだけの小火器が用意されているかご存じでしょう。失礼ながら、我々が擁しているSOF……特殊部隊でも、制圧は可能です。事前に潜入している者が、ソナーや指揮中枢を破壊して、下地を準備していてくれさえすれば」

じわりと胃酸が染み出し、冷たい汗が脇の下を伝うのが感じられた。艦に保管してある銃火器や防弾ベスト、弾帯などの武装は、警衛に行き渡る分量しか用意されていない。せいぜいが一小隊程度の戦力で、年に何回か射撃訓練は受けるものの、本格的な戦闘訓練は皆無の現状では、実際どれほどの役に立つか甚だ疑問としか言いようがなかった。接近される前に敵を探知、迎撃する装備が整いすぎている現代の艦艇にあっては、銃火閃く白兵戦が艦内で発生するなど、およそ本気で考慮すべき事態ではないのだ。

が、事前に潜入した者がレーダーやソナーを潰し、電気系統と通信設備も破壊したとしたら……。こみ上げてくる吐き気を堪える仙石に、溝口は、「それがスリーパーの役目です」と言い放った。

「一クルーとして艦内に浸透し、占拠部隊の斥候を務める。揚艇機を潰して内火艇の回収を妨害したのは、生存者がダイスの人間であった場合、計画が艦の乗員に露見するのを恐れたからでしょう。我々の手の者が旅客機に乗り込んでいることは、先刻承知していたはずですから」

気を失ったまま、サメの泳ぎ回る海に放り出されそうになった部下の顔をちらりと見て、溝口は言う。つまり、この女がダイスの人間であろうとなかろうと、スリーパーは最初から殺害するつもりで揚艇機を破壊した。内火艇に乗り込んだ田所たちクルーも巻き添えにして。なんとか一号内火艇を回収した後、医務室に運ばれていった生存者に、憎悪の目を注いでいた横顔を思い出してしまった仙石は、悄然と顔を俯けた。

「それで、我々もあえて誘いだす手に出ました。ＦＴＧのメンバーだけで海上捜索に出向き、ダイスの人間であることを仄めかして、揺さぶりをかけたのです。袋いっぱいに漂流物を詰め込んで、さも我々が〝あれ〟を回収したように見せかけましてね。案の定、スリーパーは動き出した。機関故障を誘発して、日本国内に潜伏しているヨンファと連絡を取った」

「どうやって？　艦内の通信設備は……」

「衛星無線機を使っているのでしょう。たいした大きさの物ではありません。アンテナ板と無線本体の簡単な組み合わせで、なにかに粉飾すれば持ち込みは容易です」

手で二十センチ四方の大きさを作って見せた溝口の顔は、見なかった。「プレステ持って時々いなくなってしまう……」と言った菊政の声が、耳の奥に再生されたからだった。

「そこでヨンファがどのような指示を出したのかは、推測するよりありません。ただ、追尾中の潜水艇が〝あれ〟を無事に回収したと聞かされて、スリーパーは罠に嵌められたことを悟ったはずです。それからは疑心暗鬼の虜。《いそかぜ》が個艦訓練をしている間に行動を起こさなければならないのに、我々に感づかれているという警戒心が実行を躊躇させる。それまではカモフラージュの一環と容認してきたクルーとの親交も、足枷と感じるようになっていったのでしょう。よもや殺害という暴挙に出るとは予測していませんでしたが……」

そこで言葉を切り、目を伏せた溝口に、不意に猛烈な怒りが湧き上がってきた。こいつらは知っていた。なにもかも知っていながら、事が起こるまで高みの見物を決め込んでいた。

「じゃあ、あんたらはもぐり込んだスパイをいぶり出すために、菊政を人柱にしたのか」と言った仙石に、溝口は伏せた目を少しだけ動かした。

「……予測外の事態であったと」

「ふざけるな！　それなら、どうしてさっさと《いそかぜ》を帰港させなかったんだ。クルーが危険に曝されているとわかっていながら、あんたらは……！」

「スリーパーを狩り出し、追尾中の潜水艇をおびき寄せて〝あれ〟を奪還する。それが本作戦の骨子です」

顔を上げ、決然と言いきった溝口に、振り上げた拳の下ろし場所がなくなった。なにも言えずに、仙石はその顔を睨みつけた。

「陸の上ではできない、周囲になにもない海上だからこそ可能な作戦なのです。彼らが切札にしている〝あれ〟には、それだけの破壊力がある。使いようによっては一千万都民を皆殺しにして、東京を人の住めない死の街にしてしまうだけの力だ。我々だって、好きでこのような作戦を実行したわけでは……」

逆に詰め寄るようにした溝口がそこまで言った時、「おためごかしはやめようじゃないか」の声が割って入った。苦渋の刻まれた顔を床に向けて、宮津は静かに言葉を継いだ。

「保険定理というやつだよ。大を生かすためには、小の犠牲もやむをえんという考え……。戦術の基礎だな。〝あれ〟とかいう魔物を取り戻すために、《いそかぜ》のクルーは全員人柱にされたんだ」

苦い声で言った後、「……息子も、その論理で殺された」と付け足した宮津は、口を閉ざした。クルーを欺き、危険の渦中に置かなければならなかった艦長の呵責はもちろん、それ以上に根深い別の苦悩を感じ取った仙石は、これから自分が味わう絶望もそこに重ね合わせて、ぎゅっと唇を噛み締めた。

そうなのか？　おまえは、そんなことのために《いそかぜ》にやって来たのか……？

「ヨンファは、《いそかぜ》を占拠して〝あれ〟をミサイルの弾頭に搭載するつもりです」

溝口が言っていた。仙石はなにも考えられずにその目を見た。

「〝あれ〟の破壊力に《いそかぜ》の戦闘力と防御力、遠隔射撃能力が加われば……核を装備した原潜か、それ以上の脅威になる。しかも操るのは、目的のためなら大量殺戮も厭わない凶暴な男だ。お腹立ちはもっともですが、ぜひあなたにも協力していただきたい」

「……協力？」

「スリーパーの拘束です。それを為し遂げるまで、我々は陸に帰るつもりはない」

それが、強引な演習続行の理由というわけか。あくまでも海上でけりをつけると決めた溝口の顔から目を離して、仙石は沈痛な横顔をこちらに向けている宮津を見た。海幕と、その上の防衛庁までが溝口たちの行動を認可している今、しょせんは艦を統括する一部品としか見なされていない艦長は無力だった。信じてきたものが打ち砕かれる苦痛を味わうことになるといった言葉を思い出し、まったくその通りだとひとり納得した仙石は、苦しそうに見返す宮津の目から視線を逸らした。

いかにミニ・イージス・システムを搭載したとはいえ、ミサイルの装備数では本家イージス艦に劣るし、他のミサイル護衛艦だってある。ホ・ヨンファとかいう北朝鮮の工作員が、《いそかぜ》に狙いを定めたのはなぜか。そもそも〝あれ〟とはなんなのか。宮津の息子はどうして日本の防諜機関に殺されなければならなかったのか。まだなにもわからないまま、とりあえず強い意思の光を宿す溝口の目に視線を戻した。息を吸い、吐いてから、いま確かめなければならないたったひとつの質問を口にした。

「……その、スリーパーというのは……」

「もうおわかりのことと思います」

まっすぐ視線を合わせて、溝口は答えた。それで十分だった。絶望を確かめた途端、腰が砕けたようになり、仙石はよろよろとソファに座り込んだ。

＊

結局、行はあれきり戻らなかった。仕方なくひとりで掃除を済ませた田所は、行が置きっぱなしにしていったモップも片付けてから、第三居住区に戻った。

会ったらとっちめてやるつもりでいたが、哨戒配備で三分の一の人員が出払い、普段より閑散とした居住区に行の姿はなかった。そろそろ始まる巡検に備え、布団を整えている後輩の士長を見つけた田所は、「如月は？」と尋ねてみた。

「さあ。さっきいっぺん戻ってきて、なんか荷物持ってまた出ていっちゃいましたけど」

哨戒配備では自分と同じ二直員に配置されている行が、当直に出た道理はない。士長の答えにふうんと鼻を鳴らし、休憩所のソファに沈み込んだ田所は、いつもテーブルの上に置いてあったプレイステーションがなくなっているのを見て、胸の疼きがぶり返すのを感じた。プレイステーションを含めた菊政の私物はひとまとめにされて、今はCPO室に運び込まれているはずだ。まだやりかけのゲームがあったのに……と内心に呟き、痛む胸をごまかした田所は、午後七時を少し回ったばかりの時間を確かめて、少しでも横になっておくかと考えた。

演習が終了するまでは、昼夜を問わず四時間休んで二時間働く生活が続く。戦闘部署が発動すれば総員配置がいつまで続くかわからないし、休める時に休んでおかなければならないとわかっていたが、こんなクサクサした気分では眠れそうにもなかった。読書という気にはなれないし、沈んだ空気の中では誰かとバカ話するつもりにもなれない。酒が欲しいもんだ、と痛切に感じた田所は、ふと行がプレイステーションを持っていたことを思い出した。

確か壊れていると言っていたが、もしかしたら使えるかもしれない。そう考えた時には、田所は三段ベッドの最下段にある行の寝床に向かって、狭い空間に頭を突っ込んでいた。他人の私物に手をつけるのは御法度だが、途中で掃除をフケた罰だと勝手に理屈をつけて、時おり行が持ち歩いているショルダーバッグの中を探った。

目的の物はすぐに見つかった。菊政の持っていたやつよりずいぶん重いなと思いながら、プレイステーションの本体をバッグから取り出し、今度は枕許に押し込んであるずだ袋の中に手を入れた。ゲーム機があっても、ソフトがなければ話にならない。よもや本体しか持ってきてないということはないだろうと、田所は袋の中身を敷布団の上に並べていった。まるまった靴下。洗濯済だか汚れ物だか判然としない下着類。顔に似合わず無精な奴だなと思いつつ、ずだ袋に入れた手をもぞもぞ動かすうち、固い感触に指先が触れた。奇妙に冷たい、弁当箱を思わせる大きさの物体。なんじゃこりゃ、と呟きながらずっしり重いそれを引き出すと、鉄製の黒い直方体ケースが田所の面前に現れた。

全体が緩く湾曲しているものの、見た目はまさに黒い弁当箱だった。ベッドに突っ込んでいた上半身を起こし、室内の光にそれを照らした田所は、ケースの表面に浮き彫りにされた英字に目を細めた。そして次の瞬間、ぎょっとそれを布団の上に放った。

FRONT TOWARD ENEMY（この面を敵に向けるべし）の文字は、以前、乗艦実習で乗り組んだ輸送艦が演習中の陸上部隊を運んだ時、艦内で知り合った陸自隊員に見せてもらった覚えがある。対人地雷、M18A‐1クレイモア。本体からのばしたケーブルに足を引っかければ、内蔵された七百個の鉄球がプラスチック爆弾の起爆力によって放出され、人体を粉砕する。通常の地雷と違って埋設する必要がなく、爆発が一方向に集中する指向性を持っているので、防御用ばかりでなく攻撃用にも使える対人兵器だった。

陸自隊員に見せてもらったのはケースだけのダミーで、これほど重くはなかった。本物だと直感した田所は、なぜと考えるより前にベッドに半身を突っ込み、ずだ袋の中身を洗いざらい布団の上にぶちまけていた。

見たこともない金具が目の前に散らばる。ビニール袋に入ったリード線の束は爆破ケーブルで、ライターに似た金属製の物体は起爆用の発火具か。震える手でひとつひとつを顔に近づけ、まだ重みの残るずだ袋を探った田所は、底にガムテープで固定されてあった物の形を確かめて、全身に電気が走るのを感じた。

小型の自動拳銃。自衛隊が制式採用しているシグサワーでもなければ、米軍が使用するベレッタやガバメントとも違う。見たこともない形の拳銃で、銃把（グリップ）には〈HK　P7M13〉の刻印が刻まれていた。普通の自動拳銃と違って撃鉄（ハンマー）も安全装置（セイフティ）もなく、可動式の握りがついたグリップの側面ボタンを押すと、十三発の九ミリ弾が装填された太い弾倉（マガジン）がぽんと排出された。

多少なりと拳銃を扱ったことのある身に、これが玩具の類いでないことは明白だった。いったいなんだ？　ようやくその言葉が頭の中にまとまり、マガジンをグリップに戻した途端、「なにやってんだ？」の声が頭上に発して、心臓が一瞬止まった。

咄嗟に上げた頭をベッドの上段に思いきりぶつけてしまい、くらくらする目で振り返ると、射管員の三曹の不思議そうな顔があった。慌てて上半身を起こし、「べ、別に。ちょっと如月に貸してたもんがあるんで」と取り繕った田所は、不審げな一瞥（いちべつ）をくれた三曹がいなくなるのを待ってから、布団の上に散らかした物を急いでずだ袋に戻し始めた。

なにがなんだかわからないが、とにかく他の者に見つかるわけにはいかないと思い、手当たり次第に袋に押し込んだ。なにかちゃんとした理由があるに違いない。これはよくできた玩具なんだと自分に言い聞かせながらも、頭の中心に根づいてしまった疑問を消すことができず、田所は蒼白になった顔を布団に押しつけるようにしていた。

如月行。おまえはいったい何者なんだ……？

第三章

1

　壁時計の短針が、午後八時を指そうとしていた。司令室に来てから、そろそろ一時間弱。すっかり中身を入れ替えられた頭を上げた仙石は、先刻から沈黙を保っている溝口の顔を見上げた。

　警衛士官と先任伍長がすべての居住区を回り、クルーの規律をチェックする巡検が始まる時間だったが、今はまだここを出るわけにはいかない。杉浦もそれは察しているだろう。警衛海曹の中から誰か代理を立てるはずだと思い、雑念を払った目を据え直すと、溝口も厳しい視線を仙石に注いだ。執務机の前で無言の顔を俯けた宮津と、ベッドに腰かけて身じろぎひとつしない女をちらと見てから、溝口はあきらめたように口を開いた。

「本来、わたしの権限で話せることではない。わたしの上司ばかりでなく、総理を始めとする複数の大臣たちの了解を取りつけなければならないことです。聞いてしまえば、今後あなたの行動の自由はかなり制限されることになる。これからお話しすることは、そういう種類の機密です。よろしいですか？」

協力しろと言うなら、なにもかも話せと要求した仙石に対する、それが溝口の返答だった。いいも悪いもない、と仙石は思った。ややこしい機密に興味はないが、菊政が死ななければならなかった理由、如月行が北朝鮮の密偵であることを証明する事実がそこにあるのなら、それは是が非でも聞かなければならない。頷いた仙石の顔をしばらく注視した後、仕方ないといったふうに大きな息を吐いた溝口は、ズボンのポケットから鍵を取り出した。壁に据え付けられたダイヤル式の金庫に向き合い、慣れた様子で施錠を解く。

「こういうこともあろうかと、一応用意しておいた。我々の偵察衛星が撮った写真です」

中に収められていたアタッシェケースから数枚の大判写真を取り出しつつ、溝口は言う。TMD用の監視衛星は、試験型のものが再来年に打ち上げになる予定だったが、「我々の偵察衛星」とこともなげに言った声は、彼らがずっと以前から独自の衛星を保持していたことの証明だった。あらためてぞくりとするものを感じながら、仙石は受け取った写真に目を落とした。

粒子の粗い白黒写真に、地表一キロ近くから見下ろしたどこかの沿岸地帯の鳥瞰図が写っている。その中心に穿たれた巨大な穴を見て、仙石は吐きかけた息を呑み込んだ。

内陸から突き出た岬の上に、すり鉢状に抉られた巨大な穴。まるで死火山の頂か、天体図鑑で見る月面のクレーター写真だった。周囲には瓦礫や噴き上がった土砂が散乱していて、それをかき回しているユンボの大きさから判断しても、穴の直径は五百メートル近くある。核爆弾かなにかの実験場かと思い、どこの国だと聞こうとした途端、「沖縄県、辺野古崎の写真です」と、溝口が冷静な声を発した。

「これが……⁉　でも……」

在日米軍最大の火薬庫、辺野古弾薬基地で起こった未曾有の爆発事故――「辺野古ディストラクション」が、基地を全壊させたことは知っている。新型高性能火薬の爆発が、半地下覆土式弾薬庫に貯蔵してあった他の弾薬類も誘爆させた結果だと新聞にはあったが、この写真はそれとは明らかに異なる事実があることを示唆していた。

爆心地を中心に、きれいに半球状に抉られた大地。複数の爆発で生じるものではなかった。なにか巨大な破壊力を持つものが、単独の爆発で穿ったものとしか考えられない。六千度の熱――つまり核でなければ発生し得ない熱で焼かれた飛散物が発見された、というタブロイド紙のまゆつば記事を思い出し、ぞっとなった仙石の心中を読んだかのように、「ミサイル装備のエキスパートであるなら、おわかりでしょう」の声が重ねられた。

「民間航空路までねじ曲げて、米軍が二年経った今でも辺野古一帯を封鎖しているのは、これを見せないためです。三十九個のイグルーが、一斉に誘爆するなんてバカな話があるわけない。ご覧の通り、これはたった一発の爆弾があけた穴です。それも故意に」

「故意……？」

「漏れ出した〝あれ〟を消去するには、それしかなかった。『解毒剤』の副作用です。爆発と同時に真空状態を作り出し、六千度の熱を放射して〝あれ〟を焼き尽くす二液混合爆薬、Tプラス。その開発が、米軍に〝あれ〟の研究管理を可能にさせた。漏出事故が発生した際には、こうして基地ごと吹き飛ばす安全措置が講じられたために」

基地を巻き添えにする自爆装置。六千度の熱でなければ葬れないという〝あれ〟。比喩ではなく、開いた口が塞がらなくなった仙石の顔を冷徹に見据えて、写真をケースに戻した溝口は続けた。

「〝あれ〟はもともと新エネルギー開発の過程で、たまたま生まれてしまったもの。Tプラスという解毒剤の存在がなければ、米軍も遺棄していたに違いない代物です。基地ごと焼き尽くしておいて、安全措置もあったものじゃないと思うかもしれませんが、〝あれ〟にはそれだけの価値があった。六千度の熱で分解するのではなく、もっと簡単で効率的な制御方法が見つかって、それを独占することができたなら……〝あれ〟は究極の戦略兵器になる。米軍が研究をあきらめきれなかったのはそのためです」

その究極の兵器の研究が、辺野古弾薬基地の地下で人知れず行われていた。どうにかそれを理解し、なぜ自国でやらなかった？　と訊きかけた仙石は、すぐに理由を察して口を閉じた。

万一、漏出事故が起こっても、自分たちには被害が及ばないように他人の庭先に保管しておく。その破廉恥な傲慢ぶりも、必要な安全措置のひとつということなのだろう。苦い納得をした仙石は、代わりに「……〝あれ〟ってのはいったいなんなんだ」の質問をぶつけてみた。

「あらゆる防御・対抗策を無力化するBC兵器の一種とお考えください。正式名称についてはわたしも存じません。なにしろ米国防総省(ペンタゴン)が管轄しているものですから」

六千度の熱で焼いて分解する以外、解毒できない生物・化学兵器(BC)。考えた瞬間、テレビで見た湾岸戦争のニュース映像——マスタードガスで皮膚が爛れ、腕と顔半分の肉が膿(う)んでめくれ上がった子供の姿——が脳裏をよぎってしまい、肌が粟立(ただ)つのを感じた仙石は、それを払うように溝口の能面を睨みつけた。

「だが、連中はそれを辺野古の地下に置いて、挙句に漏出事故を起こしたんだろ？　なにを義理立てする必要もねえんじゃねえかって思うがね」

「おっしゃる通りです。しかも事故の後、嘉手納(かでな)に別途保管してあった一リットルの試料を、ホ・ヨンファに盗まれるという失態まで犯してくれた。〝あれ〟を持って都内に籠城した奴の部下たちのために、一千万都民が人質に取られたも同然になって……。確かになにを言われる筋合いもないし、わたしだって、許されることならすべてをぶちまけて、家族だけでも東京から避難させたかった。だがあなたがそうであるように、わたしにも与えられた義務と責任がある。一個人の感情を云々していられる時ではありません」

きっぱりと言い放ち、溝口は別世界を生きる者の厳しさで仙石を圧倒する。「知ったことか」と返して立ち上がり、仙石は逆に溝口に詰め寄った。

「こっちはそのために部下をひとり殺されてんだ。そのヨンファって野郎が、最悪のガスだか細菌兵器だかを盗み出したってのはいい。潜水艇やらスリーパーやらを使って、この艦を乗っ取ろうとしてるってのもわかった。問題はな、なんでよりにもよってこの《いそかぜ》が狙われたのかってことだ。第一、そんな綱渡りなことするんだったら、その潜水艇でさっさと〝あれ〟を本国に持ち帰った方がよっぽどいいはずじゃねえか。せいぜい百キロしか飛ばねえ《いそかぜ》のミサイルなんかより、弾道ミサイルに積み込んだ方が世界中に睨みをきかせられる。ＴＭＤって防衛策が完成してない以上、〝あれ〟を搭載した弾道ミサイルは無敵の……」

「ヨンファは北朝鮮本国の思惑で動いているわけではない。潜水艇は、彼に同調する偵察局の有志が密かに送り出したものです。彼は自分の意志で動いてるんです。それが祖国を滅亡から救う、唯一無二の方法だと信じて」

遮って言うと、溝口は仙石をすり抜けてソファに向かった。ベッドに座る女と目を合わせ、ソファに沈み込んでから、「多少はご存じでしょうが、あの国は今ぼろぼろの有様でしてね」と、嘆息混じりに続けた。

「金日成の巧みな采配で、支援合戦を演じさせられてきた中国とソ連のお陰で、人民武力省も一時はそれなりの戦力を整えていた。しかし冷戦終結後は両国とも支援の必然性を失い、韓国企業がロシアと中国に大量の資本投下を行ってからは、軍事交流は完全に途絶したままになっている。両国から貸し与えられた兵器は、燃料も運用員の訓練も行き届かないで、実質ガラクタのありさま。改革派の政務院グループにとっては、保守派の軍部を潰すまたとない好機だった。軍のトップを占める革命世代の老人たちでさえ、それまでの南進一本槍から慎重論へスライドしていったぐらいですから。ところがイルソンというカリスマを失った後の混乱を予測して、以前から金正日に擦り寄っていた若手将校たちは、彼を御輿に担ぎ上げることで一気に巻き返しを図った。

　憲法を改正させ、新たに発足した国防委員会に軍の統帥権を委譲させた上で、ジョンイルに主席ではなく国防委員長に留まるよう進言。一方で武力省に居残る革命世代の老人たちの首を残らず切り、権力機構の中枢から改革派を締め出した。若手将校たちによる、キム・ジョンイルを傀儡にした新しい政権――国防委員会の独裁統治体制が完成したわけです。しかしそれで、逼迫の一途をたどる国内情勢が救えるはずもない。食料も燃料も底を尽き、ピョンヤンで華やかなマスゲームが行われる裏側で、地方の軍隊はその日の食物を手に入れるために狩猟に明け暮れ、国民は家財を打ち壊して薪を手に入れる。ひどいところでは、死者の骸(むくろ)までが食用に供される地獄図がくり広げられていた……」

そこでひと息つくと、溝口は女に目でなにかを訴えたようだった。音もなく立ち上がった女は、洗面所の脇にある戸棚から缶のウーロン茶を取り出す。酒保で溝口が買ってきたものだろう。仙石と宮津の前にも缶が置かれ、ひと口飲んで喉を湿らせた溝口は、再び北朝鮮の情勢を説明する口を開き始めた。

「頼みの綱の核武装、糊口(ここう)しのぎの中東へのミサイル輸出も、朝鮮半島エネルギー開発機構(KEDO)の設置で蓋をされてしまった。支援といえば聞こえはいいが、周知の通りこれは国連――早い話、アメリカが嵌めた足枷でしかない。自立運営の基盤をすべて奪い、真綿で少しずつ首を絞め上げてゆく。かつての日本帝国や、イラクに仕掛けたのと同じ戦法です。帝国陸軍がそうだったように、国防委員会も動揺し始めた。そして主体(チュチェ)思想を体現する大物書記が亡命して、国の精神的な要である民族幹部たちまでがジョンイルへの忠誠をぐらつかせるに至って、委員会は二派に分裂した。

後に保衛司令部に糾合される徹底抗戦派と、現実を見据え、軟着陸を指向する穏健派。後者は追放した政務院グループや革命世代の老人たちに近づいて、密かに現政権の打倒を考え始めた。そしてそれは、早くから政務院に浸透し、政府転覆を画策していたＣＩＡが、国防委員会内部に潜入する足掛かりにもなった。

ピョンヤンの中心に聳えるキム・ジョンイル特閣へもぐり込んだＣＩＡは、表向きは忠実な仲間の顔を保ち続けている彼らの口を通じて、ある計画を実施するよう国防委員会に持ちかけた」

そこで茶を口に含んだ溝口に、ソファに座り直した仙石は「ある計画……？」と先を促した。缶をテーブルに戻して、溝口は「弾道ミサイルの打ち上げ実験です」と平然と言い放った。

「ミサイルの打ち上げ？　でもあれは……」

「アメリカには、北朝鮮の他にも頭を悩ます問題があった。『辺野古ディストラクション』で、ますますその存在が疑問視されるようになった在日米軍の維持です。北が日本の頭越しに弾道ミサイルを打ち上げるというシナリオは、彼らに一石二鳥の効果をもたらす。北朝鮮クライシスの再燃によって、在日米軍の必要性がアピールされるばかりでなく、将来の世界戦略の要であるTMDを、日本の資金と技術力をもとに実現できる。他国に目を転じれば、中国は北と手を切ることで親米路線を拡充したがっていたし、韓国も南北統一に向けて前進することで、行き詰まった国内事情をなんとかしたいという思いがあった。日本については、身内の恥を晒すようで心苦しいのですが、防衛費の下落を押さえて日米安保を建て直すという目論見の他に、日本の無防備ぶりを知らしめて、偵察衛星や我々ダイスといった情報装置を、公的費用で賄える素地を作りたいという思惑がありました。徹底抗戦派を討ち、祖国を軟着陸させたい北朝鮮内部の穏健派については言わずもがなでしょう。あのミサイルには、それだけ多くの国や組織の利益が詰まっていたということです。頭の硬化している国防委員会に、弾道ミサイルの発射を決定させるのはそれほど難しいことではなかったはずです。アメリカはアジアよりもイスラエルの安全保障を優先させるから、ＫＥＤＯ推進のためにも積極的な批判は行えない。アメリカに右にならえの日本も同様。それよりも、衛星打ち上げの名目で人民武力省のミサイル技術を世界に誇示すれば、揺らぎつつある民族幹部たちの動揺も収まる。キム・ジョンイルの権威が復活する。アメリカは経済失策や汚職で瓦解寸前の南韓を見限り始めているから、この勢いに乗って南進し、統一を果たせば、世界は首領様による朝鮮半島の統治に口を挟めなくなる。兵器のほとんどは使い物にならなくても、日韓に張り巡らせた浸透組によるゲリラ能力は依然健在だ——。そんな甘言が、まことしやかに囁かれたんでしょう。結果、彼らはそれが破滅に繋がるボタンだとは知らずに、ミサイル発射のボタンを押した。

手引きした者たちの安全のためにも、アメリカは最初は弱腰の姿勢を示しました。ＴＭＤ協同開発の約束を日本に取りつける一方で、北への制裁を早く解除してコメ支援を続けろなどと、いかにもＫＥＤＯの実現に焦っているかのような素振りを見せた。が、それはつまり日本の対北支援も、アメリカの気分次第でいつでもやめさせられる構造ができあがったということです。韓国の太陽政策にも陰りが差し、重油やコメの援助もＫＥＤＯの進捗とセットになった結果、生存の鍵をすべてアメリカに押さえられた北は、彼らの掌中で踊らされる身になったのも同然。昨今、米議会で強まりつつある対北政策見直し論が主流になって、あくまで開放を拒む北朝鮮にアメリカが支援打ち切りの強権を発動したら……。国防委員会には、もう打って出る以外、生存の道がなくなってしまう。

このままなし崩し的に開放を受け入れれば、政権は潰える。今こそイチかバチかの南進に賭けるべき。そうして国防委員会が決起した時が、北朝鮮最後の日になる。北の侵攻開始と同時に、電撃的にピョンヤンに乗り込んだ国連軍は、ピンポイント攻撃で保衛司令部のみを殲滅。あらかじめ身の安全を保障されている穏健派の幹部たちは、即日で白旗を掲げて、ピョンヤンの陥落と同時に祖国を離れる。朝鮮民主主義人民共和国の歴史は終わり、アメリカ、中国、韓国の三国が中心になって、新しい国家が建設される……」

長い説明を終えると、溝口は聞き手の頭が整理されるのを待つかのように口を閉じた。宮津がタバコに火を点けたのを契機に、自分もマイルドセブンをくわえた仙石は、ダイス主任調査官の肩書きを持つ男の顔を見ているのが辛くなり、目線を外した。

さながらゲームの世界であるかの如く、ひとつの国家が終焉に至る経過を淡々と語ってみせる人間がいるかと思えば、自分のように目の前の瑣事に追われ通しで、周囲の人の心境の変化にいちいち戸惑うしかない人間もいる。それはそのまま、自身の国益に適う形で北朝鮮を屠るべく、周到な計算で支援の手を出したり引っ込めたりしている複数の国家と、なにもわからずに飢え、病死してゆかなければならない北朝鮮一般国民との差でもあり、この違いはいったいなんなのか、世界はいつからこんなに複雑で不公平なものになってしまったのかと、思わずにいられなかったからだった。

静寂の間にエアコンの低い音が降りつもり、司令室の空調が入れられていたことに今さら気づいた仙石は、ふと菊政の顔を思い出して唇を嚙み締めた。感慨に浸っていられる時ではないと思い、咳払いの後、「……じゃあヨンファって野郎は、〝あれ〟を盗み出して弱り目の北朝鮮を建て直そうってしたのか？」と尋ねると、溝口の長身が再び立ち上がった。

「当初の目的はそうだったでしょう。あらゆる場所に協力者を獲得しているヨンファなら、『辺野古ディストラクション』の真相も知悉していたはずです。〝あれ〟の試料が沖縄に残されていると察知すれば、密かに強奪計画を企て、ピョンヤンに実施を促していたに違いない。もし〝あれ〟が入手できれば、究極の戦略兵器として使えるばかりでなく、対米カードに転化してアメリカからあらゆる譲歩を引き出すこともできる。しかし本国政府は一向にゴーサインを出そうとしない。二派に分裂して、大物幹部の亡命さえ阻止できない混乱の渦中にある国防委員会には、もうアメリカを全面的に敵に回す強奪作戦を強行する能力も度胸も残ってはいなかった。ＣＩＡとの内通も始まっている状況では、デモンストレーションに弱小偵察部隊を南進させるのが精一杯のはずだったが……」

「弾道ミサイルの打ち上げ実験が強行された。待ったをかけられてるヨンファには、不自然に派手な行動と映っただろうな」

子供に言い聞かせるような口調が癪に障り、精一杯の先回りをすると、「その通り」と応えた溝口の口もとに微かな笑みが刻まれた。

「北の対外諜報機関である偵察局に属し、各国を渡り歩いていたヨンファにとって、ミサイル打ち上げの背後にアメリカの思惑が働いていることは自明だった。彼は国防委員会の幹部のひとり、偵察局長リン・ミンギの子飼いでもあります。国内の窮乏を尻目に、ピョンヤンで安逸を貪って恥じない民族幹部や軍のエリート集団の中にあって、ミンギは清貧を貫く真の愛国者として知られていた男。多くの浸透組員が、渡航の自由を利用して特権階級者に海外の贅沢品を貢ぎ、得点稼ぎに血道をあげていたのに対して、ヨンファはミンギ局長への忠誠だけを誓っていた。心から祖国を憂えている上司ひとりを敬愛し、ピョンヤンに巣くう特権階級者たちは蔑視していたのです。わかりますか？」

ヨンファもまた、真の愛国者だったということか。正直、よくわからないというのが仙石の本音だった。自衛官の立場上、国旗に対しては無条件に尊重の本能が働くが、それもそうするよう教え込まれているからで、愛国とか憂国とかいう言葉を聞いて最初に持つ感想は、世間一般の人たち同様、右翼団体のビラに代表される胡散臭さだ。自衛隊の教育が重視するのは、一にも二にも与えられた役目に対する責任感を養うことで、自分にしても愛国より愛艦の思いが先に立つ。仙石は「なんとなくな」と応じておいた。

「そういう男が、破滅のボタンを押してしまった祖国の窮状を知れば、取る行動はひとつしかなかった。彼は早速、信用できる部下や協力者、スリーパーを動員して、ピョンヤンの許可を受けずに〝あれ〟の強奪を実行した。そして七人の強奪犯を〝あれ〟とともに都内に籠城させる一方、自らはリン・ミンギ偵察局長との直接会談に赴いた」

「いくら子飼いったって、本国の意志に背いた野郎の呼びかけに偵察局長が応じたのか？」

「我々にぬけぬけと使者を送りつけて、『ミンギ偵察局長以外とは一切交渉に応じない』と宣言してきたのです。幼少時からミンギに育てられていたヨンファにとって、ミンギは上司である以上に父親的存在であったのではないかとも推測されています。実際、要求に従って来日を要請した我々に、ミンギは一も二もなく応じた。チャーター便で羽田に降り立った彼の顔は、補導された息子を引き取りにくる父親の顔でしたよ。ミンギは密かに追尾していた我々を振り切って、ヨンファが要求した通り、余人を交えぬ会談をどこかで行った。そして数日後、その首だけが本国に帰っていった」

口に含んだ茶を、危うく噴き出すところだった。慌てて飲み下し、口もとを手のひらで拭った仙石は、「首……？」と聞き返した。

「ヨンファの期待を裏切って、リン・ミンギは祖国の軟着陸を願っていたのです。徹底抗戦を謳う保衛司令部が国防委員会の覇権を握っている以上、内部からの改革は不可能。ならばアメリカの策謀を受け入れてキム・ジョンイルを倒し、いちど朝鮮民主主義人民共和国の旗を下ろしてみせる以外、人民を救う手立てはないと考えていた。それが亡国に至る道であっても、人があっての国家である、と……。事実、ミンギはCIAの内通者でもありました。聡明な愛国者であるからこそ、ミンギはあえて亡国の道を選んだ。しかしヨンファにとっては、それは許し難い裏切りでしかなかった。二人の間にどのような話合いが持たれたのかはわかりませんが、彼はミンギを殺害し、首を切断してピョンヤンに送りつけた。もう本国政府の支援は期待できない。自らの手でアメリカの傲慢を暴き、追従する各国政府の醜さも白日の下に晒して、国防委員会や人民武力省に残る同志と、国民全員の決起を促す。そう決意したものと思われます。そのために〝あれ〟を使うつもりであると……」

話し終えた溝口は、凄惨なその内容を濯ごうとするかのようにウーロン茶をあおった。吸うのを忘れ、すっかり灰になってしまったタバコをテーブルの上の灰皿に押しつけた仙石は、「……まるでガキだな。ヨンファって野郎は」と、思った通りのことを口にした。

「だってそうだろう？　常識的に判断すれば、そのミンギ局長の言うことの方が正しい。それが気に入らねえからって、仮にも父親代わりの恩人を殺して、首まで切って……。正気の沙汰じゃねえよ。どんなすご腕のスパイか知らんが、すぐにキレる最近のガキと変わりゃしねえや」

「だが、純粋ではある」

それまで沈黙を保っていた宮津が不意に口を開いて、仙石と溝口は同時に振り返った。壁の一点を見つめたまま、宮津は独白のように続けた。

「彼は言っていた。自分は、今さら祖国に忠義立てするつもりはない。長年いろいろな国を見ていれば、教えられてきた主義がデタラメなものだったということもわかる。だからアメリカがなにをしようとかまわない。日本がその言いなりになってようが、ピョンヤンの亡者どもが祖国を売り払おうが、知ったことではない、と。

だが、彼らがそうやってシナリオを進めて、重油やコメを出し惜しみしてる間に、何千もの国民が凍死し、餓死する。それを許すことはできない。ひとつかみのコメの重み、一杯の灯油が作り出す暖かさを想像できない連中が、ゲーム感覚で世界を動かすのを許すつもりはない。……そうも言っていた」

まったく違うヨンファの横顔が浮かび上がったが、それ以上に衝撃が頭を直撃する方が先だった。「艦長は、ヨンファと……？」の問いを搾り出した仙石を無視して、宮津は独白を続けた。

「祖国の消滅、結構なことだ。あんなみじめったらしい、見栄っぱりの国はさっさとなくなってしまえばいい。でもそこに星条旗が立つのだけはご免だ。あそこは我々の土地だ。日本のように妾（めかけ）に身を落とすつもりはない。新しい国を創るのは我々人民の役目だ、と。そのために〝あれ〟を手に入れたのだと言っていた。腐敗したピョンヤンを討ち、人民に決起を促すために……」

遠くを見る目が閉じられ、再び開いた時には、重苦しさを溜め込んだ瞳がこちらを見ていた。「そうだ。わたしはホ・ヨンファに会った」と言った宮津は、口が開きっぱなしの仙石に微かに苦笑すると、また彼岸を見遣る目になった。

「息子の葬式を済ませた晩のことだ。深夜に突然現れて、線香をあげさせて欲しいと言ってきた。彼は息子の友人でもあったんだよ。いろいろな話を聞いた。彼の祖国のこと。〃あれ〃を盗み出した理由。息子が、なぜ死ななければならなかったのかも……。すべてを話した後、彼は自分は狂っているかとわたしに尋ねた。わたしはわからないと答えた。国家、主義、民族、飢餓、戦争……どれも理論では学んでいても、自分の身に置き換えて考えたことなどない。自衛官という、国防の前線に立つ身でありながらだ。自分はいったい、今までなにをしてきたのかと……真実、恥じ入るしかなかった」

自分の内奥から滲み出してきたかのような宮津の声、言葉だった。同じ引け目を感じて、仙石は顔を伏せた。

「だが、息子はわかってくれたとヨンファは言った。そして息子が書いたという論文を見せてくれた。隆史がそんなものを書いていたことさえ、わたしは知らなかったんだ。自衛官としても、父親としても……わたしは失格だったのだと、この歳になって思い知らされた……」

返す言葉がなかった。重い沈黙がのしかかり、溝口が再びアタッシェケースを開く小さな音がそれを破った。顔を上げた仙石の前に、A4大の紙束が置かれていた。

パソコンの文書をプリントアウトしたものらしい。一枚目の紙には『亡国の楯』というタイトルが印字されていた。

「宮津艦長の御子息……宮津隆史さんがお書きになった論文です。亡国のイージスと読みます」

イージス・システムのネーミングが、ギリシャ神話に出てくる楯の名前から由来していることは知っていた。「イージス……」と我知らず呟き、論文の束を手に取った仙石は、そっと表紙をめくってみた。

《自分は、国費で勉学を賄われている防大生のひとりである。一年後には任官され、国防に携わることでその費用をお返ししなければならない者であるが、三年学んでなお、『国を守る』ということの本質がわからない愚か者でもある》

そんな書き出しで始まる論文は、欺瞞だらけの日本の防衛体制を内部から告発するもののようだったが、文面から漂ってくる生真面目さは、巷(ちまた)に溢れる浅薄な暴露本と本質的に違っていた。「防大に通っておられた頃、隆史さんは有事法制研究会というサークルに所属していた」と説明する溝口の声を聞きながらも、仙石は真摯に綴(つづ)られた文章から目を離すことができなかった。

「自民党の中にも似たような名前の委員会がありますが、無関係です。防大OBと在校生からなる同好会で、インターネットにホームページを開設して、匿名で防衛問題を議論していた。自衛官や防大生の立場では口に出すのが憚られるような過激な意見も、そこなら自由に吐き出すことができる。一種の憂さ晴らしですが、不毛な法律のすり合わせを延々続けている議員どものお喋りを聞いているよりは、こちらの方がよほど建設的でした」

《……在日米軍基地の補完を念頭に装備の拡充を続けてきた自衛隊は、西側第二を誇る対潜掃海能力・上陸阻止能力を備えるまでになった。その一方、洋上防空や陣地構築能力、打撃力は希薄で、有事法制さえ整わない自衛隊は、依然、一国家の軍事力としては歪な存在として残る》

「隆史さんには、他にも匿名であちこちの防衛関係のホームページにアクセスした記録が残っていました。なかなかの論客で、自衛隊関係者はもちろん、評論家たちからも注目されていたらしい。あらゆる情報網を駆使していたヨンファが、その存在に着目したのは必然でした」

《……経済や労働力にしても同様で、優れた職人気質を持つ者は、往々にしてその職能を通してしか世界を見ようとせず、結果的に狭量な価値観と人生観の中に己を追いやってしまう性癖がある。プロフェッショナルとしての能力が、その者の人格をも高めるということは希なのである。……その職人気質に裏打ちされた技術力と、長年培ってきた奉公という美徳の発露によって、日本は戦後、驚くべき速度で復興を為し遂げた。が、奉公という美徳の裏側には、組織の中に埋没する人間性、その結果として生じる無思考、無責任、無節操という影があることを、我々は無視しすぎてきたのではなかったか》

「四年に進級して、隆史さんは初めて実名で論文を掲載した。それが『亡国の楯』です。真っ向からの防衛体制批判……いや、日本という国家そのものへの批判とも取れる文章。自衛官としては不適格の烙印を押されかねない内容です」

《上意下達の徹底は強固なチームワークと経営体質を企業に与えたが、上に対して口を閉ざすのを当たり前にしすぎた結果は、参政意欲のない、主権意識のきわめて希薄な国民たちを生み出すことにもなった。そうして……個人としては考えることも責任を取ることもできなくなった国民が、経済という制御の難しい化け物と場当たり主義でつきあい続けた結果が、バブルの災厄を招来した》

「でも隆史さんはあえて実名でそれを発表した。匿名で陰口を叩き続けるのを、潔しとしなかったのでしょう。自分なりにけじめをつけてから、任官されたいと思ったのか……。今となっては知りようがありませんが」

《バブル崩壊が経済システムを袋小路に追い込み、辺野古ディストラクションが安全保障の存立を揺るがせた今こそ、日本は独自の姿勢を表明すべきだった。だが結局もとの鞘に収まってしまうのも、誰一人として「日本とは何か」「何を優先して、何を誇るのか」について、世界に通用する明確なロジックを持っていなかったからだ》

「それをきっかけに、ヨンファは隆史さんに接近した。〝あれ〟を強奪した直後のことです。まだ強奪グループの潜伏先も判明していない頃のことだったが、ミンギ局長と決裂したばかりのヨンファには、孤立無援の自分たちがどういう末路をたどるかがわかっていた。潜伏先の露見、長い籠城生活の果てに倒れる部下たち……。隆史さんに近づいたのは、防大生の肩書きを持つ者を事件に巻き込んで、捜査を攪乱するためだったと推測されます」

《冷戦終結によって「反共の不沈空母」という方向性が失われた現在、国防問題もまた岐路に立たされている。絶えず仮想脅威を創出してゆかなければならない日米安保の維持に固執することは、梶本政権が提唱する日本型システムの復活と同じ、これまでの無責任体質を継続させる結果になりかねない》

「非公開組織の立場に甘んじている身として、我々ダイスは絶えず他の公安機関から非難の目を浴びている。身内……つまり同じ防衛庁内部の人間が事件に関与したとなれば、警察は捜査の公平性を訴えて必ず我々を外しにかかってきたでしょう。くだらない縄張り争いだが、それが結果的に互いの目を濁らせ、捜査の手を鈍らせてしまうこともある。自殺した海幕人事課長についても、桜……警察に気づかれないよう監視作戦を実施したために、万全な調査ができなかったという現実があります」

《……辺野古ディストラクション以来始まった一連の沖縄問題への対応、アメリカの対応を見越した恣意的な海上戦力整備は、明らかにこれまでの過ちを継続、強化させるだけの愚行であると断言できる。自衛隊は従来の在日米軍とのリンクがあって初めて能力を発揮するというあり方をやめ、削るべきは削り、増やすべきは増やして、日本の地勢と国力に合わせて完結した戦力を整備してゆくのが正しいやり方ではないか》

「反動的な防大生であるなら、簡単になびかせることができると考えたのか。ともに故国を憂える心を持つ者なら、自分の行動も理解してくれると期待したのか。ヨンファがなにを思って隆史さんを選んだのか、それはわかりません。しかし今までに出揃った調査結果は、すべて同じ結論に達している。ヨンファは、隆史さんを使い捨ての協力者や捜査撹乱の道具に使うことはしなかった。むしろ同志と認めていた。そして隆史さんも、祖国の真の解放を願うヨンファに理解を示していた。我々が知る限り、隆史さんはホ・ヨンファのたったひとりの友人だった」

《日米安保はあくまで国連貢献の一環であることを明示して、片務ではない、両国の相互利益に基づいて運営されていることを互いに自覚しあうこと。それには、何よりもまず日本が自らの所信を表明し、ひとつの国家として一貫した主張とカラーを打ち出してゆかなければならない。今までそれを怠ってきた結果が、未だに大日本帝国の復活を恐れるアジアの愚にもつかない誤解と誹謗(ひぼう)を招き、誰からも、自分自身からも信用されないし、尊敬もされない体質を作り続けてきたのではないだろうか》

「我々が隆史さんとヨンファの接触に気づいたのは、二人が最初に会ってから二ヵ月も経過した頃のことでした。その時には両者の関係はかなり親密なものになっていた。Eメールのやりとりから始まった関係が、直接顔を合わせるまでになっていたのです。慎重なヨンファとしては、異例のこととしか言いようがない。彼は隆史さんにすべてを話していました。『辺野古ディストラクション』の真相。弾道ミサイルの打ち上げから始まる、北朝鮮崩壊のシナリオ。それを防ぎ、人民の手で新国家を建設するために〝あれ〟を盗み出した自らの思い……。まっすぐな人柄の隆史さんには、信じ難い無法と卑怯の記録だったと思います。自分がその立場にいたら、ヨンファと同じ行動を取っていたかもしれない。あるいはそんなふうに考えたのかもしれません。すべてを聞いた隆史さんは、真相をマスコミに公開すべく動き始めた」

《重要なのは、国民一人一人が自分で考え、行動し、その結果については責任を持つこと。それを「潔い」とする価値観を、社会全体に敷衍させ、集団のカラーとして打ち出していった時、日本人は初めて己のありようを世界に示し得るのではないだろうか》

「孤独な戦いであったろうと思います。有事法制研究会のメンバーは、しょせんストレス発散で好き勝手なことを話しあっていたに過ぎない。危険な真似をして、自衛官としての将来を棒に振るつもりはなかった。隆史さんが実名で批判的な論文を発表したために、それでなくても周囲の風当たりが強くなっている時です。誰も手を貸す者はおらず、隆史さんはひとりで各マスコミを回って、真実を公表してくれる場を探し続けた。しかしあるのはなんの根拠も裏づけもない、ただヨンファの言葉だけが頼りの情報。大手新聞社は最初から取り合おうともせず、出版社も、話題作りにしてはあまりにも過激な内容に二の足を踏んだ。我々が初めて隆史さんに着目したのは、その頃のことです。壮大な与太話を売り込みにきた防大生がいるという噂が調査官の耳に入って、その内容の正確さに市ヶ谷……ダイスは大騒ぎになった。それでようやくヨンファが隆史さんに接触したことが明らかになり、上層部はこれをヨンファ捕捉のチャンスと考えた。声紋以外、すべてが謎に包まれている強奪グループのリーダーを捕らえる絶好のチャンス。〝あれ〟を奪還し、国家を脅かすテロリストを殲滅できるのであれば……」

《誰も責任を取らない平和論や、理想論に基づいた合理的経済理論では現在の閉塞を打ち破ることはできない。……現状では、イージス艦を始めとする自衛隊装備は防御する国家を失ってしまっている。亡国の楯だ。それは国民も、我々自身も望むものではない。必要なのは国防の楯であり、守るべき国の形そのものであるはずだ》

「そのためには……隆史さんの犠牲もやむを得ない、と……」

「犠牲……」

その一言が頭に引っかかり、仙石は論文に落としていた目を上げた。息子を殺した者たち、と宮津に言われた時と同じく、苦みを噛み締めた顔になった溝口は、視線を避けて言葉を継いだ。

「誰にも顧みられず、孤独感を募らせていた隆史さんに、ひとりの女性が接近した。彼女は以前、隆史さんが門前払いを食った出版社に勤める雑誌編集者で、同僚から噂を聞いて興味を持ったのだと言った。ぜひ力になりたい、できるならその北朝鮮の工作員と直接会って、取材もしたいと。それはできないと隆史さんは断った。だが相手は積極的で機知に富み、新人ながら職業倫理をしっかり持っている女性。寮生活で外部との接触がほとんどない隆史さんにとっては、頭に描いていた理想の女性像が現実化したようなものだった。まる二ヵ月、休日で外出するたびに彼女と会っていた隆史さんは、次第に彼女に魅（ひ）かれていった。そして愛情を、彼女を信頼することで示そうとした。

どんな目的があろうとも、大量の人間を死に至らしめる兵器を個人が所有するべきではない。すべてを公開するとともに、強奪グループは〝あれ〟を国連の手に委（ゆだ）ねるべきではないか。『辺野古ディストラクション』の真相、北朝鮮崩壊のシナリオを世に知らしめ、一国家ではなく世界の審判を仰ぐのが正しいやり方だ——。そう提案した彼女の言葉が、決定打になった。自分と同じ情熱を確かめて、隆史さんは彼女をヨンファと会わせようと決めた」

「あんたらが描いた絵の通り……ってわけだな」

当然の推測を言った仙石に、押し固めた顔の溝口は、「それが我々の仕事です」と返した。

「好きな食べ物から性的嗜好に至るまで、すべて調べた上で条件に合致する局員をあてがった。彼女は与えられた任務をよく果たしたが、ヨンファの方が上手だった。だが罠の気配を察した直接取材が決まり、隆史さんは彼女とともに会談場所に向かった。ヨンファは、電話で何度も場所の変更を伝えてきた。百人態勢で追尾した我々も次第に振り切られ、最後の指定場所にたどり着いた時には十人足らずになっていた。それでもようやく姿を現したヨンファに、我々は殺到した。ヨンファは撃ち返しながら逃亡したが、足を撃たれて動けなくなると、自分で自分の頭を撃ち抜いてしまった。

あっという間のことだった。仕方なく、我々は唯一ヨンファの顔を見たことのある隆史さんに、その場で遺体の確認をお願いした。隆史さんはショックで口も満足にきけない状態だったが、半分粉々に吹き飛んだ遺体の顔を見て、違うと言った。マスコミの人間と引き合わせたいと言った時点で、ヨンファは隆史さんを見限っていたらしい。会談には部下を差し向け、自分はさらに地下深く潜伏した。無論、それからは隆史さんと連絡を取ることもなかった」

奸計をめぐらして宮津隆史を嵌めたダイスと、一度は信頼を寄せておきながら、あっさり彼を見限ったホ・ヨンファ。どっちもどっちの話だった。挙句、自分が騙されたがために、ひとりの人間の頭が吹き飛ぶ光景を目の当たりにさせられた。論文からもその聡明さと実直さが窺える青年の胸中を想像し、暗澹となった仙石は、「……ひでえ話だな」と正直な感想を言った。「否定はしません」と、溝口はその表情をますます引き締める。

「畑こそ違え、同じ自衛官の道を歩もうとしていた若者です。しかも御尊父は現役の幹部自衛官でもある。隆史さんの将来については、我々も最善を尽くしたつもりです。しかし上層部は、彼をこのまま幹部候補生として受け入れるわけにはいかないとの断を下した。北朝鮮出身のテロリストと関係した上、我々ダイスの存在も断片的に知ってしまった。すべてを忘れる無神経さがあってくれればよかったが、隆史さんは潔癖でありすぎた。事件後、我々が付けたカウンセラーの言葉にも耳を貸さずに、隆史さんはご自分を責め続けた。心の奥深くに国に対する不信感を抱き、自己処理できずに消えない痛みが残ってしまった。それが、いつかは強い反動になって現れるかもしれないと危惧（きぐ）されたのです。防大側の了解は取るし、学費返還はこちらが負担すると前置きした上で、我々は隆史さんに卒業後は任官を拒否して民間に下るよう異例の進言をしました。事件の噂は遠からず幕僚監部の耳にも入る。入隊しても良い将来はない、と。当然、隆史さんは反発なさった。しかしこれ以上の抵抗は、自分ばかりか父親の立場をも危うくするとわかった時点で、我々の進言を受け入れた」

　ちょうど、宮津が《いそかぜ》の艦長職を拝命した頃のことだろう。ＴＭＤ対応一番艦を与えられ、海上自衛官のキャリアに一里塚を築いたばかりの父親に泥をかけてしまうという想像は、宮津隆史には耐えられなかったはずだ。先刻から押し黙り、じっと床を見つめる宮津の横顔をちらとだけ窺った仙石は、その全身から立ちのぼる苦渋の深さを感じて、自分も目を伏せていた。

「それで終わるはずだった。だが隆史さんは予想外の行動に出た。防大を中退なさったのです。あと半年で卒業、その気になればどんな企業にでも就職できたにもかかわらず。潔癖な若者の最後の意地だったのかもしれないが、我々は自暴自棄とも取れる行動を起こした隆史さんを危険視した。

ロシアや中国を始めとする各国の情報機関が、事件を嗅ぎつけて動き出していたということもある。彼らが隆史さんの存在を知り、自棄になっている隆史さんがその誘いに乗ったら……。無論、そうはならないかもしれない。一級の監視態勢を整えておけば、彼らの接近を事前に阻止することだってできる。だが隙をつかれる可能性はゼロではない。拉致されれば、本人の意思にかかわらず喋らされてしまう。〝あれ〟に関する機密が第三国に筒抜けになってしまう。熟慮の結果、我々はこれを国益に関わる重大な危機と認識せざるを得ませんでした。それで……」

「あの日、隆史は数日ぶりに外出したんだそうだ」

なにかに急き立てられるかのような溝口の言葉を遮り、ひどく落ち着いた宮津の声が言っていた。仙石は伏せていた目を上げた。

「家に戻ってからはほとんど部屋に閉じこもりきりだったのが、今日は気分がいいと言って出かけていった。妻の車を借りて、行く先は告げなかったが、夕飯までには帰ってくると言っていたそうだ。そして……その三時間後に、高速の壁に激突して死んだ」

遠くを見る目が微かに細められ、椅子のひじ掛けを握る拳にグッと力が込められる。声もなくそれを見つめた仙石は、かなりの間を置いてから「……なぜだ？」と、立ち尽くす溝口の顔を見た。

「どんなにわずかであっても、ゼロでない限り無視することのできない類いの危機。……だからです」

冷徹な口調とは裏腹に、溝口の拳も白くなるほど握りしめられていたことが、仙石の癇にさわった。「冗談じゃねえ」とソファを蹴った仙石は、溝口の目をまっすぐ睨みつけた。

「なにが国益に関する問題だ。おれにだってわかるぞ。身内の恥だからって、あんたら艦長の息子さんの一件を自分たちだけで処理したんだろ。一緒に〝あれ〟を取り返そうってしてる警察やCIAに内緒で。だから息子さんがロシアや中国にかっさらわれるって事態だけは、なんとしても阻止しなきゃなんなかったんだ。そこから機密が漏れるような羽目になったら、あんたらの面目はまる潰れ。警察から引っ込めって野次られて、組織の存続だって怪しくなるからな。つまりダイスとかって腐れ組織のメンツのためだけに、艦長の息子さんを殺したんだ。違うか？」

「……ダイスの消滅は、日本の防諜能力の壊滅を意味する。絶えず衆目に晒され、威信根性ばかりが発達した警察にはできない仕事というものが存在するのです。隆史さんの件については、我々が独断で決めたことじゃない。そんな権限は我々にはない。規定の手続きを踏んで、公安委や監視委の承認を得た上で行われたことです。それもこれも、我々の存在を知る国の代表者たちが有用性を認めているからで……」

「そんな話は聞いたことがねえ！　そんなに必要なもんだったら、こそこそしないで国民に知らせりゃいいじゃねえか。我々ダイスが日本の治安を守ってますって……」

「なにが必要で、なにが不必要なのか。それを判断する能力が国民にないから、こうするしかないんだ。この論文をよく読め！」

初めて感情を露にすると、溝口はテーブルの上に置かれた紙束を仙石に突きつけた。

「《国家の一員という自覚がなく、自分がその立場にあったらという想定を一顧だにせずに、バブルの責任を金融業界に押しつけて恥じない無節操》。《再建のための公的資金導入さえ、感情論に流されて床屋談義のレベルで潰してしまう国民たち》。経済だけの話じゃない。あんたにもよくわかってるはずだ。憲法が言うように戦争が放棄できるものなら、地球はとっくの昔にパラダイスになってる。できないから世界は悶え苦しんでいるんだ。戦争はしません、武力は持ちませんって唱えていれば、自分たちは永遠に安全だと思ってる。その痴呆者の傲慢が、我々を非公開の闇に押し込め、自衛隊そのものも役立たずの張り子の虎にしてるんだ……！」

ずっしり重みを増したように感じられる『亡国の楯』を受け取り、仙石は返す言葉もなく顔を伏せた。咳払いをして、溝口はまだ冷静さを取り戻せない顔を壁に向けた。

「TMDが完成したって、飛んでくるミサイルを墜とすだけではなんの解決にもならない。こちらも撃ち返す準備があると知らしめることで、初めて戦争は抑止できるんだ。専守防衛の自衛隊に弾道ミサイルは不要、威嚇と反撃は安保条約に基づいてアメリカに期待する？冗談じゃない。現実はどうだ。北のミサイルが頭越しに撃ち込まれた時、アメリカはいったいなにをしてくれた？自分たちのシナリオを進めるために、断固制裁を訴える日本にコメ支援を再開しろって要請するような連中だ。それに従ってみせるしかないのが、この国のトップってことになってる者たちだ。あんたたちはいい。戦争なんぞあり得ないって空気に国ぐるみで浸ってる中で、訓練成績を競ってれば世過ぎができるのだからな。しかし我々は違う。我々は常に実戦の場に置かれている。宣戦布告なんて悠長なものはない。気づいた時には、敵は内側深くに浸透している。東西に色分けされていた頃と違って、今では誰が敵か味方かも判然としない。和平の糸口すらない、薄明の戦場。それが我々の住む世界……いや、この国が置かれている現実だ。隆史さんも菊政二士も、その自覚がないまま闇に足を踏み入れ、そして死んだんだ」

一気に言いきると、溝口は背を向けた。かすかに上下するその肩を見、ベッドのシーツをぎゅっとつかんで顔を俯けている女の様子を見下ろした仙石は、自分にはなにを言う資格もないことを確かめて、手にした論文を見つめた。

《これから自衛官の職を拝命した時、いつかはこの思いが消えてなくなるかもしれないと想像するのは辛い。訓練、術科習得、クルーの勤務評定に追われ、日々が仕事で塗り込められていった時、何も考えずに生きてゆけそうな自分がいることが悲しい。誰もがしていることであるし、そうした方が自分自身、楽なのだろうと思いはしても、やはり信念は捨てたくない。自分の国籍と職業に胸を張れる人間でありたい。「国を守る」ことの本当の意味を考え続けたい。改善のための努力を怠らず、どんな結果が待ち受けていても正面から受け止めて、姿勢よく生きていける人間でありたい。ちっぽけではあるが、それがこの拙文を実名で著した者の矜持である。自衛官としてはるか先を歩く父も、この思いを理解してくれるものと……》

　論文の後に、追伸のように付け加えられた文章だった。「……皮肉なものだな」と呟いた宮津の声が、子を奪われた父親の重みをまとって、仙石の中に染み込んでいった。

「世界の一員として、恥じることなく生きてゆける日本人……。そう志した息子に応えてくれたのは、異国のテロリストだけだった。同じ日本人はその潔癖さを嗤い、純粋さを疎むことしかしなかった。そして父親は、その日本を守るという仕事に従事していながら、戦の本質さえわかっていなかった愚か者だ。なんの疑いもなく日本の平和を信じ、好きな仕事に埋もれて、目を凝らせばいくらでも転がっている世の理不尽を、無意識に避けてきた男だ。息子が死んで、わたしは生まれて初めて自分を呪い、世界を憎んだ。だからホ・ヨンファが復讐を持ちかけてきた時には、やってやろうかという気にもなった……」

最後の一言が、冷たい刃になって心臓に突き立った。思わず見返した仙石に気づくふうもなく、宮津は壁を見据えて独白を続けた。

「《いそかぜ》に、〝あれ〟を携えた部下とともに乗り込み、個艦訓練中に艦を占拠。そのまま東京湾に入り、〝あれ〟を装塡したミサイルを都心に撃ち込むと恫喝して、日本政府にいま話したすべての真実を公表させる。そうすれば日本政府は転覆し、アメリカは収拾のつかないスキャンダルにまみれて、北朝鮮内部の同志たちに決起を促すことができる。ヨンファの宿願と、わたしの復讐が同時に叶うという寸法だ。でたらめに聞こえるかもしらんが、ヨンファの立てた計画はなかなか周到なものでね。わたしが全面的に協力すれば、不可能ではないと思えた。わたしはやるつもりになっていた。実際、ヨンファにこの艦の図面や、新システムのマニュアルを渡しもした……」

なにも言えなかった。にせ物クルーにしては、行がミニ・イージス・システムや艦の構造に詳しすぎるという最後の否定の壁も崩れ去って、仙石は悄然と視線を床に落とした。

「だが、結局わたしには踏み切ることができなかった。ヨンファの計画は無血占拠を謳っていたが、どうなるかわかったものではない。息子のためとはいえ、わたしは自分の艦のクルーを撃つことができるのか。子を思う気持ちはみんな同じだ。他のご両親からお預かりしている若者を、自分の復讐のために殺すことができるのか、と……。そう考えた時に、それをすれば自分は人ではなくなる、それは隆史も望むまいと気づいた。ヨンファは潔くあきらめてくれたように見えたよ。隆史への友情の証として、今後あなたを巻き込むことはしないと言ってくれた。それがホ・ヨンファと話した最後だ。わたしは連絡用にと渡されていた携帯電話を壊して、フラムの最中にある《いそかぜ》に戻った。最低限の礼節として、ヨンファのことを通報はしまいと決めていた。

溝口さんたちが訪ねてきたのは、《いそかぜ》が再進水する直前のことだ。海幕人事課長を籠絡して、ヨンファが《いそかぜ》に密偵を送り込んでいる可能性があると言う。わたしはしらを切ったが、なんのことはない、隆史が生きている時から家は監視されていたんだ。特にヨンファらしい男が家に来たと知られてからは、そこら中に盗聴器が仕掛けてあったんだと言う。すべて筒抜けで……わたしが計画を実行しようとすれば、その場でヨンファともどもお縄を頂戴する作戦が練られてもいた。無論、わたしが《いそかぜ》の図面を渡していたことも知っていてね。協力を拒めば、防衛秘密漏洩の罪でぶち込むとまで言われた。

相手は息子を殺した者たちの手先だ。なにを言われようと突っ撥ねるつもりでいたが、もし本当にヨンファが《いそかぜ》の占拠をあきらめていないのなら、クルーにも危害が及ぶことになる。湊本海幕長からじきじきに命令されたこともあって、わたしはＦＴＧに化けたダイスが艦に乗り組むのを了解した。副長たち主要幹部の他は、隊司令や群司令にも内密でな……」

話し終えた宮津は、亡くなった息子同様、実直を捨てきれなかった顔を伏せていった。

〝あれ〟という、正体も定かでない物の争奪戦に巻き込まれ、息子を失い、海上自衛官としての誇りも地にまみれさせて、拠るべきすべてのものを見失ってしまった男。運命というには苛酷すぎる怒濤に翻弄されて、その横顔は十も老けたのではないかと思わせた。

もう巻き込まないといった言葉とは裏腹に、ヨンファは《いそかぜ》の航路上で旅客機を爆破し、艦内に潜入させたスリーパーに破壊活動を行わせて、《いそかぜ》の占拠をあきらめていないことを実証した。それはわかっても、行がその手先であるとはどうしても思えない。信じたくない、というのが仙石の正直な気分だった。状況は、紛れもなく行ひとりを指し示しているにもかかわらず……。

「これで、すべておわかりいただけたと思います」

長い沈黙を経て、いつもの冷静さを取り戻した溝口が言った。仙石はその顔を見る気にはなれなかった。

「如月行は、すでに我々が動き出したことを察知している。《うらかぜ》との遭遇戦演習が始まる前に、必ず行動を開始するでしょう。いま拘束する手もないではないが、そうすれば本艦を追尾している潜水艇は〝あれ〟を持ったまま消えてしまう。襲撃準備が整うまで泳がせて、潜水艇が接近してきたところで一網打尽にしたいというのが、我々の考えです。あらためて協力をお願いしたい」

「……どうしろってんです」

「如月行の監視と、彼が密かに持ち込んでいる武器や通信機の捜索です。本来は我々がすべき仕事ですが、幹部の肩章を付けている身では、曹士クルーの居住区に下りただけで注目を集めてしまう。護衛艦の中が、こうもはっきり二つの階層に分かれているとは予想していなかったのです。その点、あなたの立場ならどこにいても怪しまれずに済む」

先刻の会議で、溝口がクルーの持ち物検査にこだわったわけだった。「スパイの仲間入りをしろってことか」と嘆息混じりに言った仙石に、溝口はばつの悪そうな目をちらと寄越した。

「この艦に乗り込んだ時から、彼は死を覚悟している。こちらの正体を仄めかして挑発している以上、我々が近づけば即座に反撃行動に移る可能性がある。わたしの部下は全員十分な訓練を受けていますが、クルーの安全のためにも艦内での戦闘は極力、避けたい。あなたの力が必要なのです」

艦内での戦闘という刺激的な言葉に、大量に持ち込まれた荷物の中身も想像がついた。防弾ベストや拳銃、無線機。対テロ装備が二十三人分といったところだろう。おびき寄せた潜水艇から襲撃部隊が出るのを待ち構えて、返り討ちにする魂胆か。パンクしそうな頭の隅で考えてから、仙石は溝口に向き直った。

「……わかった。その代わり、やり方はおれに一任してくれ」

「どうなさるつもりです」

「スリーパーだろうがなんだろうが、あいつはまだこの艦のクルーで、おれの部下だ。おれなりに確かめたいことがある」

　もやもやと胸の中に滞留するいら立ちの膜を突き破って、ほとんど無意識に出てきた言葉だった。溝口は「危険だ」と言下に返した。

「向こうはプロの工作員です。情が通じるような相手では……」

「だから、それを確かめるんだ。あんたの言い分を一方的に聞いて、クルーをこそこそスパイするような真似はおれにはできねえ。ダメだってんなら他を当たってくれ」

　なにをどう確かめるのか見当もつかず、ただ絵筆をくれた時に一瞬だけ見せた笑顔と、死地に赴く兵士の硬質さを宿した横顔が交互に浮かび上がる胸の底を覗いて、仙石は言っていた。しばらく睨みあった後、目を伏せた溝口は、「あなたもプロというわけだ」と、仕方ないといったふうに呟いた。

「お任せしましょう。ただ、これはあなたが警戒されていないからこそ頼めたことだ。正体を気取(けど)られたと判断すれば、如月行はあなたに危害を加えようとするかもしれない」

　反論を手で制して、溝口はアタッシェケースから取り出したものを仙石に差し出した。部品のほとんどが強化プラスチックで形成されているグロック17自動拳銃を見て、仙石は「……必要とは思えないがね」と、衝撃を隠して言った。

「あなたも殺せば、如月はもう強行手段に出るしかなくなる。そうなれば艦内は戦場になって、クルーが危険に曝されることになる。そうしないためには……」

危険を感じたら、その場で行を殺せ。強い視線で続きを言った溝口から目を逸らして、仙石は「そうなれば、潜水艇をおびき出して〝あれ〟を取り返すこともできなくなるぞ。いいのか?」と、精一杯の強がりを言った。

「いいとは言いません。しかし爆破された旅客機の乗客も含めて、この事件ではすでに多すぎる数の人間が死んでいる。これ以上、犠牲者を増やしたくないというのがわたしの本音です。ダイスの一員としてではなく、ひとりの人間として」

まっすぐ注がれた目に、最大限の誠意を示した溝口を感じ取った仙石は、グリップを前にして差し出されたグロックを受け取った。本体はプラスチック製でも、装填された十七発の九ミリ弾の重さでずっしりしている拳銃を制服の内側に入れ、ズボンのベルトに挟む。注視する溝口の顔を見返し、それぞれ座ったまま動かない宮津と女の顔も一瞥した仙石は、もうここにいる必要はないとわかって踵を返した。艦長に辞去の敬礼をする雰囲気ではなかったし、そのつもりにもなれなかった。

「……先任伍長」

その背中を呼び止めて、宮津の声が発した。振り向いた目に、疲れきったひとりの男に戻っている艦長の顔が映った。

「わたしの気の迷いが、君たち全員を危険に曝すことになってしまった。謝ってすむことではないとわかっている。ただ……ただ、ひとつだけ聞かせてもらいたい。もし君がわたしの立場だったら、どうする？　自分の子供が理不尽に殺されて、復讐の機会を与えられたとしたら……」

内奥まで見通す視線だった。思わぬ質問に棒立ちになってから、仙石は目を伏せて胸の中をまさぐった。

子供――仙石にとっては、娘の佳織。殺されたら……いや、たとえ暴行されたというだけでも、自分は犯人を許さないだろう。この手で捕まえて、二度と女を抱けない体にしてやるぐらいのことはするかもしれない。それをすれば、家族にさらに苦労をかけてしまうという理性が働くかもしれないが、もし目の前に復讐の機会があったなら、一も二もなく飛びつくだけの衝動は確実に存在すると思う。仙石は「……わかりません」と答えてから、宮津の目を見返した。

「ただ、きっと艦長と同じことをすると思います」

「いちど決意した復讐をあきらめる……ということか？」

確信がないまま「……はい」と答えると、「なぜだ？」と宮津は重ねた。

「なぜって……。その、やはり、そのためにクルーを犠牲にするなんて真似は、できないと思いますから……」

嘘を言ったつもりはないが、心から言ったことでもなかった。我ながら空々しい言葉だと思ったが、宮津は「……そうか」と納得してくれた。安心したとも、失望したとも取れる声音(こわね)だったが、顔を伏せた宮津の表情を読み取ることはできなかった。

喉に小骨が刺さったようで、仙石は一礼してから早々に司令室を後にした。扉を閉める時、じっとこちらの顔を窺う女と目が合ってしまい、一瞬だけ見た瞳の色が、物を見る冷たさを宿していたことが仙石の印象に残った。

ズボンに挟んだグロックの重さに引きずられるようにして、ラッタルを下る。見慣れた艦内の風景は、この時はひどく疎遠なものとして仙石の目に映った。

午後九時、少し前。消灯を一時間後に控えた通路には出歩くクルーの姿もなく、仙石はその場にしゃがみ込みたくなる体を、ラッタルの手すりをつかんでどうにか支えた。熱を持った頭の中がぐるぐる回転して、微かな吐き気がする。もしかしたら、これが船酔いの感覚かもしれないと思いついて、ほんの少し自嘲の頬を動かした。

三十年間、護衛艦に乗り組んで、ようやく船酔いの苦しみを知ったというわけだ。もっとも波浪に揺さぶられて酔ったのではなく、この世界が奥底に内包している毒——これまでその存在にさえ気づかなかった、まったく免疫のない毒気に冒されて、常識という名の平衡感覚が狂わされるという、タチの悪い酔い方ではあったが。

いったいどうすればいい。なにを確かめるというんだ。衝動に駆られてああ言ってしまったものの、どうすればあの不可知の塊に近づける？　任務遂行のためには、他人の命も自分の命も斟酌しない。こちらの常識がいっさい通用しない、北朝鮮の工作員かもしれない人間を相手に、中途半端な先任伍長がどう対するというのか。クルーの気分はおろか、女房の変心さえ見抜けなかった愚鈍な男に、あの無表情の奥にあるものを見通せるとでもいうのか——。熱に浮かされた頭の中にまくし立てながら、しかしと仙石は考える。不審の一語に尽きる態度や行動の裏に、それだけではないなにか、言葉にすることはできない、感じるしかないなにかがある。それを確かめなければならないと思ったから、自分はあんなことを言ったのではなかったか？　孤独や不安、弱気が作り出した心の隙間に入り込み、一瞬だけ感情を触れ合わせて消えていった。不可知であると同時に身近でもある、如月行の本質を……。

鉄階段を踏む足音が聞こえてきて、仙石は内省から立ち返った目を上げた。ＣＩＣと第一機械室の間にあるラッタルを昇ってきた田所が、こちらに気づいて近づいてくるところだった。

青ざめた顔を隠そうとして、できずにまじまじと田所を見つめてしまったのは、その顔もまた蒼白に塗り込められていたからだった。周囲を振り返りつつ、小走りに近寄ってきた田所は、ラッタルにもたれかかった仙石を訝る余裕もなく口を開いた。

「先任伍長、どこ行ってたんスか。探してたんスよ」

「ちょっとな。……なにかあったのか？」

顔を伏せると、田所は言い澱む素振りを見せた。初めて見せる態度に胸がざわめき、「CPO室で話すか?」と重ねると、慌てて上げた目に動揺の色が滲んだ。

「言おうかどうか、迷ったんです。でも先任伍長なら……。実は、如月の件なんですけど」

思わず跳ね上がった心臓をどうにか抑えて、仙石は「……どうした?」と先を促した。

「さっき、テレビゲーム借りようと思って、あいつの荷物を探ったら……」と口を開き始めた田所の話を聞き、彼がなにを見てしまったのかを知って、漠然と揺らめいていた絶望がはっきり形になるのを感じた。

「で、荷物はそのままにしてあるんだな?」

ひと通り聞き終えたところで確かめると、田所は「そりゃ……」と、生唾を飲み下した。

「よし。如月は?」

「ちょっと探してみたんですけど、見当たらなくて。十時から当直のはずだから、それまでには戻ると思うんスけど……」

あと一時間か。腕時計に確かめてから、仙石は取るべき行動の選択肢を頭に並べた。下手に動けば、どんな反応が返ってくるかもわからない。クルーの安全を確保しつつ、溝口たちを間に入れないで行の素姓(すじょう)を確かめるためには……。

方法はひとつしかなかった。不安を隠しきれずにいる田所に他言無用を念押しし、居住区に戻るよう言った仙石は、その足で再び艦橋構造部に向かった。

マンホールのように床面の一部を塞いでいるハッチの隙間に、アルミホイルでコーティングした薄い紙片を差し挟む。帯磁したアルミがセンサーを欺瞞して、裏面に設置された開放感知器を無力化してくれる……はずだった。

そうでなければ、応急指揮所の総合監視制御盤と、機械室の地区警報装置に連動する感知器のベルが、ハッチの開放と同時に一斉に鳴動することになる。クルーが確認に駆けつけてくるのはもちろん、下手をすれば溝口たちが殺到してきて、取り囲まれるなんて事態にもなりかねない。《いそかぜ》の最下層、第四甲板にある第二機械室。延ばしたクリップで旧式の南京錠をこじ開け、減速装置の脇にある艦底点検ハッチの把手に手をかけた行は、覚悟の息をひとつ吸い込んでから、そっと鉄製のハッチを引き上げた。

五センチほど開けたところで、動きを止めて様子を窺う。ベルが鳴る気配はない。ほっと息をつき、いつの間にか額に浮き出ていた汗を手の甲で拭ってから、一気にハッチを開放する。もういちど周囲の無人を確かめた行は、床にぽっかり開いた穴に素早く体を滑り込ませていった。

2

ひんやり湿った空気が、全身を包む。第四甲板の床下に広がる艦底には、オイルタンクや水タンク、積載重量に合わせて艦の浮沈を調節するバラストタンクなどがぎっしり詰まっている。腰を屈めなければ頭をぶつけてしまう高さで、定期点検の時でもなければ人が出入りする場所ではなかった。無数のパイプと調節機で結ばれたタンクの間には点検用の吊り通路が通っており、ペン型マグライトの明かりを頼りに低い天井の下を進んだ行は、ほどなく目的の場所を見つけることができた。

次の当直まで、あと四十分。クルーの目を盗み、事前に計画した場所に道具を設置して回る作業も、これで一段落する。肩に担いでいたバッグを下ろし、中から長さ三十センチ、幅五センチほどの直方体の物体を取り出した行は、右舷フィン・スタビライザーの駆動装置の向こう、直接海水と接している最外板部にそれを取りつけるべく、キャットウォークの手すりから身を乗り出した。

結露した水を拭き取ってから、底面のシールとガムテープでしっかり外板の内壁に固定する。普通ならTNTか、C4やセムテックスなどのプラスチック爆弾を使うところだが、艦底をぶち破る破壊力を得るためには、それら通常火薬では五キロ以上の分量が必要になってしまう。複数の場所に仕掛け、なお他の装備品も持ち込まなければならないことを考慮して、今回は少量でも圧倒的な爆発力が得られる高性能火薬、HMXオクトーゲンが支給されていた。

爆速四百メートルのTNTに対して、九千二百メートルというとんでもない威力を持つオクトーゲンは、本来ミサイル弾頭の炸薬に使用されるもので、個人装備の爆薬に使用された例はない。歩兵レベルの工作では、あまりにも破壊力が強すぎるからだったが、今回、行が破壊しなければならないものは、ありきたりのビルや鉄橋などではなかった。

ビルや橋は、構造上負荷がかかっている部分を爆破すれば連鎖的に崩落してくれるが、護衛艦はそうはいかない。戦闘に供される艦艇として、その船体は恐ろしく頑丈にできている。浸水に対する二重三重の安全措置も講じられており、どこか一ヵ所に穴を開ければ沈むというものではなく、オイルタンクや電子装置など主要機器の周辺には、複合装甲による補強が施されてもいた。行動不能に陥らせるためには、鋼板の薄い部分に複数のオクトーゲンを仕掛けた上で、排水ポンプや応急操舵システムも潰しておかなければならない。爆沈させる場合は……と考えて、今はまだそこまで考慮することはないと思い直した行は、設置したオクトーゲンに起爆コードを差し込む作業に専念した。

《いそかぜ》の破壊は、〈ケーブルホルダー〉の望むところではない。その時が来たら、ソナーの探知圏外から《いそかぜ》を追尾している〈アンカーケーブル〉と連動して、この艦をできる限り無傷で制圧する。それが〈アンカー〉たる自分の任務だ。最悪、作戦が失敗した場合には、爆沈というオプションもあり得るかもしれないが、その時はもう自分は戦闘単位と見なされていない――すなわち死んでいるはずだった。

どだい、分の悪い作戦であるとわかっている。たとえ成功したとしても、生き残れる可能性は高いとは言えない。別にかまわないと行は思った。逃げないと決めた人生の決着が、ここで付く。父から続いた親殺しの血筋が、ようやく絶える。それだけのことでしかないと理解していたからだ。

でもそうなれば、先任伍長や兵長たちも犠牲になる。作戦の性格上、《いそかぜ》クルーの生死は付帯的損害の範疇と捉えられ、それ以上に斟酌されることはないだろう。そう理解している自分も間違いなく存在し、なんとかそれを回避したいという思いが、これまで行動をためらわせてきたと認めるのは、今の行にはあまりにも辛いことだった。

甲板掃除を途中で放り出してしまって、兵長はきっと怒っているだろう。戻ったらなんて言おう。またケンカになって、先任伍長に大目玉を食らって……せっかく今日で終わるはずだった罰当番が、もう一週間延長なんてことになるかもしれない。

それでもいい。そうできたらいい。でも、もうどうにもならない。準備が整ったら、今晩中に〈アンカーケーブル〉と連絡を取らなければならない。「挨拶は撃ってから」を作戦信条にする突入要員たちが乗り込んでくれば、《いそかぜ》は戦場になる。個人の思いなどはなんの意味も持たない、単純な力学だけが支配する殺戮の場に……。

そこまで考えて、手が止まっていることに気づいた行は、慌ててデトネーティング・コードと信号受信機の接続作業を再開した。今さら考えるようなことではない。こうなるとわかっていたはずだ。「掟」を忘れるな。結果から逃げるな——。くり返し唱えてきた言葉を胸の中に並べ、作業に集中するよう努めたが、いつもの効果はなく、自分に言い訳するような嫌悪感だけが胸の中でとぐろを巻いた。

　ほら、やっぱり逃げている。田所に言われた言葉が、判然としない人のイメージの口を借りて再生される。それは頭から血を流す父だったり、半分顔が潰れた菊政だったりして、行は暗い艦底に響く亡霊たちの声を聞きながら、孤独な作業を続けた。

*

　溝口が、宮津艦長や部下の女――そう言えば名前を聞かず終いだったが――とともに、まだ司令室にこもっているのが好都合だった。艦橋に上がった仙石は、当直についていた竹中副長を、さも公務であるかのような調子で通路に呼び出した。

　こちらがなにもかも聞かされた身であると知っている竹中としては、察するところがあったのだろう。呼び出した用件がでっちあげであることは端から承知といった様子で、仙石の話を終わりまで黙って聞いてくれた。そして自分だけで決められることではない、艦長の同意がいると判断すれば、溝口に気取られないよう、やはり公務を装って宮津を呼び出す算段を整えてもくれた。

　呼び出し放送を受け、ブリッジに上がろうとした宮津に声をかけた仙石は、溝口が司令室に残ったままであることを確認してから、竹中が使っている士官寝室に向かった。同部屋の横田航海長は当直中で、二つのベッドと机があるだけの殺風景な部屋で艦長と副長を面前にした仙石は、竹中に話した通りのことを宮津にも説明した。

「それで、先任伍長の気が済むのか？」

すべてを聞き終えた宮津は、それだけ尋ねた。確信が持てないまま、仙石は「はい」と答えて背筋をのばした。

「可能でありましょうか？」

「このあたりなら、夜間漁の漁船が出ている。当直のレーダー員に因果を含ませておけば、やれんことはないが……」

「しかし、先任伍長ひとりが危険を背負い込むことになる。今のうちにその物騒な荷物を押さえてしまった方がよくはないか？」

竹中が言う。仙石はそちらに向き直って、

「当直につく前に、如月は荷物のすべてをどこかに隠そうとするはずです。荷物がなくなったことに気づけば、どんな反応をするかわかりません」

「だったら、溝口たち情報本部の連中を待ち伏せさせておいて……」

竹中は、ダイスという固有名詞を聞かされてはいないらしい。仙石は、「居住区には大勢のクルーがいます。そこで捕り物をやらせるわけにはいきません」と言下に答えた。

「ベッドに置いてあるものの他に、まだなにか隠し持っているかもしれない。艦内で銃撃戦なんて事態はまっぴらです。それに……自分は、あいつと二人だけで話してみたいのです」

「先任伍長としての義務感か？」

「……そう思っていただいて結構です」

訝る竹中から目を逸らし、歯切れ悪く答えると、「わかった」と宮津が口を開いていた。

「先任伍長に託す。そのようにしよう」

「ありがとうございます」

「いや……。もとより負債を抱えている身だ。先任伍長がそうすると決めたのなら、わたしには断る筋合いはない」

そう言った宮津は、「いいな？　副長」と竹中を見た。「艦長がおっしゃるなら……」と返して、竹中はまっすぐ仙石を見つめた。

「だが用心してくれ。先任伍長の身にまでなにかあったら、我々はもう誰にも顔向けができなくなる」

「心得とります。では」

自分でもはっきりしない心中を説明するつもりにはなれず、敬礼した仙石は士官寝室を後にした。ベルトに挟んであるグロック拳銃に手をやり、初弾は装填されているのだろうかと考えてから、足早に艦内に下るラッタルを降りていった。

＊

爆薬のセットを済ませて、次の場所に移ろうとした時だった。アラートの鐘の音が天井越しに聞こえて、行はキャットウォークの上で中腰になっている体を凍りつかせた。

艦底点検ハッチは閉じてきた。警報が鳴るわけはないし、第一この音は種類が違う。まさかと思いつつ耳を澄ますと、(教練戦闘用意、教練戦闘用意) のアナウンスが、頭上の第四甲板の床を伝って聞こえてきた。

(レーダー水上目標探知。〇四八度、五十マイル。数は一)

《うらかぜ》との会敵？ 思わずパイプとケーブルが錯綜する天井を見上げた行は、早すぎると内心に呟いた。

こちらの裏をかこうと、《うらかぜ》は八丈島近辺にまで出張ってきていたのか？ 演習開始時間をまるっきり無視して？ あり得ない……と思う間に、複数の足音がばたばた頭上を行き過ぎ始めて、総員配置を令された艦内が急速に活気づいてゆくのを感じた行は、自分も艦底から抜け出すハッチへ急いだ。

円形のハッチを薄く開き、人の目がないのを確認してから素早く這い上がる。センサー欺瞞用のチップを外し、南京錠をかけてから、ふと引っかかるものを感じた。

なにがどう、というのではない。ただ直感が、このタイミングは妙だと叫んでいた。罠、か？　自問し、否定する要素はないと判断した行は、第二機械室の戸口の脇に立った。配置の機関員が扉を開けて飛び込んできた瞬間を見計らい、入れ替わりに外に出る。通路の隔壁扉がつぎつぎ閉鎖されてゆく音を聞きながら、配置先のＶＬＳではなく、第三居住区へと向かった。

＊

戦闘部署が発動してから、五分あまり。すべてのクルーが配置につき、もぬけの殻となった第三居住区は、空調と機関の低い音だけが響く静寂に包まれていた。

自分が配置につかないことは、竹中を通して杉浦砲雷長にも伝えてある。居住区のいちばん奥にあるベッドの陰に身を潜めた仙石は、じっと息を殺してその時を待った。その時とは、ごまかしようのない真実と向き合う瞬間であり――正直なところ、待ち惚けに終わることを願ってもいた。

できれば来ないでもらいたい。すべてがとんでもない間違いであって欲しい。三十分後に戦闘部署が解かれるまでの間、居住区に誰も来なければそれでいい。床に片膝をつき、祈るように頭を垂れている仙石をよそに、人の足音が聞こえてきたのはそれからすぐのことだった。

気配を窺っていったん立ち止まった後、居住区の中に入ってきた足音は、三メートルほど手前で歩みを止めて、ベッドのひとつを探り始めたようだった。布団をまさぐる微かな衣擦れの音が伝わり、あるはずの物がなくなっていることに気づいたのか、布団やシーツをひっくり返す音が俄かに大きくなる。真実と対面する時間がきたことを伝える音だった。腹の底から漏れ出る嘆息を吐き、傍らに置いた行の私物の中からプレイステーションを取り出した仙石は、音を立てないように立ち上がった。

ベッドの陰から、そっと居住区を見渡す。ずらりと並ぶ三段ベッドのひとつの前に、這いつくばって最下段の寝床を探っている背中があった。目を閉じ、小さく深呼吸した仙石は、それで覚悟を決めたつもりになって、通路に足を踏み出した。

気配を察したらしい背中が、凍りつく。「捜し物か?」の声を仙石が搾り出すと、如月行はゆっくりこちらに振り返った。

その目が、仙石の左手につかまれたプレイステーション型衛星通信機に釘付けになる。ぴくりと動いた全身が、すぐに飛びかかってこなかったのは、右手に握られたグロック拳銃の銃口も一緒に目に入れたからに違いなかった。敵意の中に微かな動揺を滲ませた目を向けたのも一瞬、すぐに状況を悟ったらしい行は、感情を押し隠した顔を伏せていった。

探知された水上目標は夜間漁の漁船で、《うらかぜ》ではない。フェーズド・アレイ・レーダーの探知能力をもってすれば十分に識別可能であるにもかかわらず、誤認を装って戦闘配置が令されたのは、仙石の依頼が宮津に聞き届けられたからだ。

行が推測される通りの者であるなら、不自然なタイミングに罠を察して、必ず先に荷物を隠そうとする。溝口たちを間に入れず、ひとりで行と対するために艦ぐるみの芝居を打った仙石は、案の定、総員配置を無視して居住区に舞い戻ってきた行を目前にして、「……そうなのか？」とだけ尋ねた。ぎゅっと拳を握りしめて、行は無言を通した。

いつもの、自分が知る如月行そのものの態度だった。不意に感情が昂り、「なんとか言え！」と怒鳴った仙石は、手にしたグロックを突き出していた。

「みんな騙して、利用して……！　ヤバくなったら殺しちまおうって、そういう薄汚ねえ根性でこの艦にもぐり込んだのかって訊いてんだっ！　答えろ！」

「……あんたにわかる話じゃない」

顔を伏せたまま、行はぼそりと答えた。「ふざけんじゃねえ！」とがなり、一歩踏み出した仙石は、震える銃口をさらに突き出した。

「おれはこの艦の先任伍長だ。舳先から艦尾まで、この艦のことはなんでも知ってなきゃいけねえんだ。おまえらが船酔いで吐いた反吐の色も、幹部連中が磨り減らした鉛筆の数も、全部わかってなきゃいけねえって、そういう仕事なんだ……！」

自分自身に言い聞かせるように、仙石は一気にまくし立てた。行は逸らした目を上げようとはしなかった。

「……もうわかってんだろう。おまえの面は割れてる。とっ捕まえようって連中が、てぐすね引いて待ち構えてるんだ。どこにも逃げ場はねえ。投降しろ」

ようやく顔を上げた行の目が、まっすぐこちらを見る。すべてを排斥する硬質さでありながら、どこかで他人との関わりを捨てきれずにいる瞳。見ているのが辛くなり、少しだけ目を逸らした仙石は、「……どんな仕事か知らねえが、こんなむさくるしいとこで犬死にするような真似はすんな」と重ねた。

「なにもわかってないんだ。あんたは」

なにかを必死に押し留めた声で、行は言う。かっとなり、力んだ指が安全装置と一体になったグロックの引き金を引いてしまいそうになるのを感じた仙石は、「ああ、わからねえよ！」と大声を出して、力みを散らすようにした。

「こんな間尺に合わん話、わかりたくもねえ。国のためだかなんだか知らねえが、くだらねえスパイ合戦の巻き添えで菊政が殺されるなんて……！　あいつはな、最後までおまえの無実を信じてたんだぞ。それを……こんなわけのわかんねえもん、おれの艦に持ち込みやがって……！」

溢れる憤怒と痛恨が左手につかんだ衛星通信機に集約され、気がついた時には手を振り上げていた仙石は、それを力任せに床に叩きつけた。派手な音を立てて床にぶつかったプレイステーション型通信機は、アンテナ板の役目を果たすディスクカバーが折れて、ひびの入ったプラスチック製の本体を晒すだけになった。

それまで感情を抑制していた行の目が、大きく見開かれたのはその瞬間だった。「動くな！」と叫んだ仙石の声も聞こえない様子で、その場にしゃがみ込んで衛星通信機を拾い上げた行は、それが完全にスクラップになったことを確かめると、空気が抜けたようにがっくり肩を落としていった。

「なんてことを……」

「そ、そんなもの……！　もうどのみち役には立たねえんだ」

すべての希望が絶たれたというふうな背中に、なにかしらひやりとするものを感じながら言うと、殺気を孕んだ行の目が仙石を射た。

「もう取り返しがつかない。この艦は沈む」

え？　と思った瞬間、電撃的に動いた行の手が仙石の右手首をつかみ、捻っていた。脳が体に抵抗を命じるより早く、逆手に捻られた手からグロックがもぎ取られる。腕を引っ張られてバランスを崩し、体勢を立て直そうとした仙石が次の瞬間に見たものは、振り下ろされてきたグロックの太い銃把（グリップ）だった。

重く鋭い衝撃が首筋に走り、すっと視界が暗くなると、床が直角にせり上がってきた。慌てて支えようとしたが間に合わず、ビタッという音とともに垂直になった床に顔をぶつけた仙石は、行の足が頭上をまたいでゆくのを、為す術もなく見つめた。

ベッドの陰に隠しておいたずだ袋をつかみ、倒れた仙石の頭をもう一度またいで、出口に向かってゆく。九十度傾いた視界に去ってゆく背中が映り、待て、行くなと何度も叫ぼうとしたが、声にはならなかった。

行ったらダメだ。いま行けば殺される。この《いそかぜ》でこれ以上の死人が出るなんてごめんだ……。胸の中に叫ぶうち、薄暗かった視界が完全な闇に包まれて、仙石は意識を失っていった。

＊

「来ないって、それ、いったいどういうことなんスか？」

無電池電話のヘッドセットを外して、田所は思わず聞き返していた。作動灯や計器灯の小さな明かりだけが点る闇の中、反対側の席で管制盤と向き合う射管員の三曹は、「ミサイル長はそう言ってたぜ」と面倒そうに答えた。

「なんか別の仕事があるんだって。ここはおれらに任せるってさ」

戦闘配置が令されて、十分と少し。一向にターター管制室に姿を現さない先任伍長の所在を尋ねたところ、返ってきたのがその答えだった。田所は、「そんなバカな」と眉をひそめた。

「本チャンの演習に責任者の先任伍長がいないなんて……」

「いいんじゃねえの？　対艦戦じゃ、どうせターターの出番はないだろうし。こんだけ待っても動きがないってのは、もしかしたら漁船かなんかを誤認したのかもしんないしな」

「ミニ・イージスのレーダーは、そんなポカはやんないようにできてるはずでしょ？」

「機械はお利口でも、使ってる人間がアホってこともあるからな」

目標探知を告げたきり、ＣＩＣから新しい情報は入ってこない。相手が本当に《うらかぜ》なら、とっくに対艦ミサイル・ハープーンの攻撃が始まっているはずだから、三曹の推測もあながちでたらめなものではなかった。制御盤に向き直った田所は、急速に形になり始めた不穏な想像に思いをめぐらせた。

行が隠し持っていた物騒な荷物。先任伍長は自分に任せろと言っていた。あの人のことだ、幹部に伝えることなく、ひとりでなんとかするつもりなんだろう。となれば、戦闘配置で誰もいないタイミングを見計らって……？

あるいは、この突然の総員配置はそのためにでっちあげられたものか。幹部と協力して、先任伍長は行を密かに拘束するつもりなのか。菊政の事故の時も、機関トラブルの時も現場にいた行。あいつはいったいなんなんだ。まさか、《いそかぜ》を破壊するためにもぐり込んだスパイかなにかか？

そうなら……もし本当にそうなら、許せない。最初に会った時のひねくれた変わり者であるならともかく、あいつはおれたちの仲間になっていた。おれや先任伍長、菊政たちみんなを騙していたなんて、絶対に許せない。

自分の目で事実を確かめる必要がある。その結論に達して、田所は席を蹴っていた。テッパチを被り、「すぐ戻ります」と三曹に言い置いて、管制室の出口に向かう。

慌てて振り向いた三曹が、「どこ行くんだ」と目を白黒させるのが闇の中に見えたが、かまうつもりはなかった。「居住区に、ちょっと。すぐ戻りますから」と答えて、田所は水密戸の一斉開放レバーを押し上げた。

「バカ言え……！　懲戒ものだぞ」

「演習に先任伍長が立ち会わないなんて、そっちの方がおかしいじゃないスか」

さらに続きそうな三曹の声を、「閉めといてください！」のひと言で遮った田所は、通路に飛び出していった。

戦闘訓練中は、通路の防水隔壁やラッタルの昇降口がすべて閉鎖される。とくに戦闘部署が置かれている区画は、各班長が閉鎖管理をしているので、勝手に開けられるものではなかった。開け閉めできる隔壁を選び、戦闘区画を避けて艦内を下った田所は、ジグザグに居住区への道をたどることになった。

非常灯の赤ランプが、不穏な気分に拍車をかけた。ようやく第四甲板まで下りきり、閉鎖されたはずの隔壁扉が開きっぱなしになっているのを見た田所は、扉の陰から通路の様子を窺った。

居住区の戸口から漏れた蛍光灯の明かりが、通路の薄闇に白い光を落としている。戦闘部署のない第四甲板は、中程にある機械室に機関員が配置されているだけで、戦闘訓練中はほぼ無人になる。部署発動とともに、分隊先任海曹が閉鎖したはずの隔壁が開いているのはおかしい。やはり……の思いを噛み締めて居住区に近づこうとした途端、鉄階段を駆け上がる足音が機関の音の中に混ざり、田所は思わず立ち止まった。

居住区の手前にあるラッタルからの音。それだけ判断した頭が勝手に足を動かし、手すりをつかんで階段の前に立った田所は、ずだ袋を担いだ背中が第三甲板に昇りきるのを、一瞬だがはっきりと目に焼きつけた。

間違いない。「おい、如月!」と呼びかけ、即座にラッタルを駆け上がったが、田所が第三甲板に出た時には、行は忽然と姿を消していた。

隔壁が閉じ、密室になった通路には人の気配さえない。第二甲板に上がる昇降口のハッチも閉じており、陰鬱な非常灯の赤に染められた空間を見回した田所は、不意に肌が粟立つのを感じて、壁に背中を押しつけた。

冗談じゃない。おまえは幽霊かなにかか?　無意識にそう考えてから、菊政が女の幽霊を見たと言っていたのを思い出し、濡れた足を引きずった亡霊が、薄暗い艦内をさまよってい る姿を想像してしまう。異様に軽かった死体袋の感触も手のひらによみがえらせた田所は、それを消し去るためにぎゅっと拳を握りしめた。

そんなバカなことがあるか。あの女はともかく、如月は人間だ。おれと同じ、まともな家庭に縁がなく、がむしゃらにつっぱるのを当たり前にしてきた生身の人間だ。他人なんかあてにしないという顔をしていながら、その実、いつでも自分の居場所を探している。損な役ばかり引き受ける羽目になっても、途中で投げ出すことができない、律儀な、とても不器用な人間……のはずだ。

でも——いや、だからこそ、許せない。クルーの信頼を裏切り、おれにとっては家も同然の《いそかぜ》を傷つけ、菊政を殺した。それが事実なら、この手でおとしまえを付けさせてやる。昇進がパーになったってかまわない。預けっぱなしにしていた勝負の決着を、今度こそ付けてやる——。その思いを嚙み締め直した田所は、ひとつ大きく息を吸って壁から離れた。通路の前後を塞いだ隔壁を見、どちらでもいいからとにかく進もうとして、鉄扉の閉まる微かな音を鼓膜に捉えた。

前部甲板の方からだった。第三甲板前部は汚物処理室や発電機室、倉庫があるくらいで、やはり戦闘部署はない。隔壁扉に近づき、向こう側の気配を窺った田所は、意を決して開放レバーを押し上げた。開いた扉の向こうに、同じく隔壁に閉ざされて密室となった通路が見え、両方の壁に並ぶ扉のひとつが、わずかに開いているのが目に止まった。

それが、FTGが占有する倉庫だと気づくのに、さほどの時間はかからなかった。以前は簡易ジムに使われ、今は防衛秘密区画として一般クルーの立入が禁止された場所。警衛士官によって厳重管理されているはずの倉庫の扉が、どういうわけか施錠もされずに半開きになっているのだった。左右を見回し、人の姿がないことを確かめた田所は、そっとそちらに近づいていった。

扉の隙間から、中を覗き込む。八畳程度の空間は闇に塗り潰されていて、通路から照らす非常灯のわずかな光では、なにがあるのか見分けられなかった。積み重ねられた木箱が朧に見え、電気をつけようと思い立った田所は、扉の隙間を広げて倉庫の中に足を踏み入れた。

背後に人の気配がわき起こったのは、その瞬間だった。

咄嗟に振り向いた田所の目に、いつの間にかすぐ後ろに立っていた人の形が映った。それまで空気に溶け込んでいたものが、凝縮して実体化したかのような唐突さだった。非常灯に赤黒く染められた無表情な顔を凝視し、すべての真実を悟った田所は、憎悪の目をその者に注いだ。

「……やっぱり、おまえ……」

喉に走った強い衝撃が、その先の言葉を封じた。見かけからは想像できない素早さと強さで繰り出された手が、田所の喉頸（のどくび）を絞め上げたのだった。手首を押さえて引き剝がそうとした刹那、なにかが折れる音が間近に響いて、全身の力が抜けた。目の前に黒い霧が立ちこめ、それはもう二度と晴れることなく、田所の視界を永遠に塞いでいった。

*

誰かが激しく体を揺さぶっている。闇に落ちた意識がゆっくり浮上を開始して、仙石は重い瞼を開いた。

蛍光灯の光を背に、こちらを覗き込む若狭の顔が最初に見えた。隣には看護長の気難しそうな顔があり、その銀髪の頭の向こうに、竹中と溝口の顔も窺うことができる。心配げな竹中の目と、対照的に冷淡な溝口の目を交互に見較べた仙石は、わけがわからないまま上半身を起こそうとした。

口腔に溜まった苦い唾を飲み下した瞬間、首筋にずきんと痛みが走った。小さく呻き、看護長の手を借りてどうにか体を起こしてから、打ち身の痛みを孕んだ首筋をさする。「大丈夫か」と声をかけた若狭をぼんやり見上げ、三段ベッドの列を視界に入れた仙石は、その瞬間にすべてを思い出して、反射的に立ち上がった。

頭がぐらつき、足がもつれそうになる。支えようとした看護長の手を払い、ベッドの手すりにもたれてどうにか立ち上がった仙石は、「あいつは?」と竹中を見た。

答えようとして、竹中は言い澱んだ顔を伏せた。代わりに溝口が、「消えました」と冷たい声を発した。

「わたしの部下が総出で艦内を検索しています。……まったく、バカなことをしてくれたものだ」

苦々しい顔と口調で続けた溝口の手に、壊れたプレイステーション型衛星通信機が握られていた。自分の頭越しに艦長たちと結託し、強引に戦闘配置をかけて行を居住区におびき出そうとした仙石を責める声と聞こえたが、刺すように冷たい溝口の目は、それだけが理由ではないと教えているようだった。

なぜだか不安になり、助けを求めて竹中を見たが、竹中は伏せた顔を上げようとしなかった。同じように沈痛を湛えている若狭の顔を振り返った仙石は、「……なにかあったのか?」と尋ねてみた。ちらとこちらを見、すぐに目を逸らした若狭は、少しためらった素振りを見せた後、口を開いた。

「兵長……田所が……」

聞いた途端、目の前が真っ暗になった。慌てて支えようとした看護長の手も間に合わず、仙石は再び床に座り込んでいた。

戦闘配置が解かれ、通路の防水隔壁は開放されていた。竹中たちとともに第三甲板へ上がった仙石は、人だかりが通路を塞いでいるのを悄然と見つめた。

噂を聞きつけて集まってきたらしいクルーたちは、誰もなにも話そうとせず、一様に不安をはりつかせた顔で立ち尽くしている。あまりにも異常で、悲惨すぎる事件の連続に、正常な情緒反応が麻痺(まひ)してしまったのかもしれなかった。なにがどうなっているのかを尋ねる彼らの目に、答える術がないまま、仙石は悪夢の中を歩く思いで人垣の中を進んだ。

その先には、FTGの腕章を巻いた溝口の部下二人が、事件現場を封鎖する制服警官よろしく、クルーを押し留めて立哨している姿がある。若狭を残し、竹中と溝口に挟まれてさらに奥に進んだ仙石は、FTGの荷物置き場に使われていた倉庫の前で立ち止まった。

臨時の防衛秘密区画として、この航海の間ずっと閉ざされてきた倉庫の扉は、この時は全開になっていた。宮津艦長の背中が戸口を塞ぐようにして立っており、仙石に気づくと、感情を押し殺した顔をこちらに振り向けた。

お互い、言葉がなかった。ただ最悪の事態が上塗りされたことだけを確かめあい、仙石は宮津と入れ替わりに倉庫の戸口に立った。積み上げられた木箱や鉄製ケースが並ぶ小さな空間の中には杉浦砲雷長と風間水雷士がおり、二人の足もとに、床に四肢を投げ出して仰臥する田所の姿があった。

ひどくぺったりとなった巨体は微動だにせず、なにも見えていない目を天井に向けている。微かな異臭が鼻をつき、股間の黒い染みと、そこから漏れ出た液体が床に水溜まりを作っていることに気づいたが、仙石はかまわず倉庫の中に足を踏み入れた。調査隊に提出する現場写真を撮っていたのか、カメラを首からぶら下げた杉浦が道を開け、今にも吐きそうな顔でじっと立ち尽くす風間の横をすり抜けた仙石は、息絶えた田所の傍らに腰を落とした。瞳孔が開ききり、黒みばかりが目立つようになった瞳を覗き込んでから、それをそっと閉じてやった。

首筋に内出血の帯が浮かび上がっている他は、なんの外傷もないように見えた。今にも起き上がり、「ベソなんかかいて、どうしたんスか。先任伍長」と笑いかけてきそうな死に顔を見、耐えられずにその場にうずくまった仙石は、田所の胸に額を押し当てた。まだ残っている体温が、救命胴衣のごわごわした感触を通して額に伝わってきて、腹の底からわきあがってくる嗚咽を押し留めるので精一杯になった。

順序が、順序が違うだろうが。おまえは、おれの半分しか生きてないんだぞ？　昇任試験に受かったらアメリカに留学して、どんどんキャリアを積んで、おれなんかよりずっとマシな先任伍長になって……。なにもかもこれからじゃないか。こんなところで死ぬ必要がどこにある。せっかく、せっかくこれから……。

「……なぜ、ひと言相談してくれなかったんです」

いつの間にか背後に立った溝口が、言っていた。顔を上げることができず、仙石は背中でその言葉を受け止めた。

「事前にわかっていれば、居住区周辺に部下を配置しておくことだってできた。それを……」

「わたしが許可したことだ。先任伍長に非はない」

宮津が言う。溝口は、「その結果、田所士長は殺された」と即座に返した。

「唯一の通信手段を失って、如月は焦っている。捜索中のわたしの部下と接触すれば、その場で戦端が開かれます。すぐにクルーを安全な場所に待避させてください」

「どうやって？　なんて言ってクルーを納得させるんです」

杉浦の声だった。仙石はのろのろと顔を上げて、通路からの逆光に浮かび上がる二人の顔を見た。

「クルーはまだなにも知らないんだ。だいたい、密閉された艦内で安全な場所なんて……」

「なら、総員離艦させるべきだ。こうなってしまった以上、ここに留まるのは非常に危険です」

「簡単に言うな！　あなたには、艦を捨てるってのがどういうことかわかって……」

「外部と連絡が取れなくなった今、奴にできることはひとつ。この艦を内部から破壊し、足を止めて、追尾している潜水艇に襲撃を促すことだ」

ぴしゃりと言い放った溝口に、杉浦は口を噤んだ。

「ミサイル発射機能さえ生き残っていれば、ヨンファの目的は達せられる。奴にとっては、それ以外は破壊してもかまわないということです。人も、設備も」

「しかし、ここからでは都心は射程圏外……」

「だが八丈島は狙える。あらゆる状況に備えて、選択可能なオプションを整えておくのは戦いの常道です」

なにも言えなくなった杉浦から、溝口は押し黙ったままの宮津に目を移す。「ご決断を、艦長。残された時間は多くありません」と言った強い視線に、宮津は土気色になった顔を上げた。

海上自衛隊史上、総員離艦が実際に行われた例はない。まだなにが話し合われているのか実感できないまま、仙石は宮津の顔を見上げた。杉浦と風間も艦長の顔を凝視し、充血した目を溝口に向けている宮津が、乾ききった唇を開くのを待ったが、

「手を放せっ！　うちのクルーが死んだんだ。よそ者にとやかく言われる筋合いはない」

通路の方から聞こえてきた怒声が、張り詰めた空気を破った。若狭の声だと思った時には、溝口の部下を振り払い、通路を突き進んできた浅黒い顔が、戸口に現れていた。

田所と、その傍らに座り込んでいる仙石を見た後、艦長と溝口を交互に見据える。「……いったいどういうことです」と低い声で言った若狭の全身から、皮一枚で繋ぎ止めた怒りが濃厚に発していた。

「掌帆長、後で公式に発表する。今はクルーを落ち着かせて、通常課業に戻るよう……」

「冗談じゃない！　このありさまでどう通常に戻れって言うんです。今度は事故じゃなくて、正真正銘の殺人なんでしょうが！」

仙石には計り知れない度量の深さで、どんな理不尽にも黙って耐えてきた若狭が、初めて見せる激情だった。思わず顔をひきつらせた杉浦から宮津に視線を移した若狭は、答えが得られないとわかると、仙石に険しい目を向けた。

「先任伍長。あんたはわかってるのか」

一歩も退かない視線に、数時間前までの自分を重ねた仙石は、秘密を共有してしまったことの重さをあらためて実感した。若狭の背後で、さりげなくこちらを注視している溝口の冷たい顔を見、なにも言えずに目を逸らすしかなかった。

「なんとか言ったらどうだ。あんたもぐるなのか？」

詰め寄った若狭が、詰問を重ねる。それまで黙っていた風間が、「掌帆長」と意を決したように前に出たのは、その時だった。

「自衛官には、職分に応じて知っていいことと悪いことがある。こういう時こそ冷静になって……」

「お言葉ですがね、水雷士。艦内で人が殺されたんですよ。自分は、あんたが生まれる前から護衛艦に乗ってるが、こんなことは前代未聞だ。事故があっても訓練を続行したり、漁船と護衛艦を見間違えたりする幹部と、一緒に仕事をするってのもね」

「し、しかし……！　田所士長だって、勝手に配置を離れるようなことをしなければ、こんなことには……」

風間のキノコ顔が精一杯の背伸びをして言った途端、若狭の手がその胸倉をつかみ、積み上げられた木箱に押しつけていた。真っ青になった風間に、若狭は口髭の顔をぐいと近づける。

「もういちど言ってみろ……！　死んだ人間を懲戒会議にでもかけるつもりか」

頭でっかちの足手まとい。初任幹部に対する悪印象を一手に引き受けている風間が相手だっただけに、この時の若狭の反応はより激しいものになった。ぎりぎり張っていた緊迫の糸が切れ、《いそかぜ》の組織が崩壊する気配を感じ取った仙石は、杉浦が動くより前に、立ち上がって若狭の肩をつかんだ。

振り返り、険悪な目をこちらにも向けた若狭は、堪えてくれと目で念じるしかない先任伍長に同情したのか、風間の胸倉をゆっくり放していった。

本来なら停職処分でも足りないほどの違反行為だったが、宮津と杉浦も声もなく立ち尽くすだけで、咎めだてる気配はなかった。深呼吸し、激情をそれなりに自己処理したらしい若狭をこちらに引き寄せようとした仙石は、「あ、あんたらCPOはいつだってそれだ！」と、風間がわめき立てるのを聞いた。

「義理とか仲間意識とかで、組織の規律も曖昧にして……！　これじゃ工事現場と変わらないじゃないか。ぼくは、こんなことをするために海自に入ったんじゃない。徹夜でコンピュータや人事の勉強をしたのは、あんたらに小突かれるためじゃないんだ。幹部自衛官としての責務を果たそうとしているだけなのに、みんなでバカにして……！　幕僚たちまで、不適格の烙印を押そうとした。だからぼくは……」

ヒステリーの子供さながら、一気にまくし立てた風間は、そこでなにかに気づいたように口を閉じた。たび重なる人の死を目の当たりにして、感情が昂っているのは誰もが同じだったが、風間の言いようは、それとは別のなにかに衝き動かされたものに聞こえた。気まずそうに目を逸らした杉浦と、冷淡な視線を注ぐ溝口を視界に入れた仙石は、一瞬、自分がなにかとんでもない思い違いをしているのではないかという気になったが、

「……なんだ？」

不意に発した若狭の声に、その思いも霧散した。天井を見上げる若狭の視線を追った仙石は、蛍光灯からぶら下がっている非常電源スイッチの短い紐が、ぶらぶら揺れているのを見た。

それが最初の兆候だった。床から這い上がってくる震動は、やがて倉庫内の荷物も小刻みに揺らし始めた。低周波の共振を思わせる不快な震えで、明らかに波浪によるものではない。やはり天井を見上げる宮津と顔を見合わせた仙石は、その瞬間、ドシン！　となにかが叩きつけられたような音が足もとに発するのを聞いた。

艦尾の方から発した轟音が、船体を震わせて艦首にまでつき抜けてゆく。遠くて近い、心の底に突き通る不穏な音。誰もが反射的に身を堅くした刹那、ぐらっと床が傾き、田所の足につまずいた仙石は、再び床に尻もちをつく羽目になった。

積み上げた木箱を固定している索が、ちぎれんばかりになる。どよめきが通路から発し、ギリギリ……と軋む音を立てた船体が、それをかき消した。

未知の衝撃に、《いそかぜ》が悲鳴をあげているようだった。転がるようにして立ち上がった仙石は、戸口で体を支えた宮津を押し退けて、倉庫を飛び出していった。

＊

《いそかぜ》の艦底に仕掛けられた爆弾が、爆発したのだった。無線からの信号を受け、通電したデトネーティング・コードに起爆を促されたＨＭＸオクトーゲンは、性能通りの爆発力で瞬時に艦底を引き裂いた。

秒速九千二百メートルの衝撃波は、直近にあったフィン・スタビライザーの駆動機械装置を根こそぎ吹き飛ばし、鋼板の下のシャフトも捩(よじ)れさせた。高密度に圧縮され、ほとんど物質化した空気の塊が艦底全体を駆け抜け、間近の肋材(フレーム)は歪み、縦通材(ロンジ)は折れ曲がって、水タンクやバラストタンクのいくつかも容赦なく押しひしげさせてゆく。爆発のエネルギーは出口を求めて荒れ狂い、天井の第四甲板をぶち破って艦内に吹き荒れる一方、それと同等の力が外側——つまり海に向かって放出されてもいた。

爆発の力でシャフトが捩れ、直結するフィンが可動範囲を無視して押し動かされたために、フィンと船体との接合部分に歪(ひず)みが生まれ、そこから海水が艦内に流れ込み始めた。が、それは全体の浸水量からすればほとんど無視してもかまわない程度のものだった。オクトーゲンは起爆と同時に三重の外板を破り、外側にめくれ上がった鋼板は、幅二メートル強、縦一メートル弱の傷口を《いそかぜ》の艦底に穿っていた。

裂け目から艦の外に逃れた衝撃波は、爆発的な気泡になって海中を騒がせ、水圧と正面からぶつかりあって排水量五千トンの《いそかぜ》の船体を押し上げた後、超音波に姿を変えて海面に直進した。それは闇の海面を白濁させる円状の波紋となって現れ、次の瞬間には巨大な水柱を《いそかぜ》の右舷に屹立(きつりつ)させた。

超音波が海面付近の水を霧に変え、放射圧がそれを三十メートルもの高さにまで噴き上げたのだった。ぐらりと左に傾いた《いそかぜ》の露天甲板に、霧状になった水飛沫が覆い被さり、艦橋構造部や煙突、後部甲板に豪雨のように降りかかってゆく。急激に持ち上げられた船体が鉄の軋みを立て、傾いた《いそかぜ》が自身の復元力と物理法則に従って反対方向への傾斜に転じると、艦底の裂け目からなだれ込む海水量はいよいよ莫大なものになった。瀑布(ばくふ)のごとく噴出する水はたちどころに隔壁内を満たし、爆発によって生じた第四甲板の穴からも溢れ出して、《いそかぜ》を急速に浸水させていった。

＊

迷わず最下層の第四甲板に向かったのは、長年の勘に従ったからだった。爆音の聞こえ方、震動の伝わり方からして、異状が起こったのは船体下方、後部甲板だと仙石にはわかったのだ。

それは間違っていなかった。第一IC室の前からラッタルを下り、赤い非常灯が照らす第四甲板の通路に足をつけた途端、パシャッと水を弾く音が足もとに聞こえて、ぞっとなった。

浸水がここまで来ている。防水隔壁は、排水ポンプはどうなっている？　非常ベルも鳴らず、隔壁が全開になっている通路には、数人の機関員たちの姿しかない。指示する者がおらず、機械室の前で右往左往する彼らに、「機関防御！　エンジンに水が入ったらアウトだ」と怒鳴った仙石は、既に五センチほどたまった水を蹴立てながら、艦尾方向へと走った。

浸水箇所はすぐに見つかった。爆風によるものか、押しひしげられて立て付けの歪んだ第二装薬室の水密戸の隙間から、海水がどうどうと溢れ出している。部屋の直下で爆発が起こり、艦底に穴があいたらしい。室内はもう満水状態のようで、クリップが弾け飛び、蝶番（ちょうつがい）

と閉鎖レバーだけで支えられた水密戸は、押し寄せる水の重さに耐えかねて、今にもドア枠から外れそうになっている。隙間が広がるにつれて流れ込む水の量も多くなり、扉が外れたら一気に浸水が始まるとわかった仙石は、いちばん近くにある消火栓に取りついた。非常ベルのプラスチックカバーを叩き割り、けたたましいベルの音が鳴り響くのを耳にしながら、第二甲板の応急指揮所に直結する無電池電話の受話器を取り上げる。

「四甲板、第二装薬室から多量の浸水！　応急員の配置急げ」

返事を待たずに受話器を置き、第二装薬室に向かう。救命胴衣を身に着けていないことをちらりと後悔したが、それが必要になる時は、《いそかぜ》が沈む時だ。ようやく追いついた若狭たちがラッタルを下ってくるのが見え、「隔壁閉鎖、急げ！」と怒鳴った仙石は、進むほど深さが増してゆく水の中をひたすら走った。

浸水の重みで、船体の傾斜が始まっている。艦底の浸水が、予想以上に深刻な状態であることの証明だった。各地区に設置されたセンサーが破損箇所を伝えているはずなのに、いまだ応急指揮所からの状況通達放送はない。この出足の遅さはなんだ？　どうしてポンプは排水を始めない？　だいたい、これほどの浸水を起こす破孔を船体に穿ったものはいったいなんだ？　次から次へと浮かんでくる疑問の先に、『この艦は沈む』と言った行の顔が像を結び、仙石はぎりりと奥歯を鳴らした。

菊政を、田所を殺した挙句に、《いそかぜ》を沈めようっていうのか。胸中に罵りつつ、膝上まで達した水を蹴散らして第二装薬室の前にたどり着いた仙石は、ひしゃげた扉越しに室内の様子を窺った。

第二砲台で使用する砲弾の整備に使われる装薬室は、案の定、胸の高さにまで達した海水に満たされていた。床の破孔は見えなかったが、水没した工作機械や作業台が放射状に倒されている光景は、床下で大きな爆発があったことを教えている。ごぼごぼ噴き出す水の量は衰えを知らず、扉の蝶番がいよいよ引きちぎれそうなのを見た仙石は、弾薬庫を挟んだ向こうにある第四ポンプ室に目をやった。

とにかく少しでも早く水を吸い出さなければならない。最悪、ここから向こうの区画をまるまる閉鎖することも考えなければ……。

「どうなってんだ。魚雷でもぶち当たったのか⁉」

駆け寄ってきた若狭が、溢れ返る水の音に負けない声で言った。「わからん！」と返して、仙石は第四ポンプ室の扉を指さした。

「おれはポンプ室を見てくる。ハッチの閉鎖を急がせてくれ」

通路の隔壁を閉じるだけでなく、天井——すなわち第三甲板に通じるラッタルのハッチや空調ダクト、砲弾輸送用のエレベーター孔もすべて閉鎖しなければ、完全な防水はできない。場合によっては第四甲板の区画閉鎖も考えている仙石の胸中を察した若狭は、緊張に顔をこわばらせた後、「わかった！」と怒鳴り返して近くのラッタルを駆け上がっていった。

仙石は第四ポンプ室に向かおうとしたが、その途端、ポンプ室の水密戸が開いて、煙と一緒に青い作業服姿の海曹が飛び出してきた。開いた扉に、通路に溜まった水が一斉に流れ込む。ポンプ室から溢れた黒煙が天井を覆い、電気コードの焼ける刺激臭が立ち込める中、咳き込む一曹の肩をつかんだ仙石は、「どうした、なにがあった⁉」と大声で尋ねた。

「わかりません！　急にポンプが煙を噴き始めて……」

浸水と同時にポンプ室に向かい、手動で排水ポンプを作動させようとしていたらしい機関員の一曹に、それ以上の質問は無用だった。船体に穴を開けると同時に、排水ポンプも潰す。大方、応急指揮所の監視制御盤に繋がるセンサーのケーブルも切断してあるのだろう。さすがはホ・ヨンファが見込んだスリーパー、テロリストとしての能力は申し分ないというわけか。煮えくり返る腹の中に呟いた仙石は、迷わず消火栓に向かおうとする一曹の襟首を、慌ててつかんでいた。

「ポンプ室の火災を消さないと……！」

「無理だ！　浸水速度の方が早い。ここは閉鎖するしかない」

ポンプが使えない限り、他に手はなかった。クルーがポンプ室に残っていないことを確かめ、一曹を十メートル向こうの隔壁扉の方に押しやった仙石は、第三甲板で閉鎖作業をしている若狭を手伝うため、ラッタルに向かった。「先任伍長！　急いで退避してください！」

の声が背中に弾け、答えようとした瞬間、ガキンと大きな金属音が響き渡った。

辛うじて水を押し留めている装薬室の水密戸の蝶番が、弾け飛んだのだった。隙間がさらに広がり、流れ込む海水の量が増える。扉は閉鎖レバー一本で支えられることになり、圧倒的な水の勢いに、金属の棒がゆっくり折れ曲がってゆく。もう猶予はない、一刻も早く隔壁を閉じなければ、船体のバランスが取れなくなる。やむをえず防水隔壁の方に引き返そうとした仙石は、ラッタルを駆け下りてきた足音にぎょっと振り返った。

「これで最後だ！　エレベーターとダクトは閉じさせた」と言いながら階段を下りかけた若狭は、ポンプ室から漂ってくる黒煙に気づき、息を呑んだようだった。同時に、第三甲板に通じる昇降ハッチが閉じられ、向こう側からロックされてしまう。これほど状況が悪化しているとは思わずに、第四甲板に戻って排水作業を手伝うつもりでいたのだろう。ハッチのロックはこちら側からは解くことができず、仙石と苦い顔を見合わせた若狭は、急いで残りの階段を下り始めた。

それがいけなかった。船体が傾斜しているため、斜めになった階段で足を滑らせた若狭は、次の瞬間には腰の高さまで達した水に背中から落ちてしまっていた。

派手な水飛沫が上がる。苦痛に顔を歪める若狭を助け起こし、仙石は隔壁に向かおうとしたが、二、三歩進んだところで、若狭は再び転倒して水中に没してしまった。足をくじいているらしい。倒れた拍子に水を吸い込み、激しく咳き込む若狭に肩を貸した仙石は、歯を食いしばって十メートル先にある隔壁へと急いだ。

水を吸ったズボンが異様に重く感じられる。防水隔壁の脇に立ち、閉鎖ボタンに手をかけたクルーが、「急いでください！」と叫ぶ声が聞こえる。手を貸してもらいたいところだが、いざとなったらこちらを見捨ててでも隔壁扉を閉め、艦の安全を保つのが彼の役目だ。刻々と嵩（かさ）の増す水をかきわけ、仙石はひたすら足を動かすことに努めた。クルーが空いている方の手を必死に差し出し、仙石もあと数歩で届く指先に手を伸ばす。第二装薬室の扉を支えていた閉鎖レバーが曲がりきり、バチン！　と大きな音を立てて水密戸が外れたのは、その時だった。

室内に充満していた海水が、一斉に通路に流れ込む。数トンの圧力が真横から襲いかかり、仙石と若狭は声を出す間もなく瀑布に呑みこまれた。足が滑り、船体の傾斜に従って流れる水に巻かれて、艦尾方向に押し戻されてしまう。無我夢中で水をかき、ポンプ室の戸口につかまって床に足をつけた仙石は、胸の高さにまで上昇した水面からどうにか顔を出した。たらふく水を飲んだらしい若狭の肩を担ぎ直し、「しっかりしろよ！」と怒鳴ってから、遠くなった隔壁を目指して壁伝いに歩き始めた。

息が上がり、酸素を求めて無意識に開いた口に、海水が容赦なく入りこんでくる。隔壁扉の脇に立つクルーの、なにかを叫ぶ顔が水飛沫の向こうに見え、もうダメか、おれたちを捨てて隔壁を閉じさせるべきかと仙石が考えた途端、それを読んだかのように、「放してくれ」

の声が若狭の口から発した。

「ひとりの方が歩きやすい。おれは大丈夫だから……」

「バカぬかせ！　マイホーム・パパにそんな格好いい真似させられるかよ」

一瞬でも生存をあきらめかけた自分自身を叱咤し、大声を出した仙石は、首の後ろにかけた若狭の腕をぐいと引っ張り上げて、前進を続けようとした。が、さらにきつくなった船体の傾斜に足を取られ、三メートルと進まないうちに再び水に沈むことになった。

海水が気管を塞ぎ、前後左右の感覚がなくなる。がむしゃらに手足を動かし、床も壁もなくなっていることに絶望した瞬間、どこかからのびてきた手が仙石の襟首をつかんだ。強い力でぐいと引き寄せられ、水面に引っ張り上げられた仙石は、竹中の救命胴衣の背中を揺れる視界の中に入れた。

「しっかりしろ！」と叫んだ竹中は、仙石の襟をつかんだまま防水隔壁へと歩き出した。閉鎖寸前の扉をくぐり、自分たちを助けに飛び込んできたらしい幹部の背中を見上げた仙石は、どうにか床に足をつけ、若狭を抱え直してからその後に続いた。

夢中で足を動かすうちに水面は腰のあたりにまで下がり、ほとんど倒れ込むようにして隔壁扉をくぐった直後、「閉鎖！」と怒鳴った竹中の声が通路に響き渡った。クルーが閉鎖ボタンを押し、油圧駆動の隔壁扉が、押し寄せる水の力をものともせずに閉まってゆく。完全に閉まりきったところで自動的に一斉閉鎖レバーが下がり、扉の周囲に設置された八個のクリップが、ドア枠と扉のゴムパッキンをしっかり密着させる。噴出する水の音が小さくなり、文字通り壁になった防水隔壁にもたれかかった仙石は、ようやく荒い息を整える時間を持つことができた。

浸水が食い止められたとはいえ、通路にはまだ膝の高さほどの水が溜まっている。「第二と第三ポンプ、排水してるんだろうな⁉」と艦首方向に大声で呼びかけた竹中は、「やってます！」の返事を聞いてから、隔壁に寄りかかっている仙石を見た。まだ息が整わないまま、「すんません、助かりました」と仙石が搾り出すと、それを合図にしたかのように、(艦尾、第四甲板浸水。応急運転始め。要員は速やかに……)とアナウンスが流れ始めた。

今さら、という感じだった。スピーカーから流れ続ける声に、竹中の舌打ちの音が重なっていた。

「応急指揮所の監視盤と繋がる、警報装置のケーブルも切断されていた。完全に後手に回ったな」

誰が切断したのかは、確かめるまでもなかった。仙石は「……他に被害は？」とだけ尋ねた。

「いまのところない。機関とプロペラシャフトが無事だったのがもっけの幸いだが……。右舷後部のバラストが潰された上、この通り二区画が浸水した。足は遅くなるな」

数十トンに及ぶ水の重石を、艦尾に載せられたようなものだった。前部と中部の排水ポンプをフル稼働させれば、通路に溜まった水は吸い出せるが、閉鎖区画の水は手の施しようがない。バラストタンクもやられたとなれば、船体の傾斜を立て直すのも絶望的だ。もたれていた隔壁から体を起こした仙石は、わずかだが確実に艦尾側に傾いている床を靴裏で蹴りつけた。

　これだけメチャクチャにしておいて、あいつは、行はいったいどこに隠れてるんだ。胸の中に呟き、拳を握りしめた仙石は、片足でどうにか立ち上がろうとしている若狭に気づいて、手を貸した。足首を捻挫したらしい。「衛生員を呼んでくる。休んでた方がいい」と言うと、若狭は「そうはいくか」と返して、仙石の手を払っていた。

「命の恩人に噛みつきたくはないが、おれはいい加減、堪忍袋の緒が切れそうだぜ。クルーは殺される、艦底に穴は開く！　いったいなにがどうなってるんだ」

　壁に手をついて体を支えた若狭は、聞かせてもらうまで一歩も動かんといった目を仙石に注いだ。横目を見交わし、仕方がないというふうに頷いた竹中を見た仙石は、すべてを説明する口を開きかけたが、不意に発した音にそれを遮られた。

　パン、パンと二つ鳴った音は、機械室の方向から聞こえた。銃声だと気がついた瞬間、体が勝手に動いて、仙石は若狭の制止を無視して走り出していた。

＊

応急運転が令され、第一機械室で防水作業に当たる機関員たちのほとんどが、隣の第二や第三機械室に移動し始めた時。マイクロバスほどの大きさがある高速ガスタービン・エンジン、マリン・オリンパスの陰に潜んでいた行は、行動を開始していた。

五人残った機関員たちを追い払うのは、簡単だった。二基ならんでいるエンジンの狭間から突然飛び出し、H&KP7の銃口を突きつけて退去を命じた行に、機関員たちは最初、ぽかんとした顔をするだけだったが、銃口が実際に火を吹き、弾丸が壁の鋼板に当たって火花を散らすのを見ると、表情を一変させた。

バカな真似はやめろ、と決まり文句を言う者もいたが、それも足もとの床に銃弾がめり込むのを見るまでのことだった。五人の中では最先任者の一曹に自分の要求を伝え、第一機械室から追い出した行は、まずはすべての扉を完全に封鎖する作業から始めた。

扉は全部で四つ。第三甲板の通路に通じるキャットウォーク上の扉と、第四甲板に面した二つの扉、それに第二機械室との連絡用扉。防水作業でどの扉も閉鎖されていたが、内側からの施錠だけではいかにも心もとない。ずだ袋から対人地雷クレイモア四個を取り出し、本体からのばした爆破コードをそれぞれ扉のレバーに引っかけて配線した行は、他にもいくつかの防護策を施して、二基のエンジンの狭間にある小さな空間に戻った。

扉が叩かれ、なにか呼びかける声が聞こえ始めたが、無視して床に転がしておいた発火装置を手にする。ライターと同じ大きさの発火装置からは、三本のコードが枝分かれしてのびており、その先は両側のマリン・オリンパス型エンジンと、艦底点検ハッチの下にそれぞれ取り付けた、HMXオクトーゲン爆薬に繋がっているのだった。腕時計に午後十時二十分の時間を確かめた行は、後は待つだけだと内心に呟いて、狭い隙間に腰を下ろした。巨大なエンジンの台座に背中を押し当て、膝を抱えるようにしながら、腕時計のデジタル表示が時を刻んでゆくのをじっと見つめた。

猶予は十分と伝えてある。十時三十分までに最初の要求が実行されなければ、この発火装置のスイッチを押さなければならないということだ。これだけ近い場所で三ヵ所、計九キロのオクトーゲンが一斉に起爆すれば、自分の体は粉々なんて生易しい表現では済まない、DNA鑑定でもしなければ、人間と判別できないまでに粉砕されるだろう。二基のエンジンはバルブ内の燃料を誘爆させて機械室ごと吹き飛び、床下に設置されたオクトーゲンは、直近の油タンクを巻き込んで先刻の数倍の破壊力で艦底を引き裂き、船体の要である船骨（キール）を砕く。つまり《いそかぜ》は、その心臓部に対艦ミサイルの直撃を食らったのと同様の衝撃に見舞われることになり——艦底の亀裂が、機械室の爆発とあいまって両舷にまでのびた結果、キールが折れ、中央に巨大なひびの入った船体は、艦橋や煙突など上構の重量を支えられずに、真っ二つに折れて沈没するのかもしれなかった。〈ケーブルホルダー〉の望む結果ではなかったが、衛星通信機を失い、〈アンカーケーブル〉と連絡する術がなくなった今、自分にできることはそれしかない。扉を叩く音もなくなり、隣の第二機械室から聞こえる減速機の低い唸りの中に身を浸した行は、両の膝に額を押し当てて、ひたすら時が経つのを待った。死ぬのは怖くない、むしろどこかでそれを望んでさえいたはずなのに、ここでこうしているのがひどく辛い。この虚しさ、やりきれなさ、感じたことのない胸の痛みはいったいなんなのか、考えようとした。

いくら考えてもわかるはずはない。どだい、比較対照できる経験がなさすぎるのだと行は思った。爆薬の種類を覚え、効率的な首の骨の折り方を習い、射撃の練習をして……そんなことばかりやらされてきた。置かれた状況と正面から向き合い、逃げずに戦うと意地を張ってきただけで、おれは自分の意思で生きたことは一度もなかったのかもしれない。自分で考えてやったことといえば、父親の頭をブロック材でかち割ったことと、それから——そう、それから、先任伍長に絵筆をプレゼントしたことぐらいだ……。

突拍子もない組み合わせがおかしく、自嘲の頬を動かしかけた行は、減速機の唸りが俄かに小さくなったことに気づいて、顔を上げた。巡航エンジンが停止して、スクリューの回転が弱まり始めたのだった。十時二十六分を表示している腕時計を見、思ったより早かったなと考えた行は、とりあえず最初の要求が満たされたことに安堵の息を吐いた。

これで少しは時間が稼げる。次の要求までのリミットは、一時間。どういう反応が返ってくるかはわからず、結局、他人任せにするしかないのかと思い至った行は、両手で抱えた膝にもういちど顔を埋めていった。

＊

「……十分以内に機関を停止し、さらに一時間以内に総員離艦せよ。さもなければ、高速タービンと艦底に仕掛けた爆弾を爆発させる、と……」

生まれて初めて銃口を突きつけられた衝撃に、まだ蒼白になった顔色が戻らない機関員の一曹が言う。簡潔にして明瞭、交渉の余地なしと言外に宣言している行の要求。ようやく水の引いた第四甲板、第一機械室の前で宮津や竹中、溝口たちと合流した仙石は、ずぶ濡れの制服とは別の理由で冷えた体を、小さく震えさせていた。

艦底の爆発に気を取られている隙に、するりと滑り込まれた形だった。とりあえず機関停止の要求は呑んだものの、総員離艦は受け容れ難い。応急作業に奔走するクルーたちに、艦の命運がたったひとりのテロリストの手中に握られた経緯など伝えようもなく、他言無用を言いつけて機関員を下がらせた宮津は、「爆薬の種類はわからんのか?」と溝口を見ていた。

「TNTやC4をはるかに凌ぐ高性能火薬としか……。いずれ、エンジンと燃料タンクを同時に破壊されたら、この艦は……」

「沈むだろうな」

簡単に言った宮津の声に、その場の気温が一、二度下がったようだった。固唾を呑み下した酒井機関長の隣で、腕組みした竹中が顔を上げる。

「しかし、沈めてしまっては彼らの目的が達せられなくなる。ただの脅しじゃないのか?」

「そうは思いません。手に入らないものなら、壊してしまおうと考えるのがホ・ヨンファです。スリーパーが我々の手に落ちるのを防ぐ意味も含めて、失敗した場合は爆沈させろと命じてあるはずです」

容赦のない、暗闇の世界の戒律。いかにもありそうな話に、竹中は再び渋面を俯けていった。

「要求に従わなければ、問答無用で爆沈。従って艦を捨てれば、追尾している潜水艇が乗りつけてきて、《いそかぜ》が占拠される、か……」代わりに酒井が、略帽の下の禿頭をつるりとさすりながら口を挟む。「なら、従った振りをするというのはどうだ? 奴はここに閉じこもりきりで、外の状況はわからないはずだ。安心して出てきたところを、押さえればいい」

「奴がこの扉を開くのは、潜水艇の仲間が《いそかぜ》の占拠を終えた時だけです。さっきの爆発は潜水艇でも察知しているだろうから、要求通り総員離艦が行われれば、すぐに乗り込んでくると見て間違いない。我々が艦内に残って待ち伏せたとしても、自爆というカードが奴の手にある限り……」

結局は、沈められる。手の打ちようがないという結論が一同の口を塞ぎ、重い沈黙が機械室前の通路に立ちこめた。先刻から無言を通している仙石は、閉ざされた水密戸を穴が開くほど見つめた。

この向こうに、如月行がいる。菊政を、田所を殺し、艦底に大穴をあけた北朝鮮工作員。でもおれを殺そうとはしなかった。居住区で向き合った時、いつもと同じ、人との関わりを捨てきれない少年と、一途で寡黙な兵士との間を行きつ戻りつしていた瞳は、おれを殺すことなく、ただ眠らせて走り去っていった……。

「……艦を捨てるしかないか」

そんな思いを反芻する間に、宮津が言っていた。「ちょっと待ってください」と口を開いた仙石は、溝口に振り返った。

「この扉をぶち破ることはできないんだったな？」

「対人地雷が仕掛けられている。第一、無理に突入すれば奴はその場で……」

続きそうな溝口の弁を、「わかった」と遮った仙石は、宮津の顔を見た。「艦長。ヨンファに渡したこの艦の図面は、フラム初期の段階のものですね？」と言うと、宮津は質問の意味がわからなかったのか、微かに眉根に皺を寄せた。代わりに竹中が、「どういうことだ？」

と顔をこちらに向ける。

「最初の図面には記してませんが、改修作業の途中で不都合が生じて、いくつか点検用ハッチを増設した箇所があります。この第一機械室にも」

「そうか」酒井が、ぽんと手のひらを打つ。「排気筒の点検をしやすくするんで、煙路室の床にハッチを作ってもらったんだった。あそこからなら第一機械室に入れる」

「機械室側から見れば天井部分にあるハッチで、梯子はついてないし、排気筒の陰になってるからちょっと見にはわからない。如月が初期の図面を元に行動しているなら、あるいは気づいていないかも」

仙石が続けると、溝口が「どこです」と勢い込んだ。

「この真上、煙路室の床だが……。あんたたちは遠慮してくれ」

虚をつかれたといった風情の顔の溝口から、宮津に視線を移した仙石は、「自分が行きます。許可してください」と言った。誰もが小さく息を呑んだ中、最初に口を開いたのは、「危険すぎる」と言った溝口だった。

「気持ちはわからんでもないが、あなたはそういう訓練を受けてはいない。ここは我々に任せて……」

「あんたらの顔を見た瞬間に、あいつは爆弾のスイッチを押すよ。ハッチから狙撃して、一発で仕留められるんならともかく。そうそう都合よくはいかねえだろ?」

まっすぐ目を見て言うと、溝口は沈黙した。仙石は、「でもな、おれが行けば、あいつはすぐにスイッチを押すなんてことはしない」と続けた。

「そういう気がするんだ。理由はうまく説明できないけどな」

筆をくれた時に見せた、一瞬の笑顔。それだけを思い起こし、後は考えないようにして、仙石はあらためて宮津に向き直った。

「なんとか奴と話してみます。それで、隙を見て爆弾のスイッチを奪って、中から扉を開けます」

「それこそ都合がよすぎる。失敗すれば全員死ぬことに……」

横から口を挟んだ溝口に、「《いそかぜ》が沈むのも、盗まれるのもまっぴらだ。そう思う気持ちは、あんたらより強いつもりだ」と返した仙石は、宮津だけを正面に見た。

「これ以上、もう誰も死なせたくないんです。お願いします」

目を閉じ、深い息を吐いた宮津は、しばらくの沈黙の後、「任せると言う資格は、わたしにはない」と嗄れた声を出した。

「だが、止める権利もない。先任伍長自身が決めることだ」

言いきった宮津に抗議の目を向けた溝口は、他に言う術のない艦長の立場を理解したのか、仕方ないというふうに顔を伏せていった。それきり言葉を失った宮津に、「ありがとうございます」と脱帽敬礼した仙石は、踵を返してラッタルへと向かった。

第二甲板の中程に位置する煙路室は、名前の通り排気筒が集積する場所だ。第一と第三機械室のタービンから、それぞれ二本ずつのびた太いパイプは、この煙路室で束ねられて上構の煙突に繋がっている。直径二メートルは下らない排気筒が四本、年老いた杉の幹のように鎮座する他はなにもない空間で、煙突掃除でもなければ足を踏み入れる場所ではなかった。

点検用ハッチは、第一機械室からのびた排気筒の脇の床面にあった。排気筒の外面を掃除する際の便利を考え、フラム中に急きょ増設されたもので、やはり煙突掃除の時以外、役に立つものではない。強引についてきた溝口とともに煙路室に入った仙石は、断熱材で覆われた排気筒の前にハッチを見つけて、腰を屈めた。施錠されていないことを確かめ、ハッチの把手に手をのばしかけたところで、不意に目の前に黒いものが差し出された。

「今度は奪られないように」

グロック17自動拳銃のグリップをこちらに向け、すっかりあきらめた様子の溝口の顔が言っていた。ちらとそれを見た後、すぐにハッチに向き直った仙石は、「そんなもん、役に立ちゃしねえよ」と言ってやった。

「あいつとおれじゃ、どのみち勝負にならん。……それにおれは、話をしに行くんだ」

グロックを引っ込めた溝口を背に、ハッチの把手をつかんだ。「わかったらさっさと行ってくれ。下で扉が開くのを待っててくれりゃいい」と言うと、溝口はやれやれと言わんばかりに息を吐いた。

　立ち去り難い様子で、じっとその場に立ち尽くしている。下手に顔を出されては行を刺激するばかりだと思い、追い払おうと振り向いた仙石は、ひどく気まずそうな溝口の顔に、かける声をなくしていた。

「……こんなことに巻き込んでしまって、ひどい連中だとお思いでしょうが……」

目を逸らし、呟くように溝口は言う。情報官吏らしい能面を崩さなかった男が、それは初めて見せた本音なのかもしれなかった。仙石は「いいよ」と応じて、その顔を見上げた。

「わかってるつもりだ。同じ宮仕えの身だもんな」

微笑してみせられたのは、自分でも意外なことだった。わずかに目を和らげて応えた後、すぐに真顔を取り戻した溝口は、「ご無事で」と脱帽敬礼をした。

　それを最後に溝口は煙路室から出てゆき、ひとりになった仙石は、ひとつ深呼吸してからハッチに向き直った。このハッチは気づかれていて、開けた瞬間に地雷が爆発……なんてことになるかもしれない。おれが死んだら、頼子と佳織はどうするだろう？　少しは悲しむだろうか……と考え、すでに三行半をつきつけられている我が身を振り返った仙石は、苦笑と一緒にその思いを消した。生活は、兄貴が面倒を見てくれるだろうから心配はない。帰りを待つ者もいない男が一匹、ここで粉微塵になろうとどうってことはない。そう自分に言い聞かせ、覚悟を決めたつもりになった仙石は、腹に力を込めてハッチの把手を捻った。

ガチリという金属音が大きく響く。変化はない。そのままゆっくりハッチを開けてゆく。三センチほど開いた隙間から、七メートル下の第一機械室の様子が見える。排気筒の根元に高速ガスタービン、マリン・オリンパスの巨大な本体が二基ならんでいるが、それだけだ。行の姿は見えない。さらにハッチを押し開ける。

「動くな」

ハッチが四十度ほど開いたところで、その声が耳に突き刺さった。ぎくりと手を止め、ゆっくり下を見た仙石の目に、銃口とともにこちらを見上げている行の顔が映った。排気筒の陰に隠れていたらしい。右手に握られた自動拳銃の銃口が、ぴたりと仙石の額をポイントする一方、左手にはやや大きめのライターといった感じの物体が握られている。おそらく起爆スイッチだろう。底面から生えたコードは、三本に枝分かれして床の上を這い、二基のマリン・オリンパス・エンジンの狭間にまでのびていた。やはりバレていたか……と生唾を飲み下す間に、「それ以上開ければ、吹き飛ぶぞ」と言った行の声が響き、仙石はぎょっとハッチの下面を覗き込んだ。

目を凝らすと、蝶番にピアノ線らしきものが結ばれているのがわかり、天井を這うダクトを経由してのびた細糸の先に、ミカン大の潰れた球体が天井に取りつけてあるのが見えた。ビニールテープでしっかり天井に貼りつけられた物体は、種類はわからないが、間違いなく手榴弾の一種。このままハッチを開ければ、安全ピンの鉄輪に結ばれたピアノ線が引っ張られ、起爆するというわけだ。

　いくつか中継点を経て手榴弾とハッチを結んでいるピアノ線は、切断すればいいというものではない。一ヵ所切れば、ぴんと張られた糸の均衡が崩れて、その瞬間に安全ピンが外れてしまうかもしれない。どうすることもできず、半ばハッチを開けた状態で固まった仙石の耳に、「戻れ」と重ねた行の声が響いた。

「そうはいかねえ。話がある」

「話すことなんかない。要求は伝えてあるはずだ」

「そっちになくてもこっちにあるんだ。さっさとこの面倒な仕掛けを外せ。さもなきゃこのまんま開けちまうぞ」

　本気だった。これ以上ナメられてたまるかと思い、ヤケクソの思いでハッチを引き上げる手に力を入れると、「よせ！」の声が、少しの狼狽を見せた行の顔から発せられた。

「……死ぬぞ」

「知ったことか。こっちは大事な部下を二人も殺されて、頭にきてんだ。このうえ艦まで盗まれて、どのツラさげて陸に帰れってんだ」

　見上げる行の眉間に、微かな皺が浮かんだ。「二人……？」と呟いた顔に、「菊政と兵長。どっちもおめえのことを最後まで気にかけてた二人だ！」と仙石が怒鳴ると、無表情な顔に一瞬の動揺が浮かぶのがはっきり見えた。

「兵長が……死んだのか」

「てめえでやっといて、なに言ってやがる。そこ動くな。この手榴弾で、おめえも一緒に吹き飛ばしてやる……！」

昂る感情を抑えることができず、気がついた時にはハッチにかけた手に力を入れていた仙石は、「待て！」と行が叫ばなかったら、本当に開けていたかもしれなかった。ぐっと思い留まり、下を見た仙石は、銃口を下ろした行と目を合わせた。

「……わかった。いま外す」

起爆スイッチを床に置き、拳銃を腰に差した行は、言うやいなや猿のような身軽さで排気筒を昇り、あっという間に天井から顔を突き出している仙石と同じ目線になった。雲梯の要領で、器用にダクトをつかみながら天井を移動し、手榴弾の安全ピンに結んであった糸を外す。開けたきゃ開けろとでも言いたげな目がこちらを見、ハッチを全開にした仙石は、行を見習ってまずは排気筒の継ぎ目に足をかけた。

手近なダクトを引き寄せ、やっとの思いで排気筒にしがみつく。蟬よろしく、そろそろ七メートル下の床に下りてゆくと、ハッチを閉め、手榴弾の安全ピンに糸を結び直した行が、傍らをするすると滑り下りてゆくのが見えた。

とん、とマリン・オリンパス・エンジンの上部カバーに着地した行は、二メートル下の床にジャンプして、すぐに右手に拳銃、左手に起爆スイッチを握り直す。どうにかエンジンに足をつけた仙石も、真似をしてひと息に床に飛び降りたが、行のようにスマートにはいかず、ベタンと間抜けな音を立てて尻もちをつく結果になってしまった。

痛みを堪えて立ち上がる間に、音もなく近寄ってきた行の手が、仙石の足首から股下、腹まわり、腋の下までを手早くさすってゆく。「丸腰か」と言った声に、「話をしにきたんだって言ったろ」と返した仙石は、銃口をこちらに向け、三メートルほどの距離をおいて立った行の顔を、正面に見つめた。

山ほど言うことがあるはずなのに、いざ無感情を装った目を前にすれば、やはりなにも言葉にならないのだった。じっと互いの目の底を覗き合う沈黙が流れ、やがて「バカだな、あんた」と、行が先に口を開いた。

「もう出られないぞ」

「そのつもりはねえ。おめえがこのバカな真似をやめない限りな」

「こうするしかなかった。おれはそのためにここに送り込まれた。やめるわけにはいかない」

「冗談じゃねえ！　おまえ、わかってんのか？　死ぬんだぞ、そのスイッチ押したら。人を騙して、裏切って……そんなくだらねえ仕事を押しつけるような奴に忠誠誓って、それになんの意味があるってんだよ……！」

「意味なんかない。あんたが先任伍長をやってるのと同じだ。おれにはおれの役目がある。

それだけだ」

「ごまかすな！　じゃあおめえは意味もなく人を殺したのか」

「実戦になって、命令されれば、あんただってターターを撃つ。直撃すれば何十人もの人が死ぬ。それにはなにか意味があるのか？」

向けた銃口をそよとも動かさず、行は言う。三十年の自衛官生活の間、ちらりと考えはしても、本気で向き合うことはしなかった設問だった。なにも言い返せず、口ごもる仙石をじっと見据えて、行は静かに続けた。

「戦略的な意味、政治的な意味、そんなものは現場にいる人間には関係のない話だ。それが任務だから、やる。誰だって同じだ」

その言葉には、実戦を知る者だけが持ち得る重みがあるように感じられた。気圧(けお)されつつも、ここでやり込められては田所と菊政に申しわけないという思いで踏み留まった仙石は、

「ガキが、知ったふうな口ききやがって……！」と行を睨み返した。

「そうやって割り切ってりゃ楽なんだろうけどな、生きたり働いたりするってのは、そうそう単純なことじゃねえんだ。それじゃなんのために生きてんだかわかんねえじゃねえか。甲斐はどこにあるんだよ」

「甲斐……？」

「生き甲斐だよ。生きててよかったって思うことだよ。それがあるから人間、生きていけん

じゃねえか」

　少し驚いたように目をしばたかせた後、すぐにいつもの硬さを取り戻した行は、銃口をわずかに突き出していた。

「そんなもの……。どうだっていいことだ」

「よかねえ！　だったらおまえは、なんで絵を描くのをやめたんだ」

　思いを伝えきれないいら立ちの中から、それは無意識に発した言葉だった。行の表情が、今度ははっきり動いた。

「心の中を覗かなきゃ絵は描けないのに、思い出したくないことがありすぎるから描けないんだって。そうやって大事にしてるもんが、おまえにもあるじゃねえか。それを忘れて、こんなもんだって割り切って、あっさり死んじまっていいのか？　それでいいって、本当にそう思えるのか？」

「黙れ！」大声で遮ると、行は銃口をさらに突き出した。「なにも知らないくせに、勝手なこと言うな……！　絵のことは、あんたに話を合わせてただけだ。その方が仕事がやりやすくなると思っただけだ」

「嘘だ」

「嘘じゃない！」

「じゃあわざわざ文房具屋を叩き起こして、筆を買ってきてくれたのも演技か」

それまでそよとも動かなかった銃口が、微かに震える。その向こうで、行はなにも答えようとしなかった。

「答えろっ！　あれも取り入るためだけにやったことか」

「……そうだ」

沈黙の末、やっと聞き取れるほどの声でそう答えた行は、それきり目を逸らした。重い痛みが胸の中にじわりと拡がり、目を閉じてそれが和らぐのを待った仙石は、「わかったよ」とかすれた声を出した。

「そういう寂しい野郎なら、菊政や兵長も簡単に殺せたんだろうさ」

「おれはやってない」

「今さらつまんねえ言い逃れすんな！　揚艇機の故障の時だって、おれはちゃんと見てたんだぞ」

ぐっと詰まり、再び目を逸らした行は、「……あれは、おれがやった」と気まずそうな声を返した。

「ほれ見ろ。サメがうようよしてる海に、みんなつき落とそうとしたんだ。殺そうとしたのと同じじゃねえか」

「あの女を艦に乗せるわけにはいかなかったんだ。内火艇を落水させたら、助けに飛び込むように見せかけて、あの女だけを始末するつもりだった」

意外……というよりは意味不明な答えに、目くらましされたように感じた。司令室で見た女の、物を見るような目が浮かび上がり、混乱しそうな頭をどうにか律した仙石は、「その間に、他のクルーがサメに持ってかれたらどうする気だったんだ」と続けた。

「……多少の犠牲はやむをえない。デルタ——あの女は、特A級の工作員だ。生かしておいたら、もっと多くの死者が出る。現に菊政と兵長が殺られた」

頭の中に、異物が挿入される感覚。なんだ、こいつはいったいなんの話をしてるんだ？　くらくらするものを感じ、後じさった仙石は、「……嘘だ」の声をどうにか搾り出した。

「おまえ以外の誰に菊政が殺せたってんだ。魚雷の控え索は……」

「艦橋脇の爆風抜き扉から、あいつがライフルで狙撃したんだ。切れた索の断面を見たろう」

熱したナイフで焼き切ったような……と言っていた若狭の言葉がよみがえる。銃弾が擦過したなら、確かにそうした断面になるかもしれないと考え、索が切れた瞬間、空気が破れたような音を聞いたことを思い出してしまった仙石は、全身が粟立つのを感じた。あれは、サイレンサーから放たれた銃弾が空気を裂く音……？

「……そんなわきゃねえ。あのうねりの中で、そんな神業みたいな狙撃ができるわけがねえ」

弾薬庫が爆発事故を起こした際、爆風を逃がして被害を最小限に留める爆風抜き扉は、艦橋構造部の側面、ブリッジの真下に設置されている。そこから、魚雷揚収作業が行われていたボート・ダビットまで、およそ五十メートル。それだけの距離をおいて、直径二センチもないロープを狙撃して切断するなんてマンガの世界だ。そう思い、自分を納得させた仙石は、行の顔を見据え直した。「ダイスの人間が乗ってきたら正体がバレるからって、おまえはあの女を殺そうとしたんだ」と重ねると、行は「ダイス……⁉」と目を見開いていた。

「そうだ。中から艦を破壊して、近くで待機してる潜水艇の仲間と一緒に、《いそかぜ》をシージャックしようってんだろう」

「潜水艇……?」

「ヨンファとかって野郎に同調してる、北朝鮮の潜水艇だ！　墜落した旅客機から〝あれ〟を回収して、《いそかぜ》のミサイル弾頭にセットする。それで日本政府を脅迫しようって肚だ。おめえもその部下、スリーパーなんだろうが」

ぽかんとした顔で聞いた行は、やがてぎゅっと眉根を寄せ、こちらを睨みつけてきた。

「……いいように騙されやがって」と吐き捨てた声に、仙石はぞっとするものを感じた。

「なに……?」

「あんた、その話を信じたのか？　北の潜水艇がこんなところまでたどり着けるはずないって、知ってるだろう」

「そ、そりゃ、屍の山を築いて、海を渡ろうとする連中だから……」

溝口の受け売りを言った仙石に、行は呆れたような息を吐いてから続けた。

「仮にたどり着けたとしても、以後どこにも探知されずに《いそかぜ》を追尾するなんて不可能だ。墜落機の捜索で、大量の艦艇が集まってソナーを全開にしてる時だぞ。そんな中で、誰にも気づかれずに〝あれ〟を回収して、《いそかぜ》を追いかけ続けるなんてできっこない。海自隊員ならそれくらいのことわかるだろう」

混乱する頭の中に、確かにその通りと呟く声が聞こえてくる。諜報戦についてはまるで無知という引け目のために、無条件に溝口の話を信じすぎていたのではないか？　続いた声を頭を振って追い出した仙石は、「そんな理屈でごまかされるか……！」と行を睨み返した。

「現におまえは、この艦を吹き飛ばす爆弾のスイッチを握ってんだ。違うってんなら、武器を捨てて投降しろ。話はそれから聞いてやる」

「バカか、あんた。そこの扉を開けた途端に、殺されるのがオチだ」

「そんな真似はさせねえ。艦長たちだっているんだ。いくらダイスだって、降参した人間を殺したりはしねえはずだ」

足もとがぐらついてくる不安をごまかし、大声で言った仙石は、感情を露にした行が、「まだわからないのか！」と怒鳴り返すのを聞いた。

「あいつらはダイスなんかじゃない。溝口がホ・ヨンファなんだ！」

ぐらりと視界が傾いたのは、停止した艦が波浪に揺さぶられたからではなかった。

溝口がホ・ヨンファ？　倒れそうになる体を、足を動かしてどうにか支え、否定の要素を必死に思い浮かべようとした仙石に、行は「艦長もそれを知ってる」と静かに続けた。

「ＦＴＧになりすましたヨンファたちを乗艦させて、東京湾に入ったら叛乱（はんらん）を起こす計画だ。あの女が命がけで運んできた〝あれ〟を使ってな」

「あの女が……？」

「そうだ。サブジェクトＤ（デルタ）……〝あれ〟を強奪して、都内に籠城していたヨンファの部下だ。オーストラリアに逃亡するように見せかけて、あいつが《いそかぜ》の航路上で旅客機を爆破した。どうやってひとりだけ生き残れたのかはわからないが、《ネスト》……〝あれ〟の入っているカプセルに発信機を取りつけておけば、ヨンファたちが回収するのは簡単だったはずだ」

クルーの手を借りようとせず、ＦＴＧのメンバーだけで二号内火艇を下ろし、捜索に向かった溝口の行動が思い出される。立っているのがやっとの思いで、「じゃあ……〝あれ〟は艦内にあるってのか？」と言った仙石に、行は銃口を下ろしながら頷いた。

「あんたらクルーを退艦させた後に、ミサイルにセットするつもりだ。ＶＬＳに十六基、ハープーンに八基、ターターに一基。合計二十五本のミサイルのどれかに、〝あれ〟を取りつけて……」

「ちょっと待て。おれたちクルーを降ろして、どうやって艦を動かすつもりだ。艦長ひとりと、素人集団だけで《いそかぜ》が運用できるはずは……」

「副長以下、幹部全員が仲間なんだ！」いい加減に理解しろとばかり、いら立たしげに遮った行は、一歩こちらに近づく足を踏み出した。「海幕人事課長を脅迫して、宮津に同調する幹部を《いそかぜ》に集中配転させるよう仕向けた。自殺のニュースは知ってるだろう」

「人事課長が脅迫されたのは、おまえをもぐり込ませるためだ」ようやく反論の要素を得た思いで、仙石は言い返した。「幹部全員がぐる？　絵空事もいい加減にしろ。いくら艦長に人望があるったってな、北朝鮮のはぐれ工作員とつるんで、叛乱を起こすなんて話にそうそうこれだけの人間が集まるもんか。てめえの話はでたらめだ」

「竹中、杉浦、酒井、横田たち主要幹部。それに風間たち初任幹部。全員、有事法制研究会のメンバーだ」

立ち直りかけたところに振り下ろされた、それは致命的な一撃だった。棒立ちになった仙石は、司令室で聞いた溝口の言葉を思い浮かべた。……有事法制研究会。艦長の息子、宮津隆史が所属していた防大OBと在校生からなる同好会。インターネットにホームページを開設して、匿名で防衛問題を議論していた……。

「死んだ艦長の息子、宮津隆史とともに防衛体制の変革を夢見ていた連中だ。宮津隆史の事件が起こってからは、幕僚監部や公安のマルジ（危険思想の持ち主とされる自衛官の発見・監視を行う、警備警察内の一組織）に睨まれて、自衛官としての将来はなくなっていた連中だ。そしてなにより……仲間であり、恩師の息子である宮津隆史を見殺しにしてしまったことを、心の底から後悔している者たちだ」

言葉のひとつひとつが頭の中で爆発し、脳を攪拌する。立っているのが辛くなり、仙石はエンジン・カバーに手をついて体を支えた。「よく考えろ」と重ねた行は、さらにこちらに近づいてきた。

「海幕人事課長は幹部クラスの人事裁定者で、曹士クラスの人事裁量は地方総監部に一任されている。おれを一士としてもぐり込ませるのに、中央の人事課長を籠絡する必要はない」

一晩に何度も入れ替わった真実に頭がついてゆかず、仙石は半ばぼんやりの思いでその声を聞いた。伏せた目に、すぐ側まで近づいた行の右腕が映り、それがひどく無防備に銃をぶら下げていることに気づく。こちらを説得するのに神経が集中しているのか、そこまで気が回らないようだ……。

「他に手はなかった。ヨンファの顔を特定することができず、宮津や沢口との接触も確認できない状態では、おれひとりを内偵に送り込むのが精一杯だったんだ。初任幹部を集中配転させたのは、新人にミニ・イージス・システムの習熟を急がせるためで、それをカバーするために、宮津艦長の腹心ばかりが《いそかぜ》に配置された。そう聞かされれば、背後にヨンファの思惑が働いているとは誰も断言できなかった。事が防衛庁全体の信用に関わってくるだけに、上の連中も及び腰で……」

必死に伝えようとする思いのためか、銃を持った行の手首がわずかに上がる。今なら、奪うことができる。前後の脈絡を吹き飛ばしてその思いが爆発した瞬間、体が勝手に動いていた。

行の手首をつかみ、そのまま肩に全体重をかけて体当たりを仕掛ける。完全に不意を打たれたらしく、行の体は大きく後ろによろめいていった。

引き金が引かれ、銃声が第一機械室にこだましたが、仙石は無我夢中でつかんだ行の手首を離さなかった。両手で拳銃ごと手首をつかみ、引っ張って足払いをかけようとする。もう一方の手に起爆スイッチを握っているため、思うように反撃できない行は、いったんそれを手離したようだった。もみ合い、激しく動く視界の中に、床に落ちた起爆スイッチがちらりとよぎる。自由になった行の左手が首にかかる寸前、仙石は渾身(こんしん)の蹴りをその腹に見舞った。

行の体が床に転がり、すぐさま立ち上がると、起爆スイッチ目がけて跳躍(ちょうやく)する。もぎ取った自動拳銃の銃口を向け、仙石は狙いを定める間もなく引き金を引いた。

火花が起爆スイッチの直前で弾け、床を小さく削る。床に伏せ、のばした手をびくりと止めた行に、「動くな！」と怒鳴った仙石は、硝煙をたなびかせる銃口をその頭に向けた。

「ちょっとでも動いたら、そのイカレた頭を吹っ飛ばすぞ」

今にも爆発しそうな心臓をなだめつつ、仙石は起爆スイッチを拾い上げた。一世一代の不覚、というふうに唇を噛み締めた行は、両手を床についたまま睨み上げてきた。

「イカレてるのはそっちだ。おれの話を……」

「黙れ！　艦のどてっ腹に穴を開けといて、なにが話を聞け、だ。おれにわかるのは、おまえが狂ってるってことだけだ」

扉を叩く音が聞こえ始めたのは、その時だった。銃声が聞こえたのだろう。「先任伍長、どうした！　無事なのか⁉」と呼びかけるくぐもった声が、水密戸の向こうに弾ける。ちらとだけ振り返り、すぐに目を戻した仙石は、立ち上がろうとした行を銃口で制した。

「なにがなんだかわからねえが、《いそかぜ》にもぐり込んで、現実に破壊工作をしてきたのはおまえだ。そこでじっとしてろ。いま外に出て、艦長たちに確かめる」

「よせ！　そんなことをすればヨンファの思う壺だ」

銃口をポイントしたまま、仙石はゆっくり後じさって扉の閉鎖レバーを手探りでつかんだ。対人地雷のケーブルが巻きつけてあったが、こちらは引かれれば起爆するだけの単純な仕組みのようだ。床に両手をついている行が、すぐには飛びかかってこられないと判断した仙石は、背中を向けてレバーのケーブルをほどきにかかった。

「おれはダイスの、防衛庁情報局の二曹だ！」

結び目がほどけかけた瞬間、そう叫んだ行の声が鼓膜を震わせた。思わず手を止め、振り返った仙石は、両手を上げてゆっくり立ち上がった行の目に、強い意志の光が宿るのを見た。

「ダイスの、二曹……？」

「この艦に潜入して、宮津たち幹部の動向を調べる。そして叛乱の兆候があった場合には、いかなる手段を用いてでも阻止する。……それがおれの任務だ」

扉を叩く音が続く。「返事をしろ！　先任伍長」の声を背に、仙石は行に向き直った。

「……そんな面倒な真似をすんなら、どうして最初っから《いそかぜ》の出港を取り止めにしなかったんだ」

「言ったろう。スキャンダルにびくついてるお偉方を説得して、強制手段を取らせるだけの物証が得られなかった」

「溝口は、ダイスが艦長とヨンファの接触を盗聴してたって言ってたぞ。艦の図面を渡したってことまで……」

「ヨンファの作り話だ。桜や赤坂が宮津隆史の自殺に注目してるって時に、当の宮津を完全にマークするなんてできっこないだろうが。おれが送り込まれたのだって、内事本部長の独断専行みたいなもんだ。公安委や監視委の了解は取ってない」

　そう言って、行は一歩こちらに近づこうとした。仙石は慌てて銃口を突き出し、それ以上の接近を封じる。

「宮津を艦長職から外す絡め手も、隊司令の横槍で封じられてしまった」ぎゅっと拳を握りしめて、行は切迫した目を向けた。「こうするしかなかったんだ。今その扉を開けたら、この艦はヨンファに占拠されるぞ。〝あれ〟を積んだミサイルが、東京に撃ち込まれるかもしれないんだ……！」

「だったらさっさと応援を呼びゃあよかったじゃねえか。おれが通信機を叩き壊したのはついさっきだ。溝口がヨンファだってことは、航空救難の夜以来わかってたはずだろう？　エンジンに小細工したりしてる間に、仲間を呼ぶことができたはずだ」

まっすぐ注がれていた目が、不意に伏せられる。「どうした。なんとか言えよ」と重ねると、行はきつく結んでいた唇をほんの少しだけ開いた。

「……応援を呼んで、この艦が戦場になれば、きっとあんたたちも死ぬ。だから……」

まったく予想外のところを殴られた思いで、仙石は床の一点に目をやった行の顔を見つめた。硬質な論理の中に、唐突に姿を現した生の感情に、なにか胸を衝かれる思いを味わったのだった。

そういう行だから、自分はここに来たのだと思う一方で、単独でこれだけの破壊を為し遂げた筋金入りの工作員が、そんなヤワな神経の持ち主であるはずがないという思いも存在する。これが、油断させるための出任せでないという保証がどこにある？　そうやって物事を多面的に見ようとせず、自分のわかる範囲のことだけを信じてきた結果が、ここまで事態が悪化するのを看過し、菊政と田所を死なせてしまったのではなかったか……？

信じたいという感情と、先任伍長としての責務を果たせなかった引け目とがぶつかりあい、じっとり汗ばんできた自動拳銃のグリップを握り直す。長い沈黙の後、「……信じられるか、そんな話」と搾り出した仙石は、行の反応を見ずに背中を向けていた。

閉鎖レバーに巻きつけてあるケーブルをほどき、床に放る。立ち尽くしている行の足を視界に入れつつ、鉄扉を叩いた仙石は、「艦長、そこにいらっしゃいますか？」と扉越しに呼びかけた。

「ここにいる。無事か、先任伍長？　銃声が聞こえたようだが」と、宮津の声がすぐに応答する。「とりあえず無事です」と返した仙石は、銃を持っていない方の腕をレバーにかけてから、「ただ、如月が妙なことを言ってます」と続けた。

「そこにいる溝口さんがホ・ヨンファで、艦長はその協力者だと」

最初に反応したのは、「でたらめなことを……！」と吐き捨てた溝口の声だった。続きそうな溝口の抗弁を制して、宮津の冷静な声が「それで？」と重ねる。

「正直、自分はわけがわからなくなってきました。どっちの言い分も辻褄が合っているようだし、合っていないようでもある。ですから……失礼を承知でお伺いします。艦長は、息子さんを殺した連中を本当に許すことができるのですか？」

我ながらバカな質問だと思ったが、答えを聞いて自分を納得させなければ、この扉を開けられそうになかった。しばらくの間を置いて、「……許せるはずがない」と答えた宮津の声が、扉の向こうに発していた。

「本人の目の前だが、今でもダイスの肩書きを持つ者であるなら、絞め殺してやりたいという衝動はある。だが……さっきも言った通り、それをしてしまえば自分は艦長ではなくなるし、人でもなくなる。息子があああした行動を取ったのは、海上自衛官という職業を愛し、人を信じていたからだ。それをかなぐり捨てて、恨みを晴らすことは、たとえ父親であっても……いや、父親であるからこそ、できないと思った」

低い声が言い終わると、空調の音だけが機械室の高い天井の下に滞留した。「…… わかりました。申しわけありません」と応じた仙石は、今度は行に向き直った。

「おれたちを死なせたくなかった……って言ったよな」

伏せられていた行の目が、微かに上げられる。銃口を下ろして、仙石はそれを見つめた。

「でも、おまえは艦を爆沈させようとした。そうすればおまえを含めて、多くの人間が死ぬことになる。今このスイッチを返したら、おまえは艦を沈めることができるのか？ みんなを巻き添えにして、身勝手な上の連中のために死ぬことができるのか？」

これで決まる。そう思った。ひどく長い沈黙の後、口を開いた行は、「通信機が破壊された以上、他に手はない」と呟いた。

「それがおれの任務だ。だからここにいる。他の生き方を知らない」

予期していた答えだった。甲斐を求めたところで、結局は与えられた責任の方が個人の感情より先に立つ。納得と絶望の両方を抱き、ふっと息を吐いた仙石は、「おれも同じだ」の言葉とともに扉のレバーに手をかけた。

「おれには、この艦の安全を守る義務がある。そのためにここにいる。他の生き方を知らないんだ」

これでいい、これしかないと思いながらも、口の中に言いようのない苦味が拡がるのをどうにもできなかった。閉鎖レバーを握り、引き上げた仙石は、その瞬間、行の最後の呟きを耳にした。

「あんたにだけは……信じてもらいたかった」

レバーが開放位置に達し、八個のクリップが解除された時だった。振り向き、その顔を見ようとした仙石は、解錠と同時に扉を引き開け、通路からなだれ込んできた複数の人影につき飛ばされていた。

仰向けに倒れ、天地が逆さまになった視界に、防弾ベストとヘルメットを装着し、MP－5型の軽機関銃(サブマシンガン)を中腰に構えた特殊部隊さながらの男たちの背中が映る。総勢五人の男たちを前に、咄嗟に床を蹴った行は、背後に横たわるマリン・オリンパス・エンジンに向かって跳躍した。

エンジン本体にセットした爆弾を、直接作動させようとしたのか。エンジン・カバーの縁をつかみ、行は一気に二基のマリン・オリンパスの狭間に向かおうとしたが、包囲陣を形成し、迅速に突撃する男たちの動きの方が速かった。先頭の男がエンジンにぶら下がった足首をつかみ、引きずり下ろすと、行は振り払う間もなく背中から床に叩きつけられていた。受け身の体勢で衝撃を和らげ、腹筋のばねで即座に起き上がろうとした行の顎に、ブーツのつま先がめり込む。別の男がその脇腹を蹴り、床に転がった行を取り囲んだ男たちは、その体を踏みしだこうとするかのように一斉に襲いかかった。

「逃げろっ！」

床に押しつけられながら、辛うじて顔をこちらに向けた行が叫ぶ。仙石がその言葉の意味を考えようとした時には、男たちの足が行の顔を隠してしまい、肉を打ちすえる鈍い音だけが機械室の空間に響いていった。

テロリストを無力化、拘束する兵士たちというのではない、獲物に群がるハゲタカを連想させる男たちの背中が、巨大なエンジンを背景にいつ果てるともなく蠢き続ける。その足の隙間から、血まみれになった行の顔が再び床に叩きつけられるのが見え、仙石は呆然と座り込んでいた体を起こそうとした。

額から流れた血に片目を塞がれながらも、こちらを向いた行の顔はまだ必死になにかを訴えようとしている。やめろ、もうやめろ。そこまでやる必要はない。胸の中に叫び、立ち上がりかけた途端、両肩をつかんだ手がぐいと仙石を後ろに引っ張っていた。抵抗の間を与えない強さと速さで、気がついた時には機械室から引き出され、通路に尻もちをつく羽目になった。

なにが起こったのかわからないまま、目の前で機械室の扉が閉められてゆく。留まることを知らない暴力の渦が水密戸の向こうに消え、代わりに細い足が仙石の前に立った。見上げた目に、冷たくこちらを見下ろす女の顔が映り、仙石は無意識に尻もちをついた体を遠ざけた。

女は、黒い戦闘服に身を包んでいた。マガジン・ポーチや拳銃用ホルスターを備えた市街戦用の防弾ベストの上で、白い細面が物を見る目をこちらに落としている。取り返しのつかないことをしてしまった、その思いが急速に浮上してきて、仙石は自分が開けてしまった第一機械室の扉を見つめた。「ご苦労さまです」と言った溝口の声が、得体の知れない不安に追い打ちをかけて、背後に響いた。

振り向いた仙石は、先刻までの生真面目さを払い、不敵としか言いようのない微笑を浮かべる溝口と、その背後で寡黙な顔を向ける宮津と竹中を見た。まさか……の思いが形になるより早く、一歩前に出た宮津が、「君たちに危害を加えるつもりはない」と口を開いていた。「だが、それもおとなしく指示に従ってくれればの話だ。抵抗すれば、命の保証はできなくなる」

そう言うと、踵を揃えて姿勢を正した宮津は、「《いそかぜ》艦長として最後の命令を伝える」と指揮官の声を出した。

「曹士以下の乗員はただちに離艦。洋上にて救難を待て」

その声が腹の底に染み渡り、全身の血を下降させていった。壁に手をつき、ふらふらと立ち上がった仙石は、一切の感情を拭い去った宮津の顔を正面に見た。まっすぐ見返した宮津は、「すまない、先任伍長」と無表情に言った。

「息子が死んだ時から、わたしは人であることをやめている」

目の前が暗くなり、吐き気がこみ上げてきた。立ち尽くす宮津に背を向けた仙石は、砕けそうな腰を壁についた手でどうにか支えた。

絶望と痛恨が渦を巻き、なにひとつまともな思考がまとまらない頭の中で、最初に形になったのは憤怒だった。突然、抗いようのない衝動が内奥からわき起こってきて、仙石はぎゅっと拳を握りしめた。

振り返り、宮津の顔を睨みつける。握った拳をその横面にたたき込もうとした瞬間、衝撃が喉に走った。細くしなった棒に咽喉を打ちすえられたようで、後頭部を床に打ちつけた仙石は、灼熱(しゃくねつ)する喉をかきむしり、目と口をいっぱいに開けてのたうちまわるしかなくなっていた。

獣じみた声をあげてもがくうちに、閉じた気管が少しずつもとに戻り始めて、肺に空気が送られるようになった。床にうずくまり、激しく咳き込んだ仙石は、「あと少しの力で、殺すこともできた」と溝口——ホ・ヨンファが言うのを聞いた。

噴き出た脂汗と涎(よだれ)を拭い、どうにか顔を上げる。涙で歪んだ視界に、こちらを見下ろすヨンファと女の顔が映った。両手をだらりと下げ、相変わらず物を見る目を注いでいる女は、今度は確実に気管を潰すと無言で宣言している。「迂闊(うかつ)な真似はしない方がいい」と、ヨンファは続けた。

「その気になれば、静姫(ジョンヒ)は親指だけで人を殺すことができる。やる前に警告するということもない。南韓の地雷で、声帯を根こそぎ吹き飛ばされてからはね」

ジョンヒと呼ばれた女の襟元に、最初に見た時にも気づいた小指大の古傷が覗いているのを確かめた仙石は、ゆっくり顔を伏せていった。自分には想像外の地獄を見てきた者たちによって、《いそかぜ》は占拠された。その現実がのしかかり、それに対して自分が完全に無力であることを、実感したからだった。

壁を支えにして立ち上がり、焦点の定まらない目を宮津に向ける。微塵の揺らぎもない瞳を一点に据えている艦長の隣で、じっと感情を押し殺した顔をしている竹中と視線を合わせた仙石は、そちらに体を向けた。

「あんたも……そうなのか？」

充血した目を注いでいた竹中は、その問いに答えることはなかった。いつでも曹士クルーの視点に立つことを忘れず、浸水の中から命がけで自分を救い出してくれた旧知の幹部。その顔が辛そうに伏せられるのを見た仙石は、もうなにを言う気力もなく、閉ざされた機械室の扉に目を移した。

この向こうで、行もまた地獄を見ている。中途半端な先任伍長の意地と心中した、自分のために。おれも、おまえも、艦長も、ヨンファも。みんなこうするしかなかった。そろいもそろって、大バカどもだ……。重い石を呑み込んだ胸の中に呟き、仙石はよろよろ歩き始めた。宮津もヨンファも、もうそれを呼び止めようとはしなかった。

＊

それから間もなく、ホ・ヨンファの部下という素顔を露にしたFTGの面々によって、艦内要所に発煙筒がばらまかれた。筒先から溢れ出た白い煙は、空調ダクトや通路を這って機械室を覆い、居住区を包み隠し、食堂に充満して、恐慌の一歩手前で踏み留まっていたクルーたちから、最後の理性をはぎ取ろうとするかのようにのしかかっていった。

それでも、彼らは日頃の訓練に従って対処行動を取ろうとした。指揮を執るべき幹部の姿がどこにも見えず、応急指揮所からのアナウンスも聞こえてこなかったが、幹部の存在をあてにしたことのないクルーたちは、先任海曹や各班長の指示を受けて整然と出火場所を捜すことに努めた。が、それが発煙筒の仕業だと判明するより先に、艦内中に響き渡っていった声が彼らの動きを止めることになった。

（艦長より達する。総員離艦部署発動。くり返す、総員離艦部署を発動する。各員は現作業を速やかにやめ、所定行動に移れ。これは訓練ではない。くり返す、これは訓練ではない……）

＊

戦闘情報指揮所（CIC）が、護衛艦の中枢と呼ばれるようになって久しい。外を見渡せる艦橋（ブリッジ）ではなく、密閉された艦内に指揮所を設けるという発想は、旧日本海軍にはなかった。それが、終戦後に米海軍から艦艇が供与され、レーダー、ソナー、各種攻撃兵器や通信機器をまとめて管制するＣＩＣの存在が明らかになると、国産護衛艦にもそのシステムが導入されるようになって、瞬く間に主指揮所の地位を築いていったのだった。

レーダーやセンサー、全地球測位（GPS）システムを活用し、リアルタイムで把握した状況をもとに立案した作戦を、前線から後方に至るまで速やかに実施させるC^3－Ｉ（シーキューブドアイ）（指揮（コマンド）・統制（コントロール）・通信（コミュニケーション）及び情報（インフォメーション））システムが戦場の雌雄を決する現在、海上自衛隊もＬＩＮＫ17と呼ばれるデータリンク・システムを各艦のＣＩＣに備え、護衛艦隊の「有事即応」能力の向上に努めている。これは各システム艦と、横須賀の自衛艦隊司令部のコンピュータを衛星中継で結んだもので、一艦が捉えた情報がただちに全艦艇に転送されるばかりでなく、捕捉した目標の識別、脅威評価、未来位置の予測、攻撃順位の決定はもちろん、対処武器の選択から発射、誘導までを全自動で行う艦載戦術コンピュータと一体になることで、全艦隊により有機的な対処能力を与えることに成功していた。

この上、全護衛艦にミニ・イージスの同時十二目標探知・撃破能力が付与され、米軍のミサイル迎撃システム・ＪＴＡＧＳをしのぐ日本版ＴＭＤが稼働するようになれば、まさに究極の国防の楯が完成することになる。海上自衛隊の教育体系自体、操艦技術よりもコンピュータ知識の習得に重きを置くようになってきており、潮気の抜けた昨今の幹部が、ブリッジ勤務を敬遠してＣＩＣにこもりたがるのも当然だったが、宮津はこの薄暗いＣＩＣの雰囲気が、どうしても好きにはなれなかった。

暗いという点では、夜間のブリッジの方がはるかに暗い。ＣＩＣには無数のディスプレイの反射光が溢れ返っている。目標の探知から追尾、撃破までを一括処理するＦＣＳ-３から送られてくる各種情報を、オペレーターに伝える標準表示コンソール。戦術状況の評価、攻撃制御、武器管制を司るそれぞれのＣＲＴ画面。部屋の中央に置かれた海図台も電子化されており、机上ディスプレイにＣＧ処理された海図をスクロール表示させることができる。ＬＩＮＫ17を通して自衛艦艇すべての位置を知ることも可能だが、今は緑の線図が浮かび上がっているだけで、三角輝点（マーカー）で表示される艦艇の姿はなかった。《うらかぜ》との遭遇戦演習を公平に行うため、データリンクが遮断されているからだ。

無論、艦に搭載されたGPSそのものは稼働しており、艦隊司令部ではこちらの動きをキャッチしている。が、それは重要な問題ではない、と宮津は判断していた。東京湾に直進すれば、どのみちレーダーに探知される。我々の意図を知れば、防御を固めようとするだろう。しかし、どれだけ優秀な迎撃システムを備えていようとも、彼らに我々を撃つことはできない。〝あれ〟という切り札がこちらにあるからというだけではない、彼らが「自衛隊」である限り、あらゆる意味で我々を攻撃することはできないのだ——。そう考えた宮津は、おそらくもう二度とブリッジに上がることはできず、電子機器に埋められたこのCICで指揮を執らなければならない我が身にも思い至って、うんざりした。

露天甲板上に突き出たブリッジより、艦橋構造部直下にあるCICの方が抗堪性に優れているのは道理だが、窓のひとつもない、コンピュータが送って寄越す情報だけが頼りの暗室から操艦するというのは、どうにも性に合わなかった。これまでも戦闘訓練中はやむなくCICにこもっていたが、今度はそれとは較べようもないほどの長丁場になる。総員離艦を令し、CICに移動してからそろそろ十分。早くも感じ始めた息苦しさをごまかすため、宮津は艦内の監視モニターに目をやった。

艦内要所と、露天甲板上に設置された十数台のカメラから送られてくる映像が、一定の間隔で映し出されている。この時は露天甲板上の映像だけが四面のモニター画面に映されており、ざらついた暗視映像の中に、黙々と離艦作業を行うクルーたちの姿が浮かび上がっていた。

　さしたるパニックもなく、整然と露天甲板に集まったクルーたち。その救命胴衣の背中が忙しなく甲板上を行き交い、膨脹式救命筏のコンテナが、艦橋構造脇のラックから続々と海上に放出されてゆく。繭型のコンテナは自動索によって着水前に外れ、同時に作動したボンベが気室に炭酸ガスを注入すると、筏は角丸の長方形の船体と、幌の役割を果たす布を海上に展張させる。テントのような外観の救命筏が《いそかぜ》の舷側に次々と現れ、各班長の指示に従ったクルーが、縄梯子を使って順々に乗り移ってゆく……。

　まるで遠い世界の出来事を見ているようだった。まだ自分の艦で総員離艦が行われていると実感できず、半ば呆然の思いでモニターを見つめた宮津は、「自衛官とはいえ、さすがは日本人……といったところですな」とかけられた声に、背後を振り返った。

「言われたことには素直に従い、疑いを持つということがない。まったく人のいい民族だ。あるいはご子息が指摘した通り、職域奉公と表裏一体の無責任と言うべきか……」

　ディスプレイの反射光に頬を青白く染めたホ・ヨンファは、そう言うとニヤリと笑って、「なかなかの名演技でした」と続けた。拘束した如月行の面倒は、ジョンヒたちに任せてきたらしい。いつもながら、この男はどうしてこうも流暢に日本語を操るのだ？　不快を押し殺し、視線をモニターに戻した宮津は、「予定した行動ではなかったな」と言ってやった。

「クルーに死者が出るという話は聞いていなかった」

潜入しているダイスの工作員——すなわち如月行の動きを封じるためだという言葉を信じ、ヨンファの要望に従って荒天下の魚雷実射訓練を強行したものの、それが無関係のクルーを死亡させる結果になるとは思ってもいなかった。ヨンファは、またその話かというふうに苦笑すると、「事故ですよ」と答えた。

「菊政二士を負傷させて、疑惑の目を如月行に集中させれば、彼の内偵活動を妨害できると思った。それが、たまたま即死という事態になってしまっただけです」

いくらジョンヒでも、魚雷が振り出される方向まで予測して索を狙撃することはできない。先刻も聞かされた話だったが、わかったものではないと宮津は思っていた。ジョンヒと二人で司令室にいるところを盗み見られて、ヨンファはひどく菊政に腹を立てていた。怜悧な一方、いったん感情が刺激されると見境なく暴走するのではないかと想像させる、情緒の危うさがこの男にはある。悪びれる様子もないヨンファに、宮津は「田所士長は？」と質問を重ねた。

「同じです。総員配置でクルーがいない間に、如月を捜索していたジョンヒとたまたま鉢合わせてしまった」

「殺す必要があったとは思えんな」

「それは、その場にいたわけではないからなんとも言えませんな。ジョンヒには、任務の阻害になるものはすべて排除しろとだけ命じてある。……だいたい、仙石曹長の案にのって嘘の戦闘配置をかけるような真似をしなければ、ああはならなかった」

「先任伍長は利用できると言ったのは、君だぞ」

まだ三等海佐の肩章を付けたままのヨンファを横目で睨みつつ、宮津は言った。揚艇機が人為的に故障させられて以来、ダイス工作員の潜入が明らかになったが、ヨンファたちによって〝あれ〟が回収されても、如月行はなんら本格的な阻止行動を起こそうとしなかった。これは彼の中に迷いがあるためだと見抜き、その原因がクルーへの過度の感情移入にあると推測したヨンファは、彼の直属の上司である仙石をこちら側に引き込み、狩り出しの先兵に仕立てて、物心両面から行の動きを封じ込めようとした――早い話、仙石を人質に取ることを思いついたのだった。

同じ工作員の資質が共振したのかは定かでないが、ヨンファの行に対する洞察は、常人には窺い知れないレベルのものとしか言いようがない。こうなっても、いまだに如月行がダイスの工作員だとは信じられないというのが、宮津の本音だった。息子と同年代の、孤独な影を宿した面ざし。無視され、裏切られ、見捨てられ、独りで死に行かなければならなかった隆史は、あるいはあんな顔をしていたのではなかったか……。

「しかし我々に黙ってやることはなかった。お陰で艦は甚大な被害を受け、ひとつ間違えれば爆沈という事態にまで……」

ヨンファが言う。如月行と二人だけで対したいと言った仙石の願いを聞き入れ、ヨンファたちに黙って偽りの戦闘配置をかけたのは、あるいは自分の中にも迷いがあったからなのかもしれない。「最下層の二区画が浸水しただけだ。航行に支障はない」と言って遮った宮津は、それ以上考えるのをやめて、視線をディスプレイの列に戻した。

「これから始まるのは、穏やかな訓練航海などではない。実戦なのだということをお忘れなく」

そんな迷いを鋭敏な嗅覚で捉えたのか、ヨンファは言っていた。

「クルーに死傷者が出て、呵責を感じるのは当然です。しかしあの旅客機の乗客たちを始め、この件では既に多くの死者が出ている。目的を達成するまでには、さらに多くの血を被め、無念の死を遂げたご子息のためにも、弱気は禁物ですよ」

「……わかっている」

隆史の死と同時に停止し、ヨンファとの邂逅によって再び回り始めた人生の歯車。これまでとは逆に回り出した歯車が紡ぎ出した結果の上に、今の自分は立っている。潰れた顔面を縫い合わされ、死に化粧を施された息子の顔を瞼の裏に呼び出し、迷いを消したつもりになった宮津は、離艦作業の続く露天甲板を映し出すモニターを見つめた。

後部飛行甲板を横切る一団の中に、死体袋を載せた担架がちらりと映る。田所士長か菊政二士のものだろう。その脇に、一気に老け込んでしまったように見える仙石曹長の歩く姿があった。

鉄帽の下の表情を窺うことはできないが、夢の中を歩くようなおぼつかない足取りは、隣で支える若狭曹長がいなければ、その場にくずおれてしまいそうに見える。見ているのが辛く、モニターから目を逸らした宮津は、再発進準備の進行具合を確かめるため、機械室に繋がる無電池電話を取った。

＊

離艦作業は驚くほど速やかに、そして静粛に行われていた。各班ごとの点呼、膨脹式救命筏の準備、機密書類の処分といった作業に忙殺され、周囲を振り返る余裕がないことも事実だったが、それにしても、ひとつの艦、自分たちの職場を放棄するにしては、あまりにも平穏で呆気ないクルーたちの態度だった。

幹部が一向に離脱の列に加わらないことに、不審の声をあげるクルーもいたが、近くにいた先任海曹が諌めると、その声もすぐに聞こえなくなった。あくまでも一時的な措置だ、他の艦が救援に来てくれればすぐに艦に戻れる、今は黙って命令に従っていろ。そう言った先任海曹自身、胸の中では未曾有の事態におののいているのに違いなかったが、部下たちにパニックを起こさせるわけにはいかない責任感、無事に離艦作業を行わなければならない義務感が、とりあえず目の前の仕事に没入させているのだった。そうすることが、一個の人間にできる最善のことだと信じるかのように。

どうしていいかわからない時に指示を出されれば、それに従うことで自分を立て直そうとする。みんな同じだ、と仙石は思った。自分も、そうしてあの機械室の扉を開けてしまった。心の底では行の言い分を信じていながら、しょせんは自分ひとりのものでしかない感覚に従う勇気がなく、先任伍長としての義務感に従って、取り返しのつかないことをしてしまった。自分の頭で考えようとせず、これまでそうしてきたように護衛艦の歯車のひとつになって考えることで、行を見捨ててしまった。そして《いそかぜ》を永遠に失った——。

『あなたは、どこにいても先任伍長さんだってことよ。家にいる時だって、休暇中の先任伍長さん。夫でも父親でもなかった』

『あたしが結婚した、仙石恒史って人はどこにいるの？』

救命筏が投げ込まれる水音に混じって、頼子の声が聞こえてくる。そうだな、と仙石は内心に応えた。今はおまえの言うことがよくわかる。海上自衛隊の護衛艦クルー、それがおれだった。他にはなにもない。行に言ったように、他の生き方を知らないんだ。そして、それでいながら、実際にミサイルを撃つ羽目になった時のことを本気で考えたこともないのが、自分だった。宮津隆史のように、国防の無策を嘆き、改善のために努力するということもなかった。部下の把握も満足にできない、ひたすら中途半端な先任伍長でしかありえなかった……。

事態を多少なりと察するところのある若狭は、最初こそ唐突な離艦部署発動に抗う素振り(そぶ)りを見せたが、今は静かに筏に乗り移る順番を待っている。艦橋構造の張り出し(ウイング)や、後部二十ミリ機関砲(CIWS)の指揮台から甲板を照らす六十センチ探照燈の横で、FTGの面々が監視の目を注いでいることに気づいたからだった。

救命胴衣の代わりに防弾ベストを装着した彼らの腰には、探照燈の逆光で判別しづらいものの、サブマシンガンらしき黒い物体がぶら下がっている。特殊戦用に銃身(バレル)が切り詰められ、銃床(ストック)を取り外してコンパクト化されたH&K製のMP-5Kクルツ。いま騒ぎ立てれば、その銃口が火を吹くばかりでなく、毎分三千発の発射速度を誇るCIWS(シウス)が、救命筏に乗り移ったクルー目がけて掃射されるかもしれない。仙石と並んで左舷側に立ち、救命筏が展張するのを黙って見下ろす若狭の拳は、しかし、爪が食い込むほどぎゅっと握りしめられていた。

やがて前後に索を結びつけた担架が下ろされ、菊政と田所の遺体が筏に運び込まれた。幹部を除くすべてのクルーが離艦したことを確かめてから、仙石も舷側に下ろされたジャコッブを伝って、十五人乗りの救命筏に乗り移った。両舷からそれぞれ六艘(そう)ずつ放出された救命筏の幌には、標色灯が装備されている。赤い光を明滅させる筏の群れを見、満天の星空が見下ろす夜の海を見渡した仙石は、結局、最後までこの光景を描き取ることはできなかったな……と苦い感慨を抱いて、筏に足をつけた。

　ジャコッブを手放す時、指先が《いそかぜ》の乾舷に触れ、その冷たい感触に、艦を捨てたのだという実感が突然のしかかってきた。艦橋構造部と、その上で灯火を消したマストを佇立させている《いそかぜ》の物言わぬ横顔を見上げ、すまない、と心に念じた仙石は、後はもうなにも考えずに筏の上に腰を下ろした。田所の遺体を収めた死体袋の傍らに座り、胸上に組み合わされた手に自分の手のひらを重ねて、もやい綱を解く若狭の背中をぼんやり見つめた。

　もやいが解かれると、救命筏はゆっくり海上を漂い始めた。幌の隙間から見える《いそかぜ》の船体が、次第に遠ざかってゆく。探照燈の光が慌ただしく錯綜し、追い散らすように時おりこちらを直撃する。艦に残った幹部は、全部で二十八人。ホ・ヨンファたち二十三人にジョンヒも加えて、総勢五十二人がこの先《いそかぜ》を動かすことになる。艦に不慣れなヨンファたちを半人前と計算しても、自動化システムをフル稼働させ、常時総員配置を実施すれば、十分に運用できる数だ。舷側に走り出た二人の初任幹部が、ジャコッブを回収する姿を眺めつつ、誰もなにも話そうとしない沈鬱な空気に身を浸した仙石は、ふと脇腹の異物感に気づいて、救命胴衣のファスナーを外した。

　まだ湿り気が抜けない制服シャツの中に入れてあったのは、一冊の大学ノートだった。行の荷物を調べた時、ベッドの上に投げ出してあったのをシャツの内側に入れたきり、すっかり忘れていた。びしょびしょに濡れ、ちぎれそうになったノートの表紙をそっとめくった仙石は、探照燈の明かりを頼りに、丹念に描かれた艦内のスケッチを一枚一枚見ていった。機械室、舵取機室、VLS発射管制室。鉛筆で精緻に描き込まれたスケッチ画は、あんなもの誰でも描けるといった本人の言葉をよそに、やはり天才の片鱗を存分に窺わせるものだった。なにごとにも冷淡な無表情が、筆を握ると途端に真摯な顔つきになる。ほんの数日前のことが、今はひどく懐かしく思い出され、仙石は気がついた時には泣いていた。大事で、かけがえのないものが、あまりにも多く奪われてしまった。二度と取り戻すことはできないその重さがずしりと心に響き、自らそれを投げ捨ててしまった愚かさを、あらためて自覚したからだった。

水を吸ってよれよれになったページをめくるうち、他のスケッチとは明らかに異なる絵を見つけて、仙石は手を止めた。間欠的に差し込む探照燈の光に浮かび上がったスケッチ画は、後部デッキを模写したものだった。他の絵にはいっさい人の姿がないのに、これだけは中央に人の背中が描かれている。いちど描いて消し、あらためて描き直した跡がわずかに残っており、目を近づけてよく見た仙石は、それがスケッチブックを膝上にして、床の上に座り込んでいる人物の絵だとわかって、小さく息を呑んだ。

無機質な艦内のスケッチの中に、たったひとつ描かれた人の姿。それは、すべてに対して閉ざされていた描き手の心が、唯一とらえた人の形なのかもしれない。人の中にまみれ、他人と関わりあうことを覚え始めた心が、ためらいながらも描かずにはいられなかった、温もりを持つ人の形……。

『あんたにだけは……信じてもらいたかった』

その言葉が鮮明によみがえり、仙石は夢から覚めた思いで顔を上げた。寡黙な顔を寄せ集める若狭たちを見回し、遠ざかってゆく《いそかぜ》の乾舷を見て、おれはいったいなにをやっているんだと思った。

こうしてはいられない。早くしないと取り返しのつかないことになってしまう。なにをどうする、という目的がはっきりしないまま、ただその思いに突き動かされた仙石は、前に座るクルーの背中を押し退けて、船体の中央にある収納袋を開けた。携帯食料や飲料水のボトルをどかし、救急キットの奥から小型呼吸ボンベ（ヒード）を取り出す。ヘアスプレー缶の先に呼吸用のマスクが付いている形状で、五分間は水中での呼吸を保証してくれる代物だ。まだ三十メートルも離れていない《いそかぜ》の船体を見据え、大丈夫、いけると判断してから、周囲の驚き顔を無視して田所を収めた死体袋に向き合った。

ファスナーを顔が見えるだけ開け、目を閉じたまる顔の頬に触れる。みんなを頼む、今からおまえが先任伍長だ――。心の中に呟き、立ち上がった仙石は、救命胴衣とテッパチを脱ぎ、幌の入口をめくって探照燈の光が行き過ぎるのを見定めた。

「おい、なにやってんだ。なにするつもりだ」と若狭。振り返った仙石は、「後を頼む」と言いながら大学ノートを手渡した。

「ちょっと、忘れ物を取ってくる」

「忘れ物……？」

「筆だ。もらった筆を忘れてきちまった」

自然にその言葉が口をついて出て、仙石はようやく自分がなにをしようとしているのか理解した。

いま逃げ出すわけにはいかない。ここで《いそかぜ》を捨ててしまったら、おれはからっぽになってしまう。誰からも、自分からも信用されない人間になってしまう。取り返すんだ。奪われたもの、失ってしまったもの、捨ててきてしまったものを一切合切。その衝動を胸に、暗い海面と、その向こうに浮かぶ《いそかぜ》を見つめた。「バカ言うな！　いま戻ったら……」と言った若狭の声を背に、仙石は探照燈の光が切れた瞬間を見計らって海に飛び込んでいた。

冷たい海水が全身を包む。チリチリ……と鼓膜を圧迫する水圧の音が聞こえ、すぐに高血圧気味の頭が痛み始めたが、監視の目が注がれている海面に顔を出すわけにはいかない。三メートルほど潜ったところでヒードを口に当てて息継ぎし、再び水を掻き分けた仙石は、左右どころか、油断すれば上下の感覚さえなくなる闇の海中を、ひたすら泳ぐことに専念した。

探照燈の光の輪が頭上の海面を行き来し、伸ばした手の先も見えない暗闇に、仄かな明かりを灯(とも)してくれる。水を吸った制服が思った以上に体を重くし、ヒードの酸素を何度も貪りつつ、水泳訓練で鍛えた平泳ぎを続けた仙石は、やがて闇の中にひときわ濃い闇を生み出している《いそかぜ》の艦底に、手をつけることができた。

再進水して間もないのに、喫水線の下は早くも水苔が付着している。ぬるぬるした艦底を手で探り、さらに下に潜った仙石は、ヒードを口に当てて息が整うのを待ってから、後部方向に泳ぎ始めた。ジャコップがなければ五メートルの乾舷を這い上ることはできないし、第一すぐに発見されてしまう。《いそかぜ》艦内に戻れる道はたったひとつ——行が艦底に穿った亀裂だった。

防水隔壁の閉鎖とともに空気の出口が遮断され、封じ込められた空気の圧力が浸水を押し留めるから、閉鎖区画は完全には水没していないはずだ。亀裂を抜けてたどり着くことができれば、あとはなんとでもなる。裂け目が人の出入りできないほどの大きさである可能性もないではなかったが、あの浸水の勢いからすれば、一メートル未満ということはあるまい。やってみるさ、と胸中に呟き、不安を振り払った仙石は、藻(も)に覆われた艦底にへばりつくようにして、《いそかぜ》の後部右舷へと向かった。

艦底は平らではなく、下側に向かって緩い山の形を描いており、その突端、つまり艦底の中央には、船骨(キール)と呼ばれる鉄筋フレームが艦首から艦尾までを貫いている。船を背泳ぎする人に見立てれば背骨に当たる部位で、船体構造の要となるところだ。視界ゼロの中、こうも大きかったかと思わせる艦底を這い下り、ようやくキールの先端に手をつけた仙石は、ヒードを口に当てて小休止を取った。ここからは上りに転じるので、精神的に多少楽になる。もうひと踏んばり、と痛む頭に言い聞かせ、右舷側に体を移動させようとした瞬間、ゴゴン……と重い振動が巨鯨の腹の底を震わせた。

思わず動きを止め、ヤモリよろしくへばりついた格好で艦底に耳を当てる。機関車の車輪駆動を思わせる機械音が鋼板越しに伝わり、同時に甲高い吸気音がわき起こる。ガスタービン・エンジンの始動音？　全身の血を凍りつかせた仙石は、次にはプロペラシャフトが回転を始めるゴロゴロという唸りを聞いた。

《いそかぜ》に装備された二軸のプロペラが、動き始めたのだった。直径五メートル以上の可変ピッチ・プロペラが轟然と回り、五枚の羽根が中立から前進方向に角度を変えると、海水を後方に押し流して《いそかぜ》の船体を推進させ始める。ヤバい、と思った時には強烈な水流が押し寄せ始めて、慌てて艦底にしがみつこうとした仙石は、その必要もなく、あっという間に《いそかぜ》の腹にべったり吸い寄せられていた。

流れる水と船体の間に生じる摩擦の力が、仙石の体を艦底に押しつけたのだ。磁石に吸い寄せられたようで、艦底に密着した腹を引き剝がすことができない。もがくうちにヒードが手から離れ、事態はさらに悪化した。たちどころに水流に持っていかれたヒードが、回転するプロペラに粉々に砕かれるさまを想像した仙石は、その途端、艦底に張りついた体がずるりと動くのを感じた。

摩擦に押しつけられた体が、付着した藻でぬるついている艦底を滑り始めたのだった。意思と関わりなく体がずるずる滑り、回転するプロペラへと運ばれてゆく。目には見えなくとも、巨大な質量が作り出す圧迫が刻々と大きくなり、絶叫とともに肺に残っていた酸素を残らず吐き出した仙石は、無我夢中で手足を動かした。ぬるついた艦底に手を滑らせ、足を滑らせながら、とにかく水流に逆らおうとする。頭の中が真っ白になり、これで終わりか……の思いが浮上しかけた刹那、でたらめに振り回した左手が手がかりをつかんだ。

それがなにかを確かめる余裕などなかった。とにかく両手で手がかりをつかみ、渾身の力で引き寄せる。プロペラシャフトの唸りがすぐ足もとに聞こえ、艦底にへばりついた異物を吹き散らそうと、凄まじい水流が押し寄せる。いま手を離したら死ぬ、まだ死ねない、死んでたまるか。もう絶叫するだけの酸素も体には残っておらず、薄れかけた意識の中にそう叫んだ仙石は、最後の力を振りしぼって手がかりに体を近づけた。

懸垂（けんすい）の要領で手がかりに頭を近づけた時、ようやくそれが艦底に穿たれた裂け目であったことに気づいた。まだ、助かる。外側に折れ曲がった鋼板をつかみ、ぐいと体を引き寄せた瞬間、まったく別の力が仙石の体に襲いかかった。摩擦の力が破孔に水を流し込んでおり、その流れに包まれた仙石の体は、一瞬のうちに亀裂に吸い込まれていった。

前後左右の感覚が消失したまま、爆圧で湾曲した肋材（フレーム）に背中からぶつかり、折れた梁（ビーム）に肩を激突させる。巨大な洗濯槽に紛れた塵さながら、乱流に揉まれてあちこち体をぶつけた仙石は、ぐるぐる回る視界の中に微かな光を捉えて、一も二もなく手足を動かした。酸素を使いきった体は痺れ、気管に入った水が肺を灼熱させたが、そこに行けば助かるという確信に支えられて、一心に水を掻き続ける。揺らめく赤い光が急速に近づき、最後にもういちど水を蹴った仙石は、水飛沫とともに水面から顔を出していた。

貪るように空気を吸い、直後に盛大に咳き込んだ。肺に入った水が涎や鼻水と一緒に吐き出され、ひとしきりむせた仙石は、その時はじめて自分の膝が床についていることに気づいた。

第二装薬室にたどり着いたらしい——。早鐘を打っていた心臓が多少落ち着き始めた頃、入口の水密戸が押し倒されている光景を見てそう思い至った仙石は、艦内に戻れた喜びを感じる余裕もなく、鉛になった体をのろのろと持ち上げてみた。思った通り、浸水は腰の高さまでで止まっている。まだ使いきった体力が回復せず、顔だけを水面に出して四つん這いで部屋を出た仙石は、非常灯が照らす通路を閉鎖した防水隔壁を見上げて、さて、どうするかと考えた。

向こう側からロックされた防水隔壁を開ける手段はない。上の第三甲板に繋がるハッチも同様だ。よしんばここから出られたとしても、のこのこ顔を見せれば、あっという間にクルツを携えたヨンファの部下に包囲されるに決まっている。先のことをまったく考えずにここまで来た愚かさを嘆く余裕もなく、爆弾でもあればな……と勝手なことを思った仙石は、ふとどんでもない妙案を思いついて、背後を振り返った。

水浸しの通路に沿って、第二装薬室、第四ポンプ室が並び、それと向かいあって第二弾薬庫がある。露天甲板上にある第二砲台、オットーメララ百二十七ミリ単装自動砲で使用する砲弾が格納されている部屋だ。立ち上がり、その扉を見つめた仙石は、もう一度いまの思い付きが実行可能かどうかを考えようとして、すぐにやめた。

可能も不可能もない。やらなければならないのだ。溜まった水を蹴散らすようにして弾薬庫の扉の前に向かった仙石は、待ってろよ、行、と口の中に呟いてから、閉鎖レバーに手をかけた。

必ず助け出してやる。あの詐欺師どもをひとり残らずたたき出して、《いそかぜ》を取り返すんだ。それまでは死ぬな、行。閉鎖レバーを押し上げ、一斉に流れ込み始めた水とともに弾薬庫に入った仙石は、早速そのための作業を開始した。

3

月明かりに朧に浮かび上がる《いそかぜ》の船影が見えなくなると、星空と、暗く鈍った海だけが見えるもののすべてになった。救命筏の幌に背中を預けて、若狭はぼんやりと寄せる波の音を聞いていた。

不意に発進した《いそかぜ》の引き波に流されて、右舷側から放出された筏との距離はかなり離れてしまった。幌上に装備された赤い灯火が六つ、海のど真ん中に放り捨てられた不安と恨みを訴えるかのように、闇の中で瞬くのが見える。向こうからは、こちらがそう見えていることだろう。

携帯用GPSで現在位置を測定し、救難信号の発信を確かめた後は、なにもすることがなくなってしまった。一時に、あまりにも多くのものが失われた現実を振り返る気力も今はなく、《いそかぜ》が消えていった水平線をただ見つめていた若狭は、「掌帆長」と遠慮がちにかけられた声に、背後に近寄ってきたクルーの顔を振り向いた。

仙石とともに、ターター管制室で射管員を勤めていた三曹だった。「あの、先任伍長、どうなったんですかね……」と続けられた声に、若狭は生傷を抉られた思いで顔をしかめた。あの後、ずっと海面に目を凝らしていたが、仙石の姿が浮かんでくることはなかった。あるいは急発進した《いそかぜ》のプロペラに巻き込まれて、粉々に打ち砕かれてしまったのかもしれない。確かめる術はなく、あったとしても、錯乱して自殺した先任伍長の遺体を捜索して、これ以上クルーの不安を増長させたくはなかった。「さあな」とできるだけ気軽な声を返して、若狭は顔を前に戻した。

「艦底をくぐり抜けて、向こう側の筏に拾われてるかもしれん。救援が来たらすぐにわかるさ」

「でも……」

「いいから。今は黙って休んでろ」

不満げに引き下がった三曹の気配を背に、若狭は他に言いようを思いつかない自分の不器用さを呪った。仙石なら、気のきいた冗談のひとつも言って場の緊張を和らげているところだ。そういう才覚は、自分にはないと思う。クルーを束ねるＣＰＯにあって、旧軍さながらの鬼兵曹役を自分が演じてこられたのも、仙石というクッションがあったればこそだった。あらためて実感した若狭は、合成ゴムで加工された筏の内壁を蹴りつけたい衝動を、どうにか堪えた。

おれひとりで、この先どうしろってんだ。なにがあったか知らないが、あんたはおれたちを放ってひとりで錯乱しちまうような、そんなヤワな先任伍長じゃなかったはずだ。家でも艦でも、このところ不運続きだったが、あんたはみんなが目標にできる数少ない先任伍長だったんだ。それなのに……。

「掌帆長、ちょっと……」

引っ込みかけた三曹が、再び声をかけてきた。いけないとわかっていても、ついいら立ちを露にした顔で振り向いてしまった若狭は、「なにか聞こえませんか？」と続けた三曹の声に、慌てて耳を澄ました。

低い振動音がどこからともなく伝わってくる。ヘリやプロペラ機の音ではないし、艦の機関音でもない。なんだ？　不安げに周囲を見回す十四人のクルーと顔を見合わせた時、それまで静かだった波が急にガブり始めて、若狭は船底に手を付いた。

幌をめくり、外を見渡す。先刻まで《いそかぜ》が留まっていた海面が俄かに泡立ち、緩衝波のうねりを起こしているのが見えた。波浪はますます高くなり、バランスを崩して三曹に支えられた若狭は、その瞬間、ひときわ盛り上がったうねりの中から、黒い巨大な物体が浮上してくるのを目撃した。

潰れた円柱状の本体に、仰角を最大にした翼のような潜舵（セイルプレーン）。月夜の海に忽然と姿を現したそれは、間違いなく潜水艦のセイルだった。波浪の切れ間に八十メートル近い船体の上構が浮かび上がり、揺さぶられる筏の上から佇立するセイルを凝視した若狭は、それが海上自衛隊のものであるとわかって、ほっと息を吐いていた。

上構とセイルの接合部分に整形フィレットの跡がなく、セイルプレーンに舷灯が装備されている。間違いない、第二世代の涙滴型（ティアドロップ・ハル）潜水艦《ゆうしお》級だ。背後で固まっているクルーに、「心配するな。味方だ」と言った若狭は、涙滴に見えないこともない、ずんぐりした船体の表層を浮上させた潜水艦に目を戻した。セイルの後方、艦尾に近い位置にある昇降ハッチが開き、海曹用の青い作業服を身に着けたクルーが顔を見せたのは、その直後だった。

最初に出た海曹がこちらに向かって手を振る間に、続いて現れたクルーが開いたハッチに幌をかける。ハッチの厚みから船殻の耐圧性能が読み取られないようにするための措置で、同じ海上自衛官が相手であっても、潜水艦乗りの秘密主義が緩むことはない。若狭も手を振り返し、他の筏のクルーたちも大声をあげて、いささか風変わりな救難部隊の到着を歓迎した。

信号を発して二十分も経たないうちに、計ったように潜水艦が浮上した不自然さになど、かまっている余裕はなかった。

＊

「乗艦を拒否？」

副長の生真面目な立ち姿に、武石誠（たけいしまこと）二等海佐は思わずおうむ返しに言っていた。大声に、バラスト・コントロール装置の管制盤に向き合っているクルーがびくりと振り返る。

「なんでだ」

「自分たちだけ救助されるわけにはいかないと……。下位のクルーを先に救助して、自分たちは後回しにしてくれと言うのです」

「冗談じゃない。この古びたドンガメに、百何十人ものクルーを乗せる余裕なんぞあるか。

若狭とか言ったか？　これは勧告ではなく、命令だと言ってやれ。《いそかぜ》の状況を市ヶ谷に伝えるのに、ＣＰＯクラスの証言が必要なんだ」

　気持ちはわからんでもないと思いながらも、武石ははっきりそう言った。こうしている間にも、《いそかぜ》は確実に北上しているのだ。その先には、なにも知らずに演習開始の時を待つ《うらかぜ》がおり、さらに先には、あまりにも無防備な人々が眠る島国、日本本土がある。副長が急いで引き返してゆくのを見送った武石は、顎に浮き出た無精髭をごしりとこすって、《せとしお》の古びた発令所を見回していった。

《ゆうしお》級潜水艦の一番艦である《せとしお》は、四年前に一線を退き、特務艦に種別変更されたロートルの潜水艦（ドンガメ）だ。練習艦として、後進の潜水艦乗りの育成に使われていたはずが、防衛庁の一角に巣くう奇妙な集団に目を付けられたがために、同じ海自の護衛艦を尾け回すという陰微な任務に駆り出されることになった。

　防衛庁長官直轄部隊艦艇として、艦隊司令部とは別ルートの命令系統に従事、行動すると言えば聞こえはいいが、実際に防衛長官が指示命令を出すというのではなく――防衛長官の椅子が、初入閣の腰かけポストとしか認識されていない日本では、現実的対処ができる長官の存在などは夢だ――、実際に所掌しているのは防衛情報本部。市ヶ谷の通称で呼ばれる非公開情報機関だった。

　クルーは年次修理中の潜水艦から引き抜かれた寄せ集めで、航海手当の倍額近い特別手当を受け取る代わりに、本作戦に参加した事実を、今後いっさい口外しない——原隊の所属長に対しても——旨の守秘誓約書に捺印させられた。もっとも、任務内容を真に理解しているのは幹部と先任海曹だけで、六十名あまりのクルーのほとんどは、この作戦『アドミラルティ』の本当の目的を知らない。その方が幸運だと、《せとしお》艦長として誰よりも作戦内容に通じている武石は思っていた。

叛乱の疑いがある海上自衛隊の護衛艦を密かに追尾・監視し、疑いが現実になった時には、護衛艦内に潜入している情報本部の工作員と連携して、阻止行動を展開する。工作員がソナー設備と動力機関を破壊するのを待って、護衛艦に接近。やはり情報本部から派遣され、《せとしお》艦内で出番待ちしている「客人」たちを、護衛艦に送り込む。誰の目にも触れない海上で、すべての法的手続きを無視して叛乱を鎮圧する……。

言われなくても、他人に話せるような任務ではなかった。誰もが最初は半信半疑の思いだったが、《いそかぜ》艦内に潜入した工作員、〈アンカー〉からの連絡が途絶し、直後に《いそかぜ》の進行方向で爆発音が観測されてからは、現実の事態と認識せざるを得なくなった。間もなく機関も停まり、《いそかぜ》は海上に静止したものの、状況が皆目わからないでは接近することもできず、こちらも探知圏外ぎりぎりの位置で停止。やがて市ヶ谷本部から《いそかぜ》を撮影した衛星写真が転送され、総員離艦が行われていることが判明した。曹士クルーを海上に残して《いそかぜ》が再発進した現在、もはや叛乱計画の存在を疑う余地はない。救命筏で漂う《いそかぜ》乗員の一部を回収するため、五日ぶりに浮上した《せとしお》の発令所に詰めるクルーの顔は、どれもがたちの悪い船酔いにかかったかのように青ざめていた。

小刻みな横揺れ（ローリング）にさらされて、まいっているのも事実だが——潜水艦乗りは、水上艦勤務者よりも船酔いに弱い。いちど海に潜（もぐ）ってしまえば、まったく揺れない環境に慣れているためだ——、今《せとしお》クルーにのしかかっているのは、海上自衛官としてそれまで培ってきた常識、自分の中の現実感覚を揺さぶる激しい感情の波だった。我々はこれから本当に「実戦」に突入するのだろうか。それも同じ海自艦を相手に……と。

「艦長」

背中を打った声に、武石は物思いに沈みかけた頭を上げた。飛行機のそれとそっくりな操縦席の脇に、ＣＰＯ室から出てきた「客人」が立っていた。

「発進はまだでありましょうか？」と続けた宮下武（みやしたたけし）三尉の目は、赤色灯の下でもらんらんと輝いて見える。武石より頭ひとつ小さい小兵（こひょう）だが、無駄なく引き締まった身体は精気に溢れており、七人の部下を従え、市ヶ谷から派遣されてきた特殊部隊リーダーの貫禄を覗かせている。武石は「すぐだ」と答えて、天井から垂れ下がる潜望鏡の向こうに立つ宮下を手招きした。

「《いそかぜ》の先任海曹が、乗艦を拒否していると聞きましたが」

「艦乗りの気質とはそういったものだ。心配ない、すぐに乗せる。……もっとも、焦ったところで君らの出番はもうないだろうがな」

すっと目を細めた宮下は、火器管制装置の前に立つクルーがさりげなく聞き耳を立てていることに気づいて、反論の言葉を呑み込んだようだった。つい先刻も、武石と宮下は険悪な睨みあいをしたばかりなのだ。誰にも聞かれないよう、電信室に宮下を誘った武石は、扉を閉めてから口を開いた。

「ソナーの観測では、《いそかぜ》は尻から可変深度ソナー（VDS）を垂らして、マスカーも作動させている。どういうことかわかるな？」

吸気のためにシュノーケルを浮上させる他は、海中に潜りっぱなしだった五日の間に、宮下も多少は対潜戦闘の知識を身につけている。艦底に空気を放出し、機関音を気泡で遮断してソナーを欺瞞するマスカー装置についても知っていたらしく、「我々の存在を感知している、と？」の答えをすぐに寄越してきた。

「そうだ。最新のVDSを使われては、この古びたドンガメで忍び寄ることはできん。君らを《いそかぜ》に乗り込ませる作戦は失敗したということだ」

「〈アンカー〉が所期の任務を達成すれば……」

「彼がまだ生きているという保証はない。拘束されて、『アドミラルティ』の全容を吐かされているかもしれん」

「彼は優秀な男です。敵に口を割るようなことはしません」

「だが、疑わねばならんのが我々の立場だ。少ない可能性に賭けて部下を無駄死にさせるのは、指揮官の無能を示すことだ」

先刻の論争の蒸し返しだった。《いそかぜ》が機関を停止した時も、宮下は突入作戦の強行を訴えて前進を主張し、武石は、ソナーの破壊が確認されない限りは近づけないとそれを退けた。何度か大規模近代化改修(フラム)は受けているものの、《せとしお》は齢(よわい)二十歳を越える老朽艦で、西側随一を誇る海自艦の対潜能力(ASW)と互角に渡り合える性能など、持ち合わせてはいないのだ。

ぐっと唇を結んだ宮下に背を向け、椅子に座って通信機のコンソールと向かい合った武石は、「だから、作戦変更だ」と言葉を重ねた。

「今からそれを上申する。ちょっと待て」

衛星通信回線を開き、セイルに内蔵されたディッシュ・アンテナの角度を調整する。宮下にヘッドセットを渡し、自分も略帽をぬいでそれを被った武石は、口前に下ろしたマイクに声を吹き込んだ。

「〈アンカーケーブル〉より〈ケーブルホルダー〉。『アドミラルティ』に関して緊急連絡を行う」

送信を待ち焦がれていたらしい〈ケーブルホルダー〉――市ヶ谷の情報本部は、すぐに返答を寄越した。作戦の総責任者である渥美大輔が直接マイクを取り、〈状況は聞いた〉と秘匿回線越しの声を返してきた。

〈当初の作戦は失敗したと見るのが正しいな〉

「は。〈アンカー〉との連絡が途絶した後、一般クルーの放出を終えた《いそかぜ》は、ASWの準備を整えて北上しております。我々〈アンカーケーブル〉による接敵、制圧部隊の突入は事実上、不可能になりました」

〈結局、後手に回ってしまったか……〉と渥美。別の声が、〈〈アンカー〉はいったいなにをやっとったんだ〉と、不機嫌な声を割り込ませる。

作戦開始前にいちど会ったことがある、管理官の声だ。細面の眼鏡面、いかにも陰険な官吏といった風貌の男だった。〈〝あれ〟が《いそかぜ》に回収されたとわかった時点で、突入作戦を強行すべきだったんだ〉と続いた声に、渥美の声が〈〈アンカー〉はそれを確認していない。〝あれ〟の所在が不明確なまま行動を起こすのは、自殺行為だ〉と応じる。

〈人選が間違っていたのではありませんか？　彼はSOF要員で、潜入捜査の訓練はろくに受けておらんのでしょう〉

「しかし、銃器爆薬の取り扱いに関してはずば抜けております。単独で艦の破壊工作を行うのに、彼以上の人材は……」

宮下が、思わずといったふうに口を挟む。〈だが、現実に《いそかぜ》は動き続けておるではないか）と管理官。

（彼の考課は確かにたいしたものだが、全般にわたって潜在的反抗因子ありとの一文も付け加えられている。《いそかぜ》の叛乱分子どもに感化されて、任務を放棄したのではないのか？）

苦々しい管理官の口調は、『アドミラルティ』があくまでも渥美の独断専行から始まったもので、市ヶ谷全体としては、いまだにその遂行について意思の統一が図れていない現実を教えていた。情報本部といっても、しょせんはお役所かと武石が嘆息する間に、（一海士の立場で艦内の動向すべてに目を配り、破壊工作を行えというのはどだい無理な注文だった）と渥美の抗弁が続いた。

（満足にバックアップの態勢を整えられなかった……いや、それ以前に、スキャンダルの発覚を恐れて《いそかぜ》の出港を止めることができず、海幕人事課長の自殺という事態を目前にするまで、作戦に本腰を入れようともしなかった。我々にこそ、本当の非はある）

硬骨漢らしい渥美の言葉に、管理官が（あなたの立場で言っていいことでは……）と反論の口火を切りかける。武石は「しばらく」と言って、衛星経由の秘匿回線でこれ以上無駄な口ゲンカが続くのを封じた。

「問題は、これからどうするかです。確かに当初の作戦は失敗しましたが、艦を引き止めるのは錨（アンカー）それ自体の重さではない。錨鎖（アンカーケーブル）の重量が、巨大な質量を持つ艦艇を波間に固定させるのです」

　婉曲な武石のセリフに最初に反応したのは、作戦『アドミラルティ（錨の一種）』において、揚錨機（ケーブルホルダー）の役割を果たす渥美だった。（やれるのか？）と聞き返した声に、武石は「今の《いそかぜ》に残っているのは、不慣れな初任幹部がほとんどです」と答えた。

「一撃必殺の覚悟で行けば、可能性はある。やれます」

（ちょっと待て。必殺とはなんだ）と管理官。（よもや《いそかぜ》を沈めようというのではあるまいな？）

「そうです。内部からの制圧が不可能になった以上、他に手はないかと」

（冗談ではない！　いったいいくらの金が《いそかぜ》に注ぎ込まれていると思ってるんだ。せめてスクリューを潰して足を止めるとか、そういった方法は取れんのかね？）

「お言葉ですが、当方には手加減をする余裕はありません。敵に反撃の余力を残しては、こちらが沈められる。魚雷と同時に潜対艦（USM）ミサイルを撃ち込んで、完全に無力化する必要があります。これは仕掛けるにあたっての絶対条件です」

　意外そうな視線をこちらに向けた後、同意したように姿勢を正した宮下の気配を背後に感じつつ、武石は言いきった。（……それしかないか）と言った渥美に、管理官が（待ってください！）と狼狽しきった声を被せる。

（本作戦の実施で、それでなくても海幕に多大な借りを作っているのです。この上《いそかぜ》を撃沈するなどと……！　ＴＭＤの出端がくじかれれば、梶本政権だって多大な損失を被る。我々の立場というものが……）

（立場を云々していられる時ではない。《いそかぜ》が東京湾内に入ったら、我々は一千万都民を人質に取られたも同然になる。雑居ビルの地下に籠城された時とはレベルが違うぞ）

（しかし撃沈というのはあまりにも……）

（なら、部隊を防衛出動させて包囲しろとでもいうのか。それがどれほどの時間を浪費させるか……）

（とにかく我々だけで決められることではない。局長のご裁断を伺って、監視委や公安委……いや、内閣の了承を取る必要がある。当面は、海上警備行動の範疇で展開中の艦隊に《いそかぜ》の進行を阻止させる。それ以外にありません）

渥美の嘆息が聞こえてくるようだった。しばらくの沈黙をおいて、（すまない、艦長。少し時間をくれ。追って連絡する）と言った渥美の声が、ヘッドセットのスピーカーに響いた。

「敵が深度の浅い湾内に入れば、潜水艦は無力になります。お早い決断を」

精一杯の自制心をきかせて言った後、通信を切ってヘッドセットを外した武石は、「小役人どもめ……！」の罵り声とともに拳をコンソールに叩きつけた。宮下も苦虫を嚙み潰した顔でヘッドセットを置く。

〈アンカー〉には、艦を爆沈させるというオプションも与えられていた。それが、なんで今さら……」

「責任を取りたくないのさ。あの渥美ってのはなかなかの人物だが、おぼっちゃんだな。永田町の顔色を窺うくだらん連中が間に入ったら、押し通すだけの図々しさはない」

「では、攻撃は……」

「無理だな。連中は、調査だの会議だのって能書きで、永遠に時間を潰せる才覚の持ち主だ」

その推測は、間違っていなかった。以後、事態が取り返しのつかないレベルに達するまで、市ヶ谷からの返信が《せとしお》にもたらされることはなかった。

＊

「遭遇戦演習は、明日日没、令なくして開始されます。常識的には、横総監気象部が予報した十八時五十分台からとなりますが……」

「こと操艦に関しては、宮津は常識的な男じゃない。常に哨戒配備で航行するのが護衛艦隊の主旨だとかぬかして、それ以前に戦端を開いてくるやもしれん」

隊付幕僚の後を受けてそう言った衣笠司令に、《うらかぜ》のCICに集まった主要幹部たちは一様に苦笑していた。艦長らしくしかめ面をしていた阿久津も、宮津ならさもありなんと思って頬を緩める。七月三十一日、午前三時二十五分。いよいよ間近に迫った《いそかぜ》との会敵を控えて、《うらかぜ》では電子海図を囲んだ最後の作戦会議が行われているところだった。

「演習に公平を期すため、LINK17が遮断されたのが二日前の午前零時です。その時点では、《いそかぜ》は鳥島沖北西五十マイルを航行していました。現在、本艦は大島近海に位置して、島陰に紛れる形で灯火管制を行っております。一般無線は封鎖、レーダーも間欠使用に切り替えておりますから、《いそかぜ》のフェーズド・アレイ・レーダーといえど、島の反対側に位置している限り探知は不可能です」

液晶パネル上に表示されたCG海図をスクロールさせつつ、司令の補佐役を務める隊付幕僚の一尉は続けた。

「敵側も、当然それを予測していることと思われます。そこで、敵の取りうる可能行動としては、大島を西側に迂回して本艦の鼻先を押さえるか、東側に回り込んで後ろを取るかということが考えられます。まっすぐ直進すれば、島を楯にしている我々が圧倒的に有利になりますから。となれば、敵の進行方向を予測して、その反対側に布陣する――つまり島を楯として最大限有効に使うというのが、作戦の骨子です」

「問題は、《いそかぜ》が東と西のどちらに回り込むかということだ。艦長の意見は？」

衣笠が続ける。阿久津は考える時の癖で頰を掻く仕種をしてから、おもむろに海図をスクロールさせた。

「航空救難に参加した後、《いそかぜ》は小笠原諸島の西側を通って北上を続けています。最後に所在を確認した鳥島沖でも、やはり西側に位置していた。機関故障で仮泊したために遅れが出てますから、ここから東側に回り込むのは、時間的にあまりにも負担が大きいと思えます」

「となると、西側を直進して我々の頭を押さえるか？」

「いえ、逆です。宮津艦長は、己に厳しい人です。いつでもいちばん困難な道を選んで、それをやり遂げてみせる。伊豆諸島の半ばから一戦速で飛ばし続ければ、東側に回り込むことも不可能じゃない。裏読みされるのを警戒して、西側に回る可能性もないではありませんが、あの艦長の性格からして東から来ると思います」

ディスプレイの一点を指さして言うと、口もとを緩めた衣笠が、「賛成だな」と応じた。

「他に意見がなければ、我々は大島の真西に布陣して、わざわざ大変な思いをして東から攻めてくる偏屈男を待ち伏せようと思うが、どうか？」

一同の失笑が、賛成を表していた。「では、次に作戦行動の具体的時間割ですが……」と隊付幕僚が口を開いた時、歩み寄ってきた電測長が衣笠の横に立った。

「司令、自衛艦隊司令部からお電話が入っております」

ＣＩＣの一端にある通信コンソールの上で、秘匿衛星回線に繋がる電話の受話器が保留になっていた。「わかった」と応じた衣笠は、「続けてくれ」と阿久津たちに言ってから、コンソールの方に歩いていった。

言われた通り、隊付幕僚が配布した行動予定表に目を落とした阿久津は、「それは……いったいどういう意味でありますか？」と言った切迫した声に、顔を上げた。受話器を握りしめる衣笠の恰幅のいい体が、小刻みに震えているのが見えた。

海千山千を自負する第六十五護衛隊司令が、初めて見せる動揺だった。副長と顔を見合わせた阿久津は、しばらくして受話器を置いた衣笠が、蒼白な顔を振り向けて「……艦長、ちょっと」と手招きするのを見た。

近づいた阿久津が「なにか？」と尋ねても、衣笠はすぐには口を開こうとしなかった。虚ろな目を一点に据え、肉厚の頰をぴくぴくと震えさせた隊司令は、やがて「艦隊司令官から、じきじきの下命だ」と、かすれた声で言った。

「本艦はただちにＬＩＮＫ17を復旧させ、戦闘部署を発動。全力で《いそかぜ》の進行を阻止せよ、と」

「阻止……？」

意味がわからなかった。演習の話ではないのか？　と思った途端、まっすぐ阿久津を見た衣笠の口が、「叛乱、だ」と動いた。

「《いそかぜ》が……宮津が、叛乱した可能性がある……」

その言葉の意味が咀嚼されるまでに、阿久津の顔からも血の気が引いていった。足もとの床が消失したような感覚に襲われ、無意識にコンソールに手をついた阿久津は、「そんな……どうして……」と呟くしかなくなった。

「わからん。海上警備行動の範囲内で、あらゆる対処活動を許可する。冷静な判断を期待する。……そう言っていた」

海上警備行動という言葉が頭の中で反響し、阿久津は土気色になった衣笠の顔を見返した。その名の通り、哨戒活動中の艦艇が攻撃などの敵対行為を受けた場合、正当防衛の範囲内でのみ反撃が許されるという海上自衛隊の行動規則。明確な交戦規定を持たない日本が、不慮の事態に対する緊急避難という形で、現場指揮官に武器の使用を認めた唯一の論拠だった。

警察比例の原則が適用されるとある通り、相手が明確な敵対意志をもって攻撃してきた場合に限って、あくまでも身を守るためにのみ反撃行動が許可される。つまり相手が敵対意志を示しても、実際に攻撃されない限り、威嚇以外の目的で発砲することは許されず、運よく相手の一撃目を回避し、反撃に転じられた場合でも、撃沈してしまえば過剰防衛と断罪される。日本が明白な侵略を受け、部隊に防衛出動の号令がかかればその規定も変わってくるが、それ以前の突発的な奇襲攻撃に際しては、海上警備行動の範疇でしか応戦できないのが海上自衛隊の現実だった。理屈ではわかっていても、いざそれに準じて目標の進行を阻止せよと言われれば戸惑うしかなく、阿久津はなにも見えていない目をディスプレイの列に向けた。

しかも、相手は《いそかぜ》。叛乱？　宮津艦長が、あの生真面目な部屋長がいったいどうして……？　混乱した頭の中にくり返すうち、「とにかく、部署発動だ」と衣笠が口を開いて、阿久津は現実に立ち返った。

「データリンクを復旧して、《いそかぜ》の現在位置を確認。わたしは三群司令に連絡して、事を確かめる。急げ」

第六十五護衛隊の旗艦である《うらかぜ》への下命は、所属する第三護衛隊群の司令から為されるのが順当のはずで、いきなり中央の自衛艦隊司令官から命令がきた経緯は、海上自衛隊そのものが未知の事態との直面に浮き足立っているさまを想像させた。さっそく通信コンソールに向き合った衣笠を背にした阿久津は、ひとつ深呼吸してから、「戦闘配置！　対艦戦闘用意」と艦長の声を出した。

教練、の二文字が頭につかない戦闘配置を令したのは初めてだし、それは命令を受ける副長たちにしても同じだった。復唱するのも忘れ、棒立ちになった顔に「急げ！」と気合いを入れた阿久津は、ようやく動き始めた幹部たちが艦内に通達する声を聞きながら、それぞれのコンソールについているオペレーターたちにＬＩＮＫ17の復旧も命じた。

アラームの鐘が鳴り響き、クルーが総員配置に走る喧噪が、艦の中央に位置するCICにも伝わってくる。手が空くのを見計らい、幹部たちに事情を説明した阿久津は、一様に蒼白になった顔にかける言葉もなく、全開になったレーダーのスイープ画面を見つめた。

嘘だ、なにかの間違いだ。ぐっと拳を握りしめた瞬間、電話を終えた衣笠が脂気の抜けた顔をこちらに向けた。

「近くにいる艦艇を応援に差し向けると言っている。向こうも混乱していて、事態がよくわかっとらんらしい。とりあえず全部隊に警急呼集がかかって、一群が浦賀沖に集結しつつあるそうだ」

首都防衛の先鋒である第一護衛隊群の集結は、これが悪質な冗談でもなければ、不意打ちの演習でもないことを、強く印象づけるものだった。阿久津がからからに渇いた喉から返事を搾り出そうとした時、「LINK17、復旧します」とオペレーターの声が響いた。

CG海図を映し出していたディスプレイが、一瞬ブラックアウトする。各艦艇のGPSから発信される位置信号を処理し、海図上に示したLINK17の画面が代わりに現れ、大島近海に位置する《うらかぜ》を基点に、半径三百マイルの海域を網羅したCG海図がディスプレイ上に表示される。食い入るように覗き込んだ阿久津たちは、次の瞬間、一斉に息を呑んだ。

大島を挟んだ向こう、三十マイル（約五十キロ）の位置に、《いそかぜ》を示す三角輝点が光っていた。西にも東にも迂回することなく、こちらが演習のために待ち伏せていることなど、まったく意に介していないかのように。

「こんな近くに……！」

衣笠の呻き声が、全員の胸中を代表していた。部屋長が来る——阿久津は、確実に近づいてくる《いそかぜ》のマーカーから、ゆらと殺気が立ちのぼるのを知覚した気がした。

*

総員離艦を実施して、四時間あまり。右舷艦底に浸水の深手を負いながらも、出し得る最大速度で一路北上を続けた《いそかぜ》は、今は大島をフェーズド・アレイ・レーダーの探知圏内に捉えていた。機関の音だけが遠くに響くＣＩＣの薄闇の中、宮津は通信長を務める初任幹部から、ＣＩネットの受話器を受け取ったところだった。

ＣＩネットは、指揮系の無線電話とは別個に各艦のＣＩＣを結んでいる無線だ。一時間ほど前から頻繁に入り始めた無線——第三護衛隊群司令を皮切りに、護衛艦隊司令部、自衛艦隊司令部、果ては海上自衛隊のトップである海上幕僚長。寝入りばなを叩き起こされてきたらしい防衛長官からも——をすべて無視し、停船せよとくり返す声を聞き流していた宮津が、その無線だけは応答するつもりになったのは、相手が自分のために骨を折ってくれた恩人だからというわけではなかった。

　目的を達成するために、最初に乗り越えてみせなければならない障害。《うらかぜ》に対しては、己の所信を表明して、最低限の礼節を示す必要があると考えたのだった。受話器を握り、「《いそかぜ》艦長、宮津です」と吹き込んだ宮津は、(六十五隊司令、衣笠だ）と応じた低い声を聞いた。

(宮津艦長。艦隊司令部からの命令は聞いているな?）

　息子の死後、艦長職を外されそうになった宮津を留任させるべく、身を挺して海幕にかけあってくれた隊司令は、押し殺した声でそう続けた。宮津は、「は」と事務的に答える。

(では、即刻停船したまえ）

「それはできません」

(なぜだ）

「本艦は現在、自衛艦隊とは別の意志に従って行動しているからです」

　息を呑む気配が受話器の向こうに発し、沈黙の間が訪れる。やがて、(君は、自分がなにを言っているかわかっているのか?）と言った震える声が、宮津の鼓膜に届いた。

「そのつもりです」

(宮津二佐、なにがあったか知らんが、落ち着くんだ）必死に感情を抑えた声で、衣笠は続けた。(君のやっていることは明らかな反逆行為だ。クルーを巻き添えにして、バカなことをするもんじゃない。とにかく話し合おうじゃないか。これまで立派に勤め上げてきたのに、どうしてこんな……）

「クルーはすでに降ろしました。現在、本艦に残っているのは、みな目的を同じくする者たちです」

（目的というのはなんだ）

「いずれ発表いたします。今は本艦の行動を黙認していただきたい」

（そうはいかん。君があくまで命令に従わんというなら、我々は全力で《いそかぜ》の進行を阻止する）

語尾を震えさせながらも、衣笠が決然と言いきった瞬間、「目標、動き始めました」の声がレーダー員の背中から発した。ディスプレイを見た宮津の目に、大島を回り込み、《いそかぜ》の進路を塞ぐべく前進を開始した《うらかぜ》のマーカーが映った。

距離は二十九マイル。六十マイルの射程を誇る艦対艦ミサイル（SSM）・ハープーンにとっては、近すぎるほどの位置だった。予測通りの行動に移った「障害」をレーダー上に見つめつつ、宮津はCIネットの受話器に吹き込んだ。

「できますかな？　海上警備行動の範疇で」

＊

その声は、通信コンソールのスピーカーを通じて阿久津たちの耳にも届いていた。これが、つい六日ほど前に酒を汲み交わした宮津の言葉なのか？　誰もが呆然とする中、「なに……？」と聞き返した衣笠の横顔を、脂汗の粒が伝う。

〈こちらが攻撃しない限り、あなた方は機銃弾一発たりと本艦に直撃させることはできない。そして我々が攻撃を開始すれば、《うらかぜ》は反撃する間もなく沈む〉

いっさいの感情がなくなってしまったかのような宮津の声がそう言い、阿久津は胃酸がじわりと染み出すのを感じた。同じ海上自衛官として、宮津は海上警備行動の致命的な矛盾を指摘してきたのだった。

相手が明確な敵意をもって攻撃してこない限り、いっさい手を出してはならないという海上警備行動の趣旨は、先制攻撃を受けた後もその艦艇が生残することを前提に成り立っている。が、強大な破壊力を持つミサイルと、絶対に的を外さない射撃システムによって行われる現代戦では、最初の一撃がすべてを決してしまうという現実があった。

ターゲットをロックして発射ボタンを押せば、放たれたミサイルや魚雷は間違いなく目標を殲滅する。容易に全面戦争の引き金を引いてしまうがゆえに、その使用には慎重を期さなければならないという論理の一方で、最初に撃った側が勝つという揺るぎない論理も存在するのが近代兵器だった。結局、先手必勝が戦争の本質ということでしかないのだが、その至極当然の理屈を、野蛮だ、好戦的だと蔑み、顧みないで済ます甘えが許されてきたのが、日本という国家なのだった。

有事即応を謳う海上自衛隊にあって、自分自身、その矛盾を突き詰めて考えたことはなかった。訓練成績の向上に努め、与えられた任務をこなすので精一杯だった。ふとそんな思いにとらわれた阿久津は、だからといって宮津の行動を看過するわけにはいかないと思い直して、スピーカーを睨みつけた。(それが我々……いや、あなた方の限界だ)と重ねた宮津の声が、そこからこぼれ落ちた。

(東西冷戦、民族紛争。果てることのない争いを横目にしながら、戦争を放棄できると信じて疑わなかった日本人の傲慢。その結晶が、自衛隊という組織のあり方だ)

「なにを言っている……！　現場指揮官には、緊急避難と武器防護の権限が与えられているんだ。貴様がその気なら、我々には攻撃することができる」

受話器を握り潰しかねない勢いで、衣笠が吠える。(ならば、おやりなさい)と返した冷静な声が、赤色灯に染められたCICの空間に響き渡っていった。

(その気概があるなら、我々はここで沈んでみせましょう)

肩を小刻みに震わせ、全身から怒りを滲ませた衣笠は、ふっと空気が抜けたようによろめくと、コンソールに手をついた。できるわけがない、とその横顔が言っていた。海上警備行動の指針は絶対だ。錯乱した一指揮官の挑発にのって、数千億の国家資産を破壊するなど、できるわけがない。上が許可するはずがない……。

「宮津くん、目を覚ましてくれ。法的整備の立ち遅れにいら立つのはわかる。それは我々自衛官にとって宿命みたいなものだ」

スピーカーに顔を寄せて、衣笠は必死の呼びかけを続ける。日頃の鷹揚さを捨て、コンソールにしがみついている隊司令の背中を見続けることができず、阿久津は目を閉じた。

「これまで一緒に頑張ってきたんじゃないか。父上が生涯をかけられ、息子さんも君の後に続こうとした。海上自衛隊の伝統に、君は泥を塗ろうとしているんだぞ。《いそかぜ》を皮切りにTMDが完成すれば、究極の国防の楯が国土を覆うようにもなるんだ。日本の体質も、少しずつ改善されつつあると……」

(無駄です。政治的打算から始まった装備増強は、起因となった政治状況の終了とともに途中で投げ捨てられる。何度も目にしてきたことです)

冷徹そのものの宮津の声が遮って、衣笠は口を閉じた。

(守るべき国の形も見えず、いまだ共通した歴史認識さえ持ちえず、責任回避の論法だけが人を動かす。国家としての顔を持たない国にあって、国防の楯とは笑止。我らは亡国の楯（イージス）。偽りの平和に侵された民に、真実を告げる者)

「亡国の……イージス？」

その言葉は、なにかの呪文のように心に染み込んでいった。ざわと揺らめく周囲の気配を感じながら、阿久津はぎゅっと拳を握りしめた。

勝手なことを……！　ざわめく胸中を押し退けて、その憤怒が阿久津の血を沸騰させた。

（撃たれる前に撃つ。それが戦争の勝敗を決し、軍人は戦いに勝つために国家に雇われている。それができない自衛隊に武器を扱う資格はなく、それを認められない日本に国家を名乗る資格はない。顔を持たないがゆえに他者と対等に接することができず、ただその場の帳尻を合わせるためだけに、なんの罪もない若者を死に至らしめたこの国を、わたしは決して許さない）

宮津の声が続く。「なにを……言ってるんだ」と言った衣笠の呟きは独白に近く、錯乱したのでも発狂したのでもない、冷厳な意志をもって行動を起こした宮津の怨念が、その場にいる全員に刻み込まれたようだった。

誰もなにも言えない数秒が過ぎ、なんの罪もない若者を死に至らしめた……といった言葉と、不慮の事故死を遂げた宮津の息子がイコールで繋がりかけた時、（即刻、その場を退いていただきたい）と続けた宮津の声が、阿久津の耳朶を打った。

（あくまでも阻止するというなら、我々は攻撃を開始する。撤退か、先制攻撃か。二つにひとつです）

棒立ちになった衣笠の背中が、背負いきれない恐怖と屈辱に揺れたようだった。宮津の怨念の源、それがどんなものであったとしても、恩人たる上官を辱め、同僚に刃を向ける行為が許されるものではない。そう思い、気がついた時には足を踏み出していた阿久津は、力の抜けた衣笠の手から受話器をもぎ取った。

「撤退するつもりも、先制攻撃をかけるつもりもない。我々は海上自衛官だ。あくまでも法を遵守する。それが我々の任務であり、誇りだ」

自然に口から流れ出た言葉だった。スピーカーの網目の向こうに宮津の顔を幻視して、阿久津は続けた。

「くだらん恫喝に膝を折る気はない。ここで我々が沈んだとしても、他の艦が残っている。我々という犠牲が、全国三十万の自衛官に反撃のきっかけを与えるのだということを忘れるな。彼らは、仲間に弓を引いた反逆者を決して許しはしないぞ」

全クルーの生命を預かる艦長として、吐いてはならないセリフなのかもしれなかったが、阿久津には口を閉ざすことができなかった。軽率だったか？　突き上げる熱気に押されて言ってしまった後、ちらりとそう思った阿久津は、ぐっと肩をつかんだ衣笠の目が、同意を示して濡れているのを見た。

背後に並ぶ幹部たちも、情熱過多の艦長の言葉に頷いている。胸が熱くなり、阿久津は受話器を握る手に力を込めた。この連帯感があるから、海という、人の生存を拒絶する環境でも生きてゆける。そうおれに教えてくれたのは、部屋長、あなただったはずだ。なのにどうして……。胸の中に呟いた阿久津は、それを感じ取ったかのような宮津の声が、（……相変わらず、ロマンチストだな）と言うのを聞いた。

（だが、戦場では役に立たん。ハープーンを直撃させる）

その言葉を最後に、通信は一方的に切れた。一瞬の沈黙が降り、一同と目を見交わした阿久津は、同じ確信がその目に宿るのを見て、胸の熱が霧散するのを感じた。

宮津は、本気だ。「全艦に通達！」と怒鳴った阿久津は、弾かれたように気をつけをした幹部たちの目を、ひとりひとり見ながら続けた。

「対空戦闘用意。対艦ミサイルが来る。レーダーが目標を探知すると同時に、回避行動とりつつ迎撃。ハード・キル、ソフト・キル両面を展開して、個艦防御に徹する。かかれ」

一斉に動き始めたクルーの背中をよそに、衣笠を振り返った阿久津は、よろしいですね？というふうな目を向けた。「任せる」と頷いた衣笠が、司令の顔を取り戻しているのを確かめてから、レーダーのディスプレイに目をやる。

ＬＩＮＫ17がＧＰＳ信号を探知しているものの、僚艦や哨戒ヘリによる水平線外測的が望めない現在、《うらかぜ》のレーダーでは《いそかぜ》を捕捉することができない。勝負は、ミサイルがレーダーの見通しがきく二十キロ圏内に到達して以後、五十秒の間に決まる。こうして撃つと宣言されても、ミサイルの飛来が確認されるまで反撃できないとは——。死守するど決めた法の異常さに歯噛みしつつ、阿久津は管制員の肩越しにレーダーを見つめ続けた。

＊

実際、それは勝負と呼べるようなレベルのものではなかった。仮に《うらかぜ》が先制攻撃を決意していたとしても、そのレーダーが《いそかぜ》を捉えた時には、すでにこちらが放ったハープーンが勝敗を決している。在来型のレーダーと、《いそかぜ》に装備されたフェーズド・アレイ・レーダーには、それほどの探知性能の差があった。

他の護衛艦やヘリがバックアップに回れば、《うらかぜ》も多少有利になったかもしれないが、集結しつつある第一護衛隊群は、マニュアル通り浦賀水道沖に防衛線を構築するつもりらしく、援軍を差し向ける気配はない。第三護衛隊群の艦艇は到着が間に合わず、ヘリの一機も飛来しない現実は、この四時間、錯綜する情報に振り回され、満足な対応策を打ち出せなかった政府と海上自衛隊の混乱ぶりを暗示していた。

その結果、演習のために《いそかぜ》を待ち伏せる形で大島近海に位置していた《うらかぜ》は、こちらの出方を窺う格好の囮にされてしまった。戦術としては間違ったものではないが、それが意図されたものではなく、対応の遅れからそうなってしまったのだという事実が容易に推測できる限り、《うらかぜ》には沈んでもらわなければならない。一瞬の判断の遅れ、情報の認識不足が命取りになる戦争の本質を理解しようとせず、ひたすらセクショナリズムに凝り固まっている者たちには、その犠牲がよい教訓となる。我々が本気であることを知らしめ、以後の対応を円滑に行わせるためにも、《うらかぜ》は沈めなければならない――。CIネットの受話器を置いた宮津は、そう自分に言い聞かせて顔を上げた。

ホ・ヨンファと竹中副長が、こちらを注視していた。主立った幹部は乗員不足を補うため直接配置についているので、CICにはそれぞれのディスプレイを見据えている初任幹部と、この二人の姿しかない。じっと注がれる二つの視線を前に、宮津はしばし棒立ちになってしまった。

なにを迷う必要がある、早く命令を下せと言っているヨンファの目と、やめてもいいのですよ、と言っているような竹中の目。それらを交互に見た後、ターゲットに照準された《うらかぜ》のマーカーをディスプレイ上に確かめた宮津は、乾ききった唇を開いた。

「ハープーン、攻撃始め」

＊

《いそかぜ》の露天甲板上に凄まじい噴煙が巻き起こり、閃光がそれを白く浮かび上がらせた。たちどころに中部甲板の構造物を覆い隠し、舷側にまで漏れ出した白煙をつき破って、二つの光が夜空に向かって上昇していった。

煙突後部に設置された専用キャニスターから、艦対艦ミサイル（SSM）・ハープーンが発射されたのだった。打ち上げロケットさながら、白い噴煙の尾を引いて急上昇した二基のハープーンは、巡航速度に達するとブースターロケットを切り離し、本体に内蔵されたターボジェット・エンジンを点火させた。同時に作動した中間誘導装置がその高度を下げさせ、レーダーに探知され難い高さまで降下したハープーンは、海面すれすれをマッハ〇・八五の亜音速でつき進んでゆく。生物的なその姿は、鎌首を上げて獲物を威嚇した蛇が、身を縮めて一気に襲いかかるさまを彷彿とさせた。

体当たりして、確実に目標を殲滅する。蛇よりも単純で、それゆえに容赦のない破壊兵器の本能に従って、二基のハープーンが一直線に闇の海上を飛翔する。一分足らずの間に《いそかぜ》は二十キロ後方に流れ去り、最終誘導装置――内蔵されたアクティブ・レーダーによって目標の位置を探知したハープーンは、自ら姿勢を制御して《うらかぜ》の防空圏内へ突入していった。

護衛艦の対艦ミサイル防御のうち、もっとも確実な方法はハード・キル――すなわち飛来するミサイルを目標到達前に撃破することで、その手順はそれぞれの兵器の射程によって三段階に分かれている。第一の防御ラインは三十キロ地点で、ターターから発射されるスタンダード対空ミサイルが担当するはずだったが、これには僚艦や哨戒ヘリによる水平線外測的が不可欠だった。

　自艦のレーダーだけが頼りの《うらかぜ》は、だから第一の防御ラインにハープーンが達しても、探知のしようがなかったのだ。LINK17のGPS信号から《いそかぜ》の方位を割り出し、ハープーンの飛来予測方向にスタンダードSAMが発射されたものの、目標追尾・照射レーダーによる遠隔誘導が望めないまま《うらかぜ》を発したミサイルは、運頼みで飛んでいるのも同然だった。

　ハープーンに較べればかなり小規模な噴煙を残し、《うらかぜ》の後部甲板に設置されたターターを飛び立ったスタンダードSAMは、内蔵されたレーダー受信装置を全開にして目標の反射波を捜索した。しかし防空圏突入ぎりぎりまで自らのレーダーを封鎖し、中間誘導装置に導かれて飛行したハープーンを発見することはできず、ようやくその反射波が感知された時には、二基のハープーンはスタンダードSAMをすり抜けていた。目標追尾・照射レーダーによる誘導が不可能な今、方向転換してハープーンを追撃することも叶わないスタンダードSAMは、当てもなく飛び続け、内蔵燃料が尽きれば海中に没する運命をたどるしかなくなっていた。

　第二の防御ラインは砲熕兵器による弾幕だった。《うらかぜ》の前後両甲板に装備された二基の主砲、七三式百二十七ミリ単装速射砲が左舷側に砲口を向けると、半径二十キロの艦砲防御線に到達したハープーン目がけて、一斉に砲撃が開始された。

射撃指揮装置（GFCS）が目標を追尾し、コンピュータ制御で砲台を動かしている現在、回避運動中の《うらかぜ》の船体がどんなに激しく揺れても、速射砲の砲口が目標から逸れることはない。一発の弾薬が装填ドラムから砲身に装填されるまで一・五秒、毎分四十発の射撃が可能な主砲が立て続けに対空弾を撃ち出し、海面を這うように飛翔するハープーンの周囲に無数の水柱を打ち立てる。腹の底まで揺さぶり通す轟音が三十数回響き渡る中、じっと息を詰めて飛行し続けたハープーンは、弾頭に装備されたアクティブ・レーダーに目標をロックオンすると、ホップアップ運動――急上昇に転じた。

地を這って獲物の足もとに近づいたハープーンが、鎌首を上げて跳躍した瞬間だった。《うらかぜ》の速射砲もその動きに合わせて砲身を持ち上げ、さらに十数発の対空弾が空気を裂いてハープーンに殺到する。一発がそのサステナー部を掠め、やや姿勢が崩れたところに、二発目が弾頭を直撃することに成功した。ハープーンはホップアップの途上で爆発し、内部の高性能爆薬も誘爆させて、海上に巨大な火球を現出させた。

衝撃と爆風が海に叩きつけられ、膨脹した炎が噴き上がった水飛沫を蒸発させる。熱エネルギーの嵐が闇の海面を沸騰（ふっとう）させたが、その熱地獄を突破して、もう一基のハープーンは依然、健在だった。炎を破って急上昇したハープーンは、眼下の《うらかぜ》をレーダーの目に捉えて、雷（いかずち）のごとく急降下していった。

＊

「目標、一機撃墜！　一機は引き続き本艦に直進！」

最大戦速で回避運動を行っている《うらかぜ》のCICに、オペレーターの悲鳴に近い声が響き渡る。第一、第二の防御ラインが破られれば、後は二十ミリ機関砲(バルカン)――近接防御火器(CIWS)システムによる弾幕しかない。分速三千発の高性能バルカンの火線は、しかし射程が二キロしかないため、亜音速で近づくハープーンと対せる時間は五秒間――すなわち二百五十発前後の弾幕しか張れないという欠点があった。

ミサイル撃破には最低でも二発以上の直撃が必要であり、米海軍では貫徹効果を向上させた劣化ウラン弾を用いてその不備を補っているが、核アレルギーの強い日本では使用することができず、いまだに通常弾を使用している。CIWSにアサインされつつあるGFCSのディスプレイを見、墜(お)としてくれよ、と内心に呟いた阿久津は、「新たな対空目標二機、急速接近！」と怒鳴ったオペレーターの声に、ぎょっとなった。

「百三十七度十三マイル、本艦への到達は五十五秒後！」

《いそかぜ》の第二波攻撃。目標指示装置(TDS)が即座に脅威評価を行い、一機をターゲットに捉えたが、同時二目標の追尾・撃墜が精一杯の《うらかぜ》のレーダーでは、もう一機を捕捉することができない。白熱する頭の中で咄嗟に判断した阿久津は、「チャフ、発射！」と叫んでいた。

「TDSを新目標にセット。第一波はソフト・キルにて対応」

ソフト・キル——電子的欺瞞でミサイルのレーダーを狂わせ、無力化する防御手段。第一波のハープーンをソフト・キルで防御し、二目標の追尾能力を第二波に集中させる以外、命中率九十五パーセントを誇るSSMから逃れる術はない。背後で足を踏んばり、じっと艦の動揺に耐えている衣笠の了解を取る余裕もなく、一気に下命した阿久津は、オペレーターの肩越しにレーダー・ディスプレイを見つめた。

《うらかぜ》の艦橋構造部から連続発射されたチャフ・ロケット弾が、艦の頭上に巨大な反射像を形成してゆく様子が映し出される。船体がギリギリと鉄の軋みを上げる音を聞きながら、阿久津は初めて祈る人の心境がわかったような気がした。

*

《うらかぜ》の頭上百二十メートルで花火のように炸裂（さくれつ）したチャフ・ロケット弾は、カートリッジに内蔵したグラスファイバーの小片をまき散らして、縦横百メートルを超えるチャフ雲を展開した。月の光を乱反射させてきらめくそれは、星よりも強い光の粉を闇夜にちりばめて、戦場の海に奇妙に幻想的な姿を滞留させた。

アルミ被覆されたグラスファイバーは、《うらかぜ》よりも巨大なレーダー反射雲となって、接近するハープーンのレーダーを欺瞞する。対空砲火を撃ち上げつつ、三十ノットの最大戦速で驀進（ばくしん）する《うらかぜ》に向けて降下するハープーンは、レーダーの目標取得角度内に捉えた巨大な金属反応に目がけて、迷わず猪突していった。

それがチャフ雲の作り出した虚像であることを、ハープーンの誘導装置は識別できなかった。《うらかぜ》がチャフ雲を残して待避した直後、滞留するグラスファイバー片の中に突入したハープーンは、近接信管を作動させて爆発した。

膨れ上がった火球がチャフ雲を蹴散らし、小型の太陽と化して、離脱する《うらかぜ》を照らしつける。衝撃波が海面を泡立て、爆風と破片が五十メートルと離れていない《うらかぜ》に襲いかかったが、船体が被害を受けることはなかった。ただ爆発による電磁障害がほんの一瞬だけ《うらかぜ》のレーダーを妨害し、ＧＦＣＳによる弾道追尾がわずかに乱されたことが、その後の《うらかぜ》の運命を決定づける結果になった。

速射砲の火線が微かに乱れた隙をついて、第二波のハープーン二基はホップアップ運動に入った。上空から一直線に振り下ろされた二つの鉄槌（てっつい）に対して、《うらかぜ》は後部甲板に設置されたＣＩＷＳの細い火線を撃ち上げることしかできなかった。クルーの必死の思いとは裏腹に、それはひどく貧弱な火線であり――ハープーンは、《うらかぜ》の横腹を目がけてまっすぐ急降下していった。

＊

レーダー・ディスプレイには、目標に到達しつつあるハープーンのマーカーがはっきり映し出されていた。《いそかぜ》のＣＩＣで、宮津は黙したままそれを注視した。四発のハープーンを間を置かずに発射していれば、同時二目標の対処能力しかない《うらかぜ》は、なす術もなく撃沈していただろう。第一波と第二波攻撃の間に三十秒の間を空けたのは、あるいは《うらかぜ》が回避してくれることを望んでいたからか？　ちらりと考えた後、せんなきことだと思い直した宮津は、ハープーンのマーカーと《うらかぜ》のマーカーが重なったのを確認して、目を閉じた。

ハープーン二発の直撃を受けて、生残できる護衛艦などはない。閉じた瞼の裏に、一年間同じ部屋で過ごした、鼻っ柱の強い防大生だった頃の阿久津の顔が映り、衣笠の豪放磊落な笑顔が映るのを見た宮津は、閉じた心の奥で絶叫している自分の声を聞いたような気がして、微かに口もとを歪めていた。

死後の世界があったとしても、自分は彼らと同じ場所には行けまい。二度と会うことのない男たちに別れを告げ、痛みを感じる自分を内奥に押し返した宮津は、レーダー・ディスプレイから目を背けて次の仕事の準備を始めた。

＊

上空から約七度の角度で目標に突入した二基のハープーンは、それぞれ《うらかぜ》の艦橋構造部の根元と、左側の乾舷に突き刺さり、触発信管を作動させて爆発した。

高性能爆薬、HMXオクトーゲンが二百二十七キロ充塡されている弾頭が同時に二つ爆発し、《うらかぜ》は断末魔の咆哮をあげて倒れる巨象のように、その船体を大きく右に傾けていった。弾着地点の鋼板は粉々に砕け散って蒸発し、秒速九千二百メートルの速度で膨らんだ炎と爆風は、艦内の隔壁や甲板を引き裂き、焼き払って、特殊鋼板で四方の壁を補強してあるCICさえも一瞬のうちに破壊した。十数人のクルーがその直撃を受け、死を実感する間も与えられないまま、ある者は衝撃とともに押し寄せてきた炎に焼かれ、ある者は破片に引き裂かれ、ある者は重量物の下敷きになって、死んでいった。

《うらかぜ》から盛り上がった漆黒の爆煙は、上空二百メートルに達したところでキノコ状に傘を広げ、断続的に起こる誘爆の閃光がその輪郭を夜空に浮き立たせた。衝撃に揺らいだ船体が反動で大きく左に傾き始めると、左舷中程にあいた巨大な穴――正確には、艦を真っ二つに引き裂いた亀裂――から、大量の海水が艦内になだれ込んでいった。

瞬く間に第四甲板が水没し、重量の増した船体を支えることができずに、露天甲板がメキメキ音を立ててひび割れ、船骨が折れ曲がってゆく。もはや艦艇とは言えず、ただの鉄塊と化した《うらかぜ》が、その巨体をゆっくり海中に沈降させ始めるのにそれほどの時間はかからなかった。

その光景は、広大な海を背景に一点の炎のきらめきでしかない。が、すぐ近くに横たわる島国に住む人々にとって、《うらかぜ》の沈没は重要な意味を持っていた。

それは戦後日本が初めて目撃する、自国の艦艇が大破・撃沈してゆく光景だった。

＊

電気コードが焼ける独特の異臭に鼻を刺激されて、阿久津は目を開けた。

遠くで警報が鳴っている。それに水の流れ込む音と、火の爆ぜる音。視界いっぱいに立ちこめた煙を払い、どうにか上身を起こした阿久津は、目前に広がる光景を見て頭が真っ白になるのを感じた。

画像が消え、ひび割れたCRT画面を並べるディスプレイの列。ひしゃげたコンソール。黒ずみ、亀裂が入った壁と、その前に倒れたクルーたち。ひとりは椅子と一緒に倒れて見開いた目を天井に向けており、ひとりは血まみれの頭をコンソールに埋めている。血溜まりに鉄帽（テッパチ）を被った頭を浸け、うつ伏せになっている背中は副長だろう。それらが明滅する赤色灯の中に浮かび上がり、阿久津は自分の五体を確かめることも思いつかないまま、よろよろと立ち上がった。

真っ白になった頭に、ハープーンが直撃した瞬間に起こった激震の記憶がよみがえってきた。床に倒れながらも、被害報告を督促した覚えがある。副長が復唱しかけた瞬間、CICの壁を引き裂いて熱波が襲いかかってきて……それからどうなった？

どれだけの時間が経ったのかもわからず、天板が砕け、配線や折れ曲がったパイプ類が垂れ下がっているCICを見回した阿久津は、不意に肩をぐいと引っ張られて、よろけそうになった。振り向いた目に、額から血を流し、頰を煤（すす）で真っ黒にした《うらかぜ》の先任伍長の顔が映った。

「艦長、なにをぼんやりしてるんです！　早く退避してください」

バカになりかけていた耳に、先任伍長の野太い声が飛び込んでくる。退避、と頭の中にくり返し、ようやく正気に返った阿久津は、逆に先任伍長につかみかかった。「何人、何人死んだ⁉」と怒鳴った阿久津に、先任伍長はぐっと唇を嚙み締めた。

「……わかりません。自分が知る限り、少なくとも十三人」

膝の力が抜け、その場に座り込みそうになった。十三人？　ここで死んでいる副長や電測長たちも含めれば、もっと多く。そんなに大勢のクルーが、死んだ……？　再び頭が白くなりかけた時、「しっかりなさい！」と六つ年上の先任伍長が肩を揺さぶって、阿久津はどうにか正気に踏み留まった。

「艦はもう保ちません。生きている者は上甲板に集合しています。我々も早く」

開きっぱなしになった鉄扉の向こうを、数人のクルーがバタバタと駆けてゆく。まだ半分意識が飛んだまま、先任伍長に引っ張られて歩き出しかけた阿久津は、不意に重要なことを思い出して足を止めた。「司令は⁉」と叫んだ阿久津から目を逸らして、先任伍長は首を横に振る素振りを見せた。

副長も、司令も死んで、艦長の自分だけが生き残る。冗談ではないと思い、阿久津は先任伍長の腕を振り払った。「艦長……！」と呼びかける野太い声に、「貴様は先に避難しろ！」と返して、焼け焦げたＣＩＣを見回した。

せめて遺体だけでも確認しなければならない。その衝動が体を支配して、床に転がる遺体をひとりひとり確認して回った。いったん退避する素振りを見せた後、ええい、仕方がないといったふうに引き返してきた先任伍長もその作業に加わり、ほぼ即死に近い部下たちの死に顔をあらためた阿久津は、倒壊した海図台の向こうに司令のテッパチが覗いているのを見つけた。

爆風にもぎ取られ、据え付け台座ごと倒れた電子海図台に背を預けて、衣笠が座り込んでいる姿があった。「司令……！」と呼びかけ、正面に回った阿久津は、血と煤で真っ黒になった衣笠の顔がわずかに反応したのを見て、全身の力が抜ける思いを味わった。

倒れた海図台が楯になったのか、致命傷を負わずに済んだらしい。薄目を開け、阿久津の顔を認めた衣笠は、「……艦長。無事なんだな。よかった」と微かに笑みを浮かべた。不意に感情が抑えようのない勢いで溢れてきて、思わず目を伏せた阿久津は、衣笠の左手が海図台の下敷きになっていることに気づいて息を呑んだ。

電子海図台の重量は二百キロを下らない。挟まれた衣笠の手がどうなっているかは想像するまでもなく、「早く退避しましょう。残念ながら、艦はもう保ちません」と言った阿久津は、先任伍長に手伝うよう目で合図してから、海図台を持ち上げるべくその両端に手をかけた。

「……わたしはいい。君たちは早く行け」

苦痛の脂汗を浮かべながら、衣笠がかすれた声を搾り出す。「やめてください！　できるわけないでしょう」と言い返し、先任伍長と息を合わせて海図台を起こそうとした途端、衣笠の右手が阿久津の腕をつかんでいた。

「麾下(きか)の艦長に反逆者を出して、国からお預かりした艦を沈められて……。どの顔で生き残れと言うんだ。せめて艦と運命をともにしてみせなければ、司令の面目が……」

そう言ったきり、衣笠は顔を俯けて沈黙した。ぎゅっと腕をつかんだ衣笠の手に、自分の手のひらを重ねた阿久津は、「それは自分も同じです」と言った。

「司令が残るのなら、自分も……」

　その場に腰を落としながら、そうした方がいいと阿久津は思った。海上自衛官として取るべき行動を取った、その信念は変わらなくても、多数のクルーを死なせてしまった現実を前にすれば、撤退してみせるのが指揮官の役目だったのではないかとも思う。永遠に消えることのない呵責を抱えてしまった今、死はひどく甘美なもののように阿久津には感じられたが、「バカを言うなっ！」と怒鳴り、救命胴衣の胸元をぐいと引き寄せた衣笠は、そんな弱気を吹き散らして阿久津を睨みつけた。

「貴様には、宮津を止めるという仕事が残っておるだろうが！」

　まっすぐ目を見て言うと、衣笠は苦しげに顔を歪めて胸元をつかんでいた手を離した。横面を張られた思いで、傾斜した床に尻をついてしまった阿久津は、苦痛に息を荒らげた隊司令が、「……なあ、艦長」と精一杯穏やかな声で続けるのを聞いた。

「宮津は、ハープーンを二発ずつ、間を置いて撃ってきおった。まるでわしらに生き延びるチャンスをくれたようだとは思わんか？」

　気づかなかったことだった。同時十二目標の標的設定が可能なミニ・イージス艦の《いそかぜ》なら、確かにそうした攻撃方法が取れる。「迷いがあるとおっしゃるのですか？」と尋ねた阿久津に、衣笠は「……多分な。そういう男だ」と答えた。

「艦長には、それを確かめてもらいたい。そして……どんなことをしてでも、奴を止めろ。

これが司令としての……いや、わたし個人からの、最後の頼みだ」

鷹揚に言った後、指揮官の顔を取り戻した衣笠は、「先任伍長！」と阿久津の背後に呼びかけた。思わず踵を合わせた先任伍長の気配を感じる間に、「艦長を連れ出せ。命令だ」と続けた衣笠の声が、阿久津の全身に染み込んでいった。

さっと敬礼した先任伍長は、座り込んだ阿久津の肩に手をかけて、「……さ、艦長」と涙を押し殺した声で言った。引きずり上げられるようにして立ち上がった阿久津は、ぼたぼた頬を流れ落ちる滴を止める術がないまま、衣笠の顔を見下ろした。

「泣くな。君は最善を尽くしたんだ。……この艦に座乗できて、幸せだった」

そう言うと、衣笠はもう口を開くつもりはないといったふうに顔を俯けた。阿久津は先任伍長の肩に担がれて、CICを出た。

別れの敬礼をすることができなかった——。飽和した頭の中にそんな思いがぽつりと浮かび上がった時には、いつの間にか合流した数人のクルーたちとともに、露天甲板に上がるラッタルを目前にしていた。先任伍長に支えられ、大きく左側に傾斜した甲板に立った阿久津は、まだ炎と煙を吐き出し続けている艦橋構造部と、海面に漂う膨脹式救命筏の群れを悄然と見つめた。

浸水速度は想像以上に速く、左舷側の露天甲板を洗い始めた海水は、打ち寄せるたびに刻々と水かさを増している。クルーの怒声と艦内の爆発音が交互に響き渡る喧噪の中、頭上からヘリのローター音が近づいてきて、間もなく探照燈の光が海面に投げかけられるようになった。海自の救難ヘリ、S‐61A。不格好なオレンジの腹を見せてそれが上空を行き過ぎた後、対照的に細いボディを持つ対潜哨戒ヘリ、SH‐60Jも数機が飛来し、救難活動が本格化したことを印象づけた。

もっと早く来てくれていたら。水平線外測的を行い、飛来するハープーンの位置を《うらかぜ》に伝えてくれたら、あるいはこんなことにはならなかったかもしれない。唇を噛み締め、沈みゆく《うらかぜ》の上を飛び交うヘリの列を見上げた阿久津は、先任伍長から離れてひとりで歩き始めた。

ハープーンの直撃で救命筏のカプセルもいくつかが破壊され、クルー全員を乗せるには数が足りなくなっていた。救命浮環も総動員し、先任伍長らと手分けして残ったクルーの離艦を急がせた阿久津は、救援艦艇が接近しつつあることを確かめてから、自分はヘリでひと足先に第一護衛隊群に向かうことを了承した。

これから《いそかぜ》と一戦を交えることになるかもしれない一群司令に、戦況を報告しておく義務があるのだった。傾斜で持ち上がった右舷側に立った阿久津は、ホバリングする救難ヘリ、UH‐60Jのカーゴドアから垂らされてきたホイストをつかみ、それを胸に巻きつけた。OKのサインを出すと同時にヘリは上昇を開始し、足が甲板を離れる瞬間、「宮津を止めろ」と言った衣笠の声を思い出した阿久津は、多くのクルーを乗せて海中に没してゆく《うらかぜ》の姿を、両の目にしっかりと焼きつけた。

後悔も、悲しみも、今はもうない。ただ衣笠の言葉だけが、無反応になった胸の奥底で強烈な熱を発していた。ホイストが巻き上げられる間、ロープ一本で空中を漂った阿久津は、胸を焦がす灼熱を少しでも発散しようとするかのように、全身を声にして叫んだ。

「宮津っ、早く来い！　おれが貴様を必ず海の底に沈めてやる！」

その声は、四枚のブレードを回転させるヘリのローター音にかき消されて、夜の海に吸い込まれていった。阿久津を回収したUH－60Jは、浦賀水道沖に布陣する第一護衛隊群旗艦《ひえい》に向かい、それとは反対方向、大島沖三十キロにまで近づいた《いそかぜ》は、確実に日本本土との距離を狭めつつあった。

＊

GPS発信が途絶したのか、LINK17のCG海図から《うらかぜ》を示すマーカーが消失した直後、フェーズド・アレイ・レーダーのディスプレイに映っていた反射波も消えて、《うらかぜ》が完全に沈没したことが明らかになった。

我々の放ったミサイルが、海上自衛隊の護衛艦を沈めた。その実感がゆっくり降り積もり、それぞれ配置につくクルーたちの肩に載せられてゆく。そんな感じだった。静寂に包まれた《いそかぜ》のCICに立ち尽くし、目標の消えたレーダー・ディスプレイを見つめていた宮津は、さりげなく横に立った竹中に視線を向けた。

「艦長。そろそろ宣言を」

宮津にだけ聞こえる声で、竹中は言った。レーダーには《うらかぜ》の沈没海域に群がる無数の救難ヘリの他に、前進を開始した第一護衛隊群のマーカーが映っている。ヘリコプター護衛艦《ひえい》を旗艦に、イージス艦を含む二隻のミサイル護衛艦、五隻の汎用護衛艦から成る八隻の艦艇と、八機の対潜哨戒ヘリによって構成される八八艦隊。ソナーには探知されていないが、潜水艦も潜んでいるかもしれない。いずれ、《いそかぜ》一艦が対抗するには荷が勝ちすぎる相手であることに変わりはなかった。

最初の血が流された今、阿久津が予言した通り、自衛隊は《いそかぜ》攻撃をためらわないだろう。だが「宣言」を聞けば、彼らは退却せざるを得なくなる。大島はもちろん、伊豆半島沿岸も射程距離に捉えた現在、「宣言」を行う要件は確かに整っており、一刻も早く実施して反撃を封じなければならないのが《いそかぜ》の立場だったが、竹中の言いようは、こちらの防御に気を回したものではないように宮津には聞こえた。

これ以上、戦闘を続けて無駄に人を殺すべきではない。呵責が目の充血になって現れている竹中は、間違いなくそう言っていた。宮津は答えようとしたが、それより先に、「まだです」と言った声がCICの薄闇に発した。

ホ・ヨンファだった。「もう少し前進して、人口密集地帯を標的に捉えてからの方がいい。手駒が多いほど、交渉は有利に進められますからね」と続けた顔には、竹中とは対照的に一点の曇りもない。数メートル離れた場所にいて、囁き声も聞き漏らさないその聴覚に呆れる間に、横に並んだヨンファはレーダー・ディスプレイを見上げた。

「それに、宣言を行っている間にミサイルが飛んでくる……なんてこともあり得る。ひと息つく前に、もうひとつ叩いておかなければならない相手がいるでしょう？」

同意を求める視線を向けたヨンファを無視して、宮津はレーダーを注視し続けた。確かにその通り。じき、彼らは現れるはずだ。胸の中に呟いた途端、レーダーが目標探知のアラームを発した。

「対空目標接近！　〇三八度六十マイル、目標は二機」

「ＩＦＦレスポンス、ＪＡ９１２、９４２。百里(ひゃくり)２０４ＳＱ」

オペレーターの初任幹部たちが立て続けに報告する。百里２０４ＳＱ——百里基地、第七航空団第２０４飛行隊から送り込まれてきた二機の要撃機。もうひとつ、叩いておかなければならない障害の接近だった。「イーグルか……」と呻いた竹中が、さっそく無電池電話のヘッドセットを被る姿をよそに、宮津は艦内放送のマイクを手に取った。

「対空戦闘、用意！」

＊

「Torero, this is Slugger 01. Now maintain angel 28.〔トレロ、こちらスラッガー01。現在高度二万八千フィート〕」

百里基地を飛び立って、五分あまり。基地航空管制官の指示に従い、トレロ――府中航空方面隊作戦指揮所(SOC)のコールサイン――との通信回線を開いた安藤亮二(あんどうりょうじ)三等空佐は、MO-15型酸素マスクに内蔵されたマイクに吹き込んだ。

陸地はすでに後方に過ぎ去り、風防(キャノピー)の向こうには雲ひとつない星空と、八千五百メートルの高みから見下ろす闇の海面が広がっている。スクランブルの命令を受け、ろくに状況説明を聞く暇もなくF-15Jイーグルを離陸させてきた安藤にとっては、ようやく任務内容の詳細が明らかにされる時だった。

〔Slugger 01, this is Torero. You are under my control.〔スラッガー01、こちらトレロ。誘導を開始する〕〕府中SOCの婦人(WAF)管制官が応答する。〔Object dead ahead 43. How about contact?〔捜索対象、正面、距離四十三ノーチカルマイル。そちらのレーダーで探知しているか?〕〕

捜索対象(オブジェクト)、か。年間二百回ものスクランブルがあったひと昔前は、いつでも領空侵犯機という目標（ターゲット）を求めて空を飛んだものだった。冷戦が歴史のひとコマになった今、航空自衛隊の出動は救難活動がほとんどで、訓練でもなければターゲットという単語を使うこともない。今回のスクランブルにしても、データリンクの不備でミサイルを暴発させた海自の護衛艦の安否を確かめるためのものだと、それだけは安藤も聞かされている。ファイターパイロットの仕事かよ、の思いを隠して、安藤は「Positive contact.〔探知した〕」と応答した。

「Request order.〔指示を乞う〕」

前方視野内表示装置（HUD）に、ＤＤＧ１８３——《いそかぜ》のマーカーが、敵味方識別装置（IFF）の呼びかけに反応して輝くのが見えた。コンピュータの故障かなにか知らないが、ミサイルを暴発させた愚かな海自艦。ファイターパイロットの常として、安藤はそうした人為的ミスによって起こる事故をひどく嫌悪していた。

だいたい、海上自衛隊の連中は浮世離れしているというか、大らかに過ぎるところがあって、時おりとんでもないヘマをやらかすものなのだ。何年か前、演習中に米軍機を墜としてしまった時もそうだった。狭い場所に大勢でいるから、長い時間が経つとダレてくるのではないか？　こちらは六千五百時間にのぼる飛行時間中、ひとつのミスが命取りになるコクピットで、誰の助けも借りられずに操縦桿を握ってきた。そういう緊張感があれば、無様な失態を犯すこともなくなるだろうに……。

そこまで考えて、ＳＯＣからの返信がいやに遅いことに気づいた安藤は、口中に小さく舌打ちした。千五百メートルの距離を置き、左側を並行して飛ぶスラッガー02――宗像（むなかた）一等空尉も不審に思っているだろう。２０４飛行隊で訓練幹部補佐を務める宗像一尉は、一級の操縦技術が要求される飛行教導隊からもお呼びがかかっている逸材だ。今も隊長機であるこちらの操縦に巧みに同調して、二機編隊（エレメント）の基本隊形、スプレッドを片時も崩さずに機を操っている。イーグルは、数ある戦闘機の中でももっとも端的にパイロットの操縦技量が反映される機体であり、人一倍の努力で足りない才能を補っている自覚のある安藤には、そうしてさらりと器の違いを見せつける宗像の天才ぶりが、どこか眩（まぶ）しくもあった。

同じ２０４航空隊の一員として、二十四時間、滑走路地下の待機所に詰めてスクランブルに備えるアラート勤務も何度かともにしているが、実際に二人だけで飛ぶのは初めてだった。星空を背景に、赤い航空灯を瞬かせる宗像機の安定した飛行を確かめ、《いそかぜ》のマーカーを映し出すＨＵＤに目を戻した安藤は、一向に返信を寄越さないＳＯＣの常にない鈍さに、いら立ちを通り越してじわりとした不安を感じた。

交話が途絶えてから、既に二十数秒。実戦なら、とうの昔に墜とされている。下の方――といっても、高度百から二百メートルの間だが――では、ずいぶんヘリが飛び交っているようだが、よもや暴発したミサイルが、他の船を沈めてしまったなんて話じゃないんだろうな……？　そんなことを考えた途端、〈Slugger 01, this is Torero.〔スラッガー01、こちらトレロ〕〉と、先刻のＷＡＦとは違う男の声が安藤の耳に飛び込んできた。

〈I change order. Object changed into target. Clear fire. Kill《ISOKAZE》.〔命令の変更を伝える。捜索対象は目標と確認した。武器の使用を許可する。《いそかぜ》を撃沈せよ〕〉

機が失速した時でも動揺しないはずの体が、震えた。少しの間を置いてから、安藤は「……Torero, say again.〔トレロ、もういちど言ってくれ〕」と、マイクに吹き込んでいた。

〈I say again. Kill《ISOKAZE》.〔くり返す。《いそかぜ》を撃沈せよ〕〉

間違いなく同じ言葉が鼓膜を震わせて、安藤は「嘘だろ……?」と呻いていた。航空無線使用の明確な規定違反だったが、SOCに咎められることもなかった。「……Roger. Kill《ISOKAZE》.〔了解。《いそかぜ》を撃沈する〕」と応じ、一秒間だけ目を閉じた安藤は、それでなにごとにも動じないパイロットの感覚を取り戻したつもりになって、今やターゲットとなった《いそかぜ》のマーカーをHUDのパネル上に見つめた。

「Slugger 02, this is lead. Steer 040, maintain present angel.〔スラッガー02、こちら隊長機。高度そのまま、方位〇四〇へ向かう〕」

低空で接近、こちらのミサイルの射程に入ったところで、急上昇しながら一撃離脱。対艦攻撃要領の基本を頭に呼び出し、宗像機に指示を出した安藤は、〈…… Roger.〉と応答した宗像のかすれた声を聞くや、操縦桿を倒して一気に機を旋回させた。

《いそかぜ》のフェーズド・アレイ・レーダーは、すでにこちらを探知している。このままなに食わぬ顔でいったん探知圏外に出、捜索レーダーを切ってからあらためて低空で接敵する必要があった。《いそかぜ》との距離が急速に離れてゆくのをHUD上に確かめながら、安藤は冗談じゃないと内心に吐き捨てた。

いったいなにがどうなってる。対艦攻撃は支援戦闘機のF－1がやるべき仕事で、要撃機のF－15Jが行うべきことではない。しかも相手は海上自衛隊の艦艇。イーグルに搭載されているミサイルは、どれも空対空ミサイル（AAM）で対艦ミサイルほどの破壊力はないとはいえ、直撃すれば甚大な被害を相手にもたらす。このおれに、同じ自衛官を殺せというのか？

いや、それならまだいい。相手は、ミニ・イージス・システムを搭載したミサイル護衛艦。同時十二目標の対処能力を持つ最新のシステム艦だ。こちらの目論見は露見していて、防御を固められているかもしれない。おれたち二機でやれるのか？　部下を無駄死にさせて、機を潰すだけに終わるんじゃないのか……？　無意識にそんな思考が固まりかけた時、

（……班長）と呼びかける声が耳元に弾けて、安藤は我に返った。

指揮系無線ではなく、個別無線を介して聞こえてきた宗像の声だった。戦技飛行中にしていいことではなかったが、異常な命令の矢面（やおもて）に立たされた被害者同士、意思の疎通をはかっておく必要があると感じた安藤は、「どうした」と応じた。（本当に、攻撃するのですか？）と言った宗像の声には、日頃の冷静さが消えているように聞こえた。

「仕方がない。それが命令だ」

（ですが、相手は同じ……）と言った宗像は、それきり口を閉ざしてしまった。こんな命令を言い渡されて冷静でいられるはずもないが、いったんコクピットに座ったが最後、機体を構成するもっとも高価な部品として、感情は表に出さないのがファイターパイロットの原則だった。自分にもそう言い聞かせた安藤は、「それは、おれやおまえが気にすべきことじゃない」と言って、操縦桿を握り直した。

「おれたちはパイロットなんだ。国がバカ高いイーグルをおれたちに託しているのは、こういう時のためだ。やるしかない。今ここで撃つのをためらえば、おれたちだけでなく、空自全体が笑い者にされる。それは、おれにとっては死ぬ以上に辛い」

（……自分も、それは同じです）

低い声でも、宗像ははっきりそう言った。「それでいい」と応じて、安藤は自分の迷いも一緒に捨てた。

「ありったけのスパローをぶち込んで帰るだけだ。援護は任せたぞ」

ちょうど《いそかぜ》のレーダー圏内を脱した瞬間だった。（Roger.）と返した宗像の声が、抑揚のないパイロットの声に戻っていることに安心して、安藤は無線を切った。急旋回した二機のイーグルは、引き続き急降下をかけてターゲットを目指した。

高度計の目盛りがたちまち下がり、機体の加速を察知した耐Gスーツが、腹部と両腿部に仕込まれた気嚢（きのう）を膨脹させる。気嚢の圧迫が下半身への血流を抑制し、加速の重圧（G）が引き起こす貧血を緩和する仕組みだ。最大速度マッハ二・五、実用上昇限度約一万九千メートル。一九七二年の初飛行以来、現在まで世界最高レベルを維持している荒鷲の息吹きがパイロットに伝わる瞬間だったが、それを快く感じる余裕は今の安藤にはなかった。ターゲットとの相対距離が、スパローAAMの射程距離——五十キロに近づいてゆくのを確かめた安藤は、兵装選択装置をフォックス1にセットした。

イーグルが採用するHOTASは、それらの機器操作を操縦桿とスロットルを握った状態で行えるようになっている。正面コンソールの多目的カラーディスプレイに、フォックス1——スパロー対空ミサイルがセットされたことを確認して、安藤は「Slugger 02, this is lead.」の声をマイクに吹き込んだ。

無線封鎖解除。「Popping up, now.〔急上昇、はじめ〕」と続けた安藤は、操縦桿を引き、フットペダルを踏み込んだ。

ふわりと浮き上がったイーグルの機体が、アフターバーナーの点火を受けてドン！　と前に押し出される。灯火管制中の《いそかぜ》の姿を肉眼で確認することはできなかったが、HUDにはその位置が明確に示されていた。安藤は、これまで探知されないよう切っておいた捜索レーダーのスイッチをオンにすると同時に、イーグルの翼下に装備された四本のスパローAAMの目標追尾装置（シーカーヘッド）を作動させた。

ロックオン。《いそかぜ》のCICでも感知しているはずだが、もう遅い。スパローを全弾撃ち放ったら、ただちに方向転換、そして急降下。ロックされた《いそかぜ》のマーカーをHUDに見ながら、安藤は発射ボタンに親指をかけた。

《いそかぜ》のレーダーに捕捉されたことを伝える、耳障りな警告音が鳴り響いたのは、その瞬間だった。

＊

嵌められた——。安藤機がロックオンされたと知った時、宗像が思ったのはそのことだけだった。

《いそかぜ》は最初からこちらをマークしていた。二機のイーグルが低空飛行で接近しても気づかない振りで、懐深く入り込む時機を窺っていたのだ。状況が皆目(かいもく)つかめず、自衛隊の艦艇を攻撃するということに呵責さえ感じた宗像たちに対して、《いそかぜ》は最初から戦闘を仕掛けるつもりで待ち伏せていた。その認識の違いが、宗像たちには致命的なマイナス要因になったのかもしれなかった。

安藤機をロックオンしたのは、《いそかぜ》の長距離対空ミサイル(SAM)、SM-2ERだった。甲板上に埋め込まれた垂直発射装置(VLS)から二基のSM-2ERが撃ち出され、急上昇から攻撃態勢に入った安藤のイーグルに殺到した。それに対して、安藤は咄嗟にスパローの発射を断念し、チャフを放出しながら機体を旋回させて、一気に高度を下げる手に出たようだ。安藤機が垂直に降下していった直後、チャフに吸い寄せられたSM－2ERが二つの火球になるのを目撃した宗像は、爆発の衝撃が自機に達するより先に、安藤に追随して機体を急降下させた。

もし安藤がスパローの発射にこだわっていたら、その時点で撃墜されていたタイミングだった。三百フィート（約九十メートル）まで高度を下げたところで、さらに旋回。横殴りのGに歯を食いしばって耐えた宗像は、アフターバーナーを全開にして《いそかぜ》からの離脱をはかったが、百キロの射程を誇るSM－2ERから逃れるには、二機のイーグルはあまりにも《いそかぜ》に近づき過ぎていた。さらに四基のミサイルがVLSから打ち上げられ、セミ・アクティブ・レーダーの目でイーグルを探知してまっすぐ追いすがってくる。放出したチャフが一基を墜としてくれたものの、残る三基は爆発の炎をかいくぐって、ぴたりとイーグルの尻についてきた。

加速でかわせるか？　余計な思考は強大なGに押し流され、パイロットの本能という芯だけになった頭で宗像は考える。無理だ、とても間に合わない。急上昇で回避する手もあるが、加速中に強行すれば、機体が機動限界を越えて空中分解してしまう。なら、どうする？　機を捨てて脱出……？

Gが全身の血と内臓を押し下げ、操縦桿を握る手が重くなってくる。眼球が見えない力に圧迫され、涙が溢れてきたが、もちろん拭うことはできなかった。一発もミサイルを撃てずに機を捨てるしかないのか？　その思い、パイロットとしてのプライドが宗像をイーグルのコクピットに縛りつけ、内臓のひとつやふたつが潰れたとしてもかまわない、行けるところまで行ってやる、とスロットルに手をのばしかけた瞬間、（逃げろ、宗像！）と叫ぶ声が、ヘルメットの中に響いた。

安藤班長？　Gに押しつけられた目を動かし、キャノピー脇のバックミラーを見た宗像の目に、急激に速度を落とし、後方に流れてゆく安藤機が映る。ジェット後流に巻き込まれることも恐れず、宗像機のほぼ真後ろに付いた安藤が、なにを考えているのかわかってしまった宗像は、ダメだ、と胸の中に絶叫した。

声は出せなかったし、出せたとしても、安藤機が再加速することはなかっただろう。それが安藤という男だった。射撃訓練で飛行隊トップの成績を修めて凱旋してきた晩、隊舎のソファでふんぞり返っていた自分を蹴飛ばし、てめえひとりの力でやれたと思うな、今すぐ機体の整備を手伝ってこい！　と命じたのも安藤なら、教導隊への出向が空幕から打診された時、誰よりも喜んでくれたのも安藤。決して器用なたちではないが、なにごとにも粘り腰で取り組み、上官からも部下からも信任の厚かった男。いかつい髭面は、小学生になったばかりの娘の話題を持ち出すと、途端にニヤニヤ締まりがなくなる。パイロットとして、人として、信用できる先輩であり続けた安藤の駆るイーグルが、宗像機の楯になるかのように後方につくと、殺到する三基のSM－2ERをすべてその機体に引き受けて、オレンジの火球に姿を変えていった。

機体を激震させた衝撃波はすぐに後方に消え去り、機体の破片とともに膨らんだ炎も、あっという間に視界から消えた。《いそかぜ》のミサイルが放たれてから、三十秒足らずの間に起こった出来事。ロックオンの警報も聞こえなくなり、加速を抑えて機を上昇させた宗像は、自分ひとりだけが《いそかぜ》の対空攻撃から逃れたのだと知った。

少ない雲の下、まっくらな海の向こうに、人工の灯をそこここに散らした陸地が見えてくる。なにも、なにもすることができなかった。戦場空域を脱したと実感した途端、その悔しさ、情けなさがこみ上げてきて、宗像はじわりと滲んだそれらの光を視界から追い出した。Gで眼球を刺激されたからではない、別の理由で溢れてきた涙が酸素マスクの縁を伝い落ちるのを感じながら、なす術もなく機体を飛ばし続けた。

〔Slugger 02, Slugger 02, this is Torero. Are you normal ?〔スラッガー02、こちらトレロ。無事か？〕〕

ＳＯＣからの通信音声が、狭いコクピットにいつ果てるともなくくり返された。

＊

結局、状況があまりにも不明瞭でありすぎたのだろう。《いそかぜ》撃沈を命じられても、彼らイーグルのパイロットたちには前後の状況がまるでわからず、《いそかぜ》が攻撃を警戒しているかどうかということさえ知りようがなかった。この海域が戦場になっているという認識が、命令を出す側にも出される側にも、決定的に欠如していたのだ。ひとつは消失し、ひとつはほうほうの体で離脱していったイーグルのマーカーをレーダー・ディスプレイに確かめながら、宮津は思わずにいられなかった。

捜索対象が、一転して目標になった。その時点で、彼らは引き返すべきだった。対艦ミサイルを搭載したF－1部隊と合流して、あらためて組織的な攻撃を仕掛けるのが正しいやり方のはずだった。それが、今なにが起こっているのかを明確に認識し、対処のイニシアチブを取る機関なり人なりが皆無だったばかりに、場当たり的に対応策が決められてしまったのだろう。《いそかぜ》の近くにイーグルが上がっているなら、攻撃させろ。戦術の戦の字もわからない者の要請であっても、それが正規の命令系統を下ってきたものであるなら、実施するしかないのが自衛隊だ。その短絡ぶりを矯正する発言力もなければ、本来の意味でいうパートナーシップも政府との間に築けてはいない。その結果、優秀なパイロットが死に至った。誰かの息子であり、誰かの夫、父親でもあったかもしれない男が、爪の欠片ひとつ残さずに四散していった……。

「よく見ろ、日本人。これが戦争だ」

レーダー・ディスプレイを凝視して、ヨンファが言っていた。国益の名のもとに、大量の血が流されている世界の現実を体で学んできた男が、なんの対価も払わず、その犠牲の上に成り立った平和を当たり前のように享受する日本人に手向けた言葉。陰惨な喜悦を刻んだ横顔の相手をするつもりになれず、宮津は通信コンソールの方に足を向けた。

主要幹部が、その前に整列している。これから行う「宣言」のために、仕事の合間を縫ってCICに集まってきた者たちだった。第一護衛隊群が前進を開始し、さらに複数の戦闘機が接近しつつある現在、我々がなにを隠し持っているのか、それだけは日本政府に理解してもらう必要がある。横田航海長、酒井機関長、杉浦砲雷長、風間水雷士。ひとりひとりの目を見、最後に竹中副長と顔を合わせた宮津は、差し出されたマイクを無言で受け取った。「宣言」は、一切の交渉を排すために電文の形で送信される。マイクを口に近づけた宮津は、小さく息を吸って目を閉じた。

ついにここまで来た。隆史、見ていろ。すべてはこれからだ。おまえが受けた苦しみと恐怖を、今度は奴らが味わう番だ——。胸の中に呟き、目を開けた宮津は、もう迷うことなく送信ボタンを押していた。

「発、いそかぜ。宛、自衛艦隊司令部。本艦は、現時刻をもって自衛艦隊からの脱退を宣言する。以後、本艦を中心とする半径十キロ圏内の制海権・制空権は本艦に帰属するものとし、これを侵した場合は敵対行動と判断する。自衛艦隊司令部は、即刻本艦の進路上に配置されている艦艇・航空機を退がらせ、同要求を空陸各部隊にも通知徹底。本艦の東京湾進入にあたり、阻害するあらゆる要件の排除に努めよ。また〇六〇〇(マルロクマルマル)までに中央政府との直接交信回線を準備し、次の指示に備えよ。要求が受け入れられない場合、本艦は実力をもって障害の排除にあたり、報復措置を講じる。現在、本艦の全ミサイルの照準は東京首都圏内に設定されている。その弾頭は通常に非(あら)ず。

くり返す。本艦所有ミサイルの弾頭は通常に非ず。終わり」

(下巻につづく)

この作品は、一九九九年八月に小社より刊行されたものです。

|著者|福井晴敏　1968年東京都生まれ。千葉商科大学中退。1997年、警備会社に勤務する傍ら初めて応募した作品「川の深さは」が、江戸川乱歩賞選考会で大きな話題になる。翌年、『Twelve Y. O.』で第44回江戸川乱歩賞を受賞。2000年『亡国のイージス』で日本推理作家協会賞、日本冒険小説協会大賞、大藪春彦賞をトリプル受賞した。なお『川の深さは』も2000年8月、小社より単行本として発表された。他著書に『月に繭　地には果実』(『∀ガンダム』改題)がある。

亡国のイージス(上)

福井晴敏

2002年7月15日第1刷発行
2002年8月1日第2刷発行

発行者――野間佐和子
発行所――株式会社　講談社
東京都文京区音羽2-12-21　〒112-8001
電話　出版部 (03) 5395-3510
販売部 (03) 5395-5817
業務部 (03) 5395-3615

Printed in Japan

講談社文庫

定価はカバーに表示してあります

デザイン―菊地信義
製版――豊国印刷株式会社
印刷――凸版印刷株式会社
製本――有限会社中澤製本所

落丁本・乱丁本は小社書籍業務部あてにお送りください。送料は小社負担にてお取替えします。なお、この本の内容についてのお問い合わせは文庫出版部あてにお願いいたします。(庫)

ISBN4-06-273493-1

講談社文庫刊行の辞

二十一世紀の到来を目睫に望みながら、われわれはいま、人類史上かつて例を見ない巨大な転換期をむかえようとしている。

世界も、日本も、激動の予兆に対する期待とおののきを内に蔵して、未知の時代に歩み入ろうとしている。このときにあたり、創業の人野間清治の「ナショナル・エデュケイター」への志を現代に甦らせようと意図して、われわれはここに古今の文芸作品はいうまでもなく、ひろく人文・社会・自然の諸科学から東西の名著を網羅する、新しい綜合文庫の発刊を決意した。

激動の転換期はまた断絶の時代である。われわれは戦後二十五年間の出版文化のありかたへの深い反省をこめて、この断絶の時代にあえて人間的な持続を求めようとする。いたずらに浮薄な商業主義のあだ花を追い求めることなく、長期にわたって良書に生命をあたえようとつとめるところにしか、今後の出版文化の真の繁栄はあり得ないと信じるからである。

同時にわれわれはこの綜合文庫の刊行を通じて、人文・社会・自然の諸科学が、結局人間の学にほかならないことを立証しようと願っている。かつて知識とは、「汝自身を知る」ことにつきていた。現代社会の瑣末な情報の氾濫のなかから、力強い知識の源泉を掘り起し、技術文明のただなかに、生きた人間の姿を復活させること。それこそわれわれの切なる希求である。

われわれは権威に盲従せず、俗流に媚びることなく、渾然一体となって日本の「草の根」をかたちづくる若く新しい世代の人々に、心をこめてこの新しい綜合文庫をおくり届けたい。それは知識の泉であるとともに感受性のふるさとであり、もっとも有機的に組織され、社会に開かれた万人のための大学をめざしている。大方の支援と協力を衷心より切望してやまない。

一九七一年七月

野間省一

講談社文庫 最新刊

福井晴敏　**亡国のイージス(上)(下)**
テロリストの未曾有の攻撃に立ち向う少年。日本推理作家協会賞含む三賞受賞の感動傑作。

吉村達也　**有馬温泉殺人事件**
旅館の女将が「光る宙吊り死体」に！　志垣警部&和久井刑事の推理は？　**文庫書下ろし**

和久峻三　**二重の危険**（ダブル・ジェパディ）〈告発弁護士シリーズ〉
起訴されたのは身代わりの別人か。名物弁護士猪狩文助が法の間隙を衝く。**文庫書下ろし**

山田正紀　**花面祭 MASQUERADE**
花が人を殺すのか!?　40年の時を結び塘松流を襲った惨劇の謎は、秘伝の花、しきの花に!?

わかぎゑふ　**男体動物**（なんたいどうぶつ）〈若旦那に愛をこめて〉
女性やお金に対してズレているのに許されちゃう愛すべき若旦那たちを語る痛快エッセイ。

下川裕治　篠原　章　編著　**沖縄ナンクル読本**
なぜ旅人は沖縄に身がとろけてしまうのか？「青い海と空」だけではない島の秘密に迫る。

浅川博忠　**自民党・ナンバー2の研究**
権力の座目前に仆（たお）れた者、補佐役に徹し身を全うした者。ナンバー2の条件を見事に検証。

大橋巨泉　**岐路**
なぜ快適なセミリタイア生活を捨て、「政治」を選んだか、巨泉流生き方の岐路がここに。

加来耕三　**龍馬の謎**〈徹底検証〉
新資料と厳密な解釈で創られた龍馬の虚像に真実の光を当てる好評の謎シリーズ第三弾。

メアリ・ジェイン・クラーク　山本やよい　訳　**緊急報道**
オークションの裏側で殺人事件が発生。スクープを追う女性TVプロデューサーの活躍！

リサ・マークルンド　柳沢由実子　訳　**爆殺魔**（ザ・ボンバー）
連続爆破殺人事件を追う女性記者に魔の手が伸びる。ポロニ賞受賞のクライム・ノベル。

深谷忠記　千曲川殺人悲歌
深谷忠記　運命の塔(上)(下)〈小諸・東京＋－の交差〉
藤田宜永　還らざるサハラ
藤田宜永　樹下の想い
藤原智美　運転士
藤水名子　赤壁の宴
藤水名子　公子曹植の恋
藤水名子　王昭君
藤水名子　公子風狂〈三国志外伝 曹操をめぐる六つの短篇〉
藤井素介　海鳴りやまず〈八丈流人群像〉
藤原伊織　テロリストのパラソル
藤原伊織　ひまわりの祝祭
藤原伊織　雪が降る
フジテレビ監修　小説・ショムニ
藤田紘一郎　笑うカイチュウ
藤田紘一郎　空飛ぶ寄生虫
藤田紘一郎　体にいい寄生虫〈ダイエットから花粉症まで〉
藤田紘一郎　サナダから愛をこめて〈信じられない「海外病」のエトセトラ〉
…み　ウィーンの密使〈フランス革命秘話〉

藤本ひとみ　時にはロマンティク
藤本ひとみ　聖アントニウスの殺人
フリープレス編　日本の顔・その歳で何をした!!
藤野邦夫　幸せ暮らしの歳時記
藤野千夜　少年と少女のポルカ
藤野千夜　おしゃべり怪談
藤沢　周　ソロ
船山　馨　お登勢
福井晴敏　Twelve Y.O.（トゥエルブワイオー）
藤木美奈子　女子刑務所〈女性看守が見た「泣き笑い」全生活〉
辺見　庸　反逆する風景
星　新一　エヌ氏の遊園地
星　新一　ノックの音が
星　新一　盗賊会社
星　新一　おかしな先祖
星　新一編　ショートショートの広場①〜⑨
本田宗一郎　私の手が語る
堀　和久　夢空幻
堀　和久　江戸風流医学ばなし

堀　和久　織田有楽斎（うらくさい）
堀　和久　中岡慎太郎
堀　和久　長い道程（みちのり）
堀　和久　大岡越前守忠相
堀　和久　江戸風流「食」ばなし
堀田　力　再びの生きがい〈特捜検事からボランティアへ〉
堀田　力　否認〈どうして言わないの〉
堀田　力　学問はどこまでわかっていないか
堀田　力　堀田力の「おごるな上司!」
堀田　力　堀田力の「あきらめるな!ニッポン」
堀田　力　壁を破って進め(上)(下)〈私記ロッキード事件〉
星野知子　トイレのない旅
星野知子　子連れババ連れ花のパリ
北海道新聞取材班　解明・拓銀を潰した「戦犯」
北海道新聞取材班　検証・「雪印」崩壊〈その時、何がおこったか〉
カズコ・ホーキ　ロンドン快快
保阪正康　大学医学部の危機
松本清張　草の陰刻
松本清張　黄色い風土

講談社文庫　目録

2002年6月15日現在